# Le garçon de la lune

Ian Brown

# Le garçon de la lune

L'amour d'un père
pour son fils handicapé

*Préface de Jean Vanier*

*Traduit de l'anglais (Canada)
par Nicole Hibert*

Albin Michel

*Ce livre est publié sous la direction de Francis Geffard*

*Ce livre est dédié à*
*Walker Henry Schneller Brown*
*et à ses nombreux, très nombreux amis.*

« Quelle démence, infortuné, s'est donc abattue sur toi ?
Quel immortel a fait sur ta triste fortune
Un bond plus puissant qu'on n'en fit jamais ?
Ah ! malheureux ! non je ne puis te regarder en face.
Et cependant je voudrais tant t'interroger,
Te questionner, t'examiner...
Mais tu m'inspires trop d'effroi. »

SOPHOCLE, *Œdipe-Roi*


« J'aime les imbéciles. J'aime leur candeur. Mais, en toute modestie, on est toujours l'imbécile de quelqu'un. »

RENÉ GOSCINNY

# Préface à l'édition française

Ce livre, *Le garçon de la lune*, est le fruit de la rencontre entre deux mondes.

D'un côté, celui d'un couple, Ian et Johanna Brown, des Canadiens de Toronto.

Tous deux ont plutôt réussi leur vie, ils sont cultivés, ils ont une fille et de nombreux amis.

Ian est journaliste au *Globe and Mail*, le grand quotidien canadien, et écrivain, aussi réputé que doué. Il est drôle, manie la langue avec aisance, et peut parfois être caustique ou cynique. Il écrit ce qu'il ressent, ce qu'il vit, peu importe ce que les gens vont penser de lui. Mais il est surtout authentique, et c'est ce qui fait tout le charme et la force de son livre.

Et puis, il y a le monde de leur fils, Walker, né avec un handicap très lourd. Un petit garçon tout à la fois différent, exceptionnel et exigeant. Il demande beaucoup de soins, fait des colères, émet toutes sortes de sons, et empêche ses parents de dormir la nuit. Walker demande donc énormément d'attention, il a besoin d'être au centre des préoccupations de ses parents : il adore être aimé. Pour cela, il faut pouvoir lui consacrer beaucoup de temps. Et son père ne comprend pas tout de suite ce que

11

Walker demande ou même exige. Peut-être souvent ce dernier ne le comprend-il pas lui-même.

Walker vit de façon instinctive, par le cœur plus que par l'esprit. Comme tout enfant, les choses tournent autour de lui, et pourtant il n'est pas un enfant comme les autres.

Il grandit, même si son corps ne se développe pas normalement, et sous bien des aspects, il demeure un petit enfant sans en être vraiment encore un.

Ian Brown se trouve au croisement de deux mondes, que l'on retrouve dans toute société humaine. Il connaît des tiraillements, qu'il vit parfois avec aisance et parfois avec douleur. Son livre révèle toute l'intelligence et le cœur d'un père.

Bien sûr, ce père aurait aimé avoir un enfant en bonne santé, mais il aime passionnément ce fils qui lui a été donné par la vie. Non seulement il aime Walker, mais il sait percevoir, au-delà de son handicap et de ses gestes parfois incompréhensibles, sa capacité à comprendre beaucoup de choses et surtout son besoin d'être aimé. D'une façon mystérieuse, le livre révèle l'humanité d'un enfant, une humanité qui a été « réveillée » par ce père qui lui offre une véritable relation, mais il révèle aussi toute l'humanité d'un père, qui a elle aussi été « réveillée » au contact de son fils.

Ian Brown nous introduit ainsi dans ce lieu où ces deux mondes se rencontrent, un lieu que connaissent toutes celles et tous ceux qui ont des proches, des amis ou des parents, en état de faiblesse suite à des difficultés physiques ou mentales.

*Le garçon de la lune* pose de grandes questions. Quel est le sens d'une vie comme celle de Walker ? Et plus profondément, quel est le sens de la vie humaine, faite de force et de fragilité, où la vie et la mort s'entrecroisent, et où tout peut basculer d'un moment à l'autre à la suite d'une maladie ou d'un accident ?

Ian Brown a fait connaissance avec L'Arche d'abord à Montréal, puis à Toronto, et enfin en France, à Trosly et à Cuise. L'Arche est un lieu adapté à Walker et à des personnes comme lui. Pour Ian, les assistants de ces communautés ont eu l'air d'avoir les pieds sur terre, la tête et le cœur bien faits, même s'ils sont parfois motivés par un idéal chrétien que lui ne partage pas. Le projet de L'Arche peut parfois apparaître comme étant bizarre, idyllique, irréaliste ou idéaliste, mais en même temps il offre à des parents une réelle espérance.


À travers la vie de Ian Brown et de sa famille sont révélées la souffrance, la beauté et la fidélité de tant de parents qui aiment profondément leurs enfants en situation de handicap et qui s'inquiètent de leur avenir, quand eux-mêmes ne seront plus là.

*Le garçon de la lune* est un livre bouleversant dans sa vérité. Il nous ramène à une réalité que nous ne voulons pas toujours regarder en face.

Jean Vanier,
août 2011

# 1

Durant les huit premières années de la vie de Walker, les nuits furent identiques. Les mêmes minuscules détails routiniers s'enchaînant selon un ordre précis, tous triviaux, tous cruciaux.

Cette routine fit que ces huit ans ont paru longs, presque interminables ; pourtant, quand j'y repense, ils se réduisent à rien, puisque rien n'a changé.

Cette nuit, je me réveille dans le noir, tiré du sommeil par un bruit monotone, mécanique. Quelque chose qui cloche avec la chaudière. *Nnnga.* Silence. *Nnnga. Nnnga.*

Mais ce n'est pas la chaudière. C'est mon petit garçon, Walker, qui grogne et se frappe la tête, encore et encore.

Il fait cela depuis l'âge de deux ans. Il est né atteint d'une maladie génétique invraisemblablement rare, le syndrome cardio-facio-cutané, nom savant recouvrant un assortiment de symptômes. Il est globalement retardé, il ne parle pas, par conséquent si ça ne va pas, je n'ai aucun moyen de le savoir. Personne ne le sait. Il n'y a dans le monde qu'une centaine de personnes atteintes du CFC. Le syndrome frappe au hasard, cafouillage dénué de racines ou de cause indubitable ; les médecins le qualifient de maladie orpheline car il semble venir de nulle part.

Je compte les grognements tout en trottant vers sa chambre : un par seconde. Pour l'empêcher de se frapper, il me faut le rendormir par la ruse, c'est-à-dire le descendre au rez-de-chaussée, lui préparer un biberon et le prendre dans mon lit.

Cela paraît relativement simple, n'est-ce pas ? Pourtant avec Walker, tout est compliqué. Sa maladie l'empêche d'ingérer de la nourriture solide et de déglutir sans difficulté. Comme il ne peut pas manger, il est nourri la nuit par gastrostomie. Les nutriments s'écoulent dans une tubulure reliée à une poche et une pompe placées sur une potence, pour passer ensuite par une ouverture de la grenouillère de Walker et, enfin, une ingénieuse sonde permanente dans son abdomen, connue aussi sous l'appellation de bouton Mic-Key. Pour le sortir du lit et l'emmener dans la cuisine, afin de lui préparer le biberon qui l'aidera à se rendormir, je dois déconnecter la tubulure du bouton de gastrostomie. Pour ce faire, je dois d'abord arrêter la pompe (dans l'obscurité, pour qu'il ne se réveille pas complètement) et obturer la ligne nutritive. Sinon, le liquide visqueux se répand sur le lit ou le sol (la moquette de la chambre de Walker est bleu pâle : certaines zones sont sous mes pieds comme le désert de Gobi, résultat de tous mes oublis). Pour obturer la tubulure, je manipule une petite molette en plastique rouge (ma partie préférée de l'opération – parce que c'est facile, que je maîtrise). Je dégrafe la grenouillère (Walker est petit, il pousse si lentement qu'une grenouillère lui fait dix-huit mois), débranche la tubulure du bouton Mic-Key, l'extirpe du pyjama et la suspends à la potence qui porte la pompe et la poche. Obturer le bouton, refermer la grenouillère. Puis soulever des profondeurs du berceau les vingt kilos de Walker. Il dort encore dans un berceau. Nous n'avons pas d'autre solution pour qu'il reste couché la nuit. Il peut causer beaucoup de dégâts.

Ce livre n'est pas un catalogue de plaintes. À quoi bon se plaindre ? Comme me l'a dit la mère d'un autre enfant CFC : « On fait ce qu'on doit faire. » C'est le plus simple, d'ailleurs. Répondre aux questions que Walker suscite en moi chaque fois que je le prends dans mes bras est, en revanche, autrement plus ardu. Quelle est la valeur d'une vie comme la sienne – une existence vécue dans les limbes, et souvent dans la douleur ? Quel est le coût de sa vie pour ceux qui l'entourent ?

– Nous dépensons un million de dollars pour les sauver, m'a récemment déclaré un médecin, mais après qu'on les a renvoyés chez eux, on s'en désintéresse.

Nous nous trouvions dans son bureau, elle pleurait. Lorsque je lui ai demandé pourquoi ces larmes, elle a répondu :

– Parce que je vois ça à longueur de temps.

Parfois, regarder Walker, c'est comme regarder la lune : on y distingue une figure humaine, pourtant on sait qu'il n'y a pas d'homme là-haut. Mais si Walker est à ce point dénué de substance, pourquoi me semble-t-il si important ? Qu'essaie-t-il de me montrer ? Je n'ai qu'un désir : savoir ce qui se passe dans sa tête difforme, dans son cœur qui bat la breloque. Or chaque fois que je pose cette question, il me persuade, mystérieusement, de sonder plutôt mon propre cœur.

À ce moment survient une autre complication. Avant que je descende furtivement au rez-de-chaussée avec Walker, chercher son biberon, le fumet de sa couche m'assaille. Il n'est pas propre. Si je ne le change pas, il ne se rendormira pas et continuera à se cogner le crâne et les oreilles. Nous délaissons par conséquent l'opération gastrostomie pour aborder l'opération couche-culotte.

Je pivote à 180° vers la table à langer cabossée, en me demandant, comme chaque fois, comment on se débrouillera quand il aura vingt ans et moi soixante. Le truc consiste à lui coincer les bras pour l'empêcher de se frapper. Mais allez ôter à un garçon de vingt kilos sa couche pleine, tout en lui immobilisant les deux mains afin qu'il ne se donne pas des coups sur la tête ou (pire) ne gratte pas ses petites fesses soudain libérées, au risque donc de tartiner des excréments partout. Tout ça en lui immobilisant également les pieds, pour les mêmes raisons. Impossible de s'autoriser une seconde d'inattention. D'autant que cela s'exécute dans le noir.

Cependant, j'ai ma technique. Je lui bloque la main gauche avec ma main gauche et coince sa main droite sous mon aisselle gauche. Un automatisme, en ce qui me concerne. J'écarte ses talons de la zone du désastre à l'aide de mon coude droit, afin qu'il ne plie pas les genoux, et j'effectue la désagréable besogne de la main droite. Ma femme Johanna n'y parvient plus toute seule et, quelquefois, elle m'appelle à la rescousse. Dans ces cas-là, je ne suis jamais d'humeur charmante.

On en arrive au changement de couche : une mission à aborder avec l'extrême délicatesse d'un expert en déminage désamorçant un engin atomique dans un film de James Bond. Déplier et mettre en place une couche propre ; appliquer les bandes Velcro sur la cellulose, comme on appose une signature ; songer, incrédule, que ça ne tiendra jamais. Puis l'immense, le prodigieux soulagement d'avoir fixé le tout – on a réussi ! Le péril est écarté. Ne reste plus qu'à réintroduire les jambes dans la grenouillère.

Voilà, nous sommes prêts à gagner le rez-de-chaussée et préparer le biberon.

Trois volées de marches, qui esquintent les genoux. Nous regardons au-dehors par les fenêtres des paliers. Walker s'agite, alors, à voix basse, je lui décris la nuit. Ce soir, il n'y a pas de lune, et, pour un mois de novembre, on sent déjà l'humidité.

Dans la cuisine, je m'attelle au rituel du biberon. La légère bouteille en plastique (le troisième modèle que nous ayons testé avant de trouver le bon, suffisamment grand pour les capacités de motricité fine de Walker, lesquelles laissent à désirer, mais assez léger pour qu'il puisse le tenir), le gros pot d'Enfamil, plus économique (dont le volume est décourageant, il implique tant de choses), le dosage malcommode, d'une seule main, de minuscules cuillerées de Pablum et de bouillie d'avoine (il aspire les liquides pas trop épais ; il nous a fallu des mois pour déterminer les proportions exactes, produisant la consistance absolument adéquate. J'ai la cervelle pleine de chiffres de ce genre : dosages, temps de chauffe, fréquence de ses selles/démangeaisons/pleurs/sommes).

Le nocturne accès de désarroi à cause de la poudre de Pablum répandue partout en fine pellicule : retrouverons-nous un jour un semblant de vie rangée ? Ensuite, l'accès de honte pour avoir de telles pensées. Farfouiller dans l'égouttoir à vaisselle constamment plein (nous avons sans cesse un bidule quelconque à laver, une pipette, ou une seringue, ou un biberon, ou une mesure de médicament) en quête d'une tétine (mais attention, la bonne tétine, une dont j'ai agrandi le trou en X, pour permettre au lait épaissi de s'écouler) et un capuchon en plastique. Placer dans le capuchon la tétine qui s'y cale avec un pop satisfaisant. Direction le micro-ondes réducteur de gonades.

Remonter les trois volées de marches. Walker essaie toujours de se fracasser la tête. Pourquoi fait-il ça ? Parce qu'il veut parler mais ne le peut pas ? Parce que – c'est ma dernière théorie – il ne peut pas faire ce qu'il voit les autres faire ? J'ai la certitude qu'il est conscient de sa différence.

Le porter jusqu'au lit, dans la chambre de Hayley, sa sœur aînée, au deuxième étage, où j'ai dormi moi aussi afin d'être près de lui. Hayley, elle, est en bas avec sa mère, dans notre chambre. Elles ont besoin de se reposer. Nous procédons ainsi, par roulement, contraints par un petit garçon à être des Bédouins nocturnes. En huit ans, Johanna et moi n'avons pas eu deux bonnes nuits de sommeil d'affilée. Le jour, nous travaillons tous les deux. Au bout des six premiers mois, je ne remarquais même plus combien j'étais fatigué : mes jours et mes nuits devenaient simplement plus élastiques et similaires.

L'allonger sur le lit. Oh, merde – j'ai oublié la ligne nutritive ! Monter un rempart d'oreillers autour de lui pour qu'il ne s'échappe pas, ne tombe pas par terre pendant que je fonce dans l'autre pièce. Penser aux 60 gouttes (ou peut-être 90) d'hydrate de chloral, prescrites pour l'endormir et l'empêcher de s'automutiler. (J'en ai pris une dose une fois, pour essayer : l'effet d'un double martini. William S. Burroughs fut renvoyé de l'école, quand il était gamin, pour avoir expérimenté cette substance.) Reprogrammer la pompe, relancer son faible gémissement familier, le pouls nocturne de Walker.

Enfin, je m'effondre sur le lit et attire contre moi l'enfant qui se contorsionne. Il recommence à se frapper la tête, et parce que nous ne connaissons pas de moyen acceptable de le réfréner automatiquement, je prends sa menotte droite dans ma grosse main droite. Aussitôt, sa main gauche cherche sa deuxième oreille – « Quand il s'agit de se faire du mal, c'est un génie », m'a dit l'autre jour son professeur. De la main gauche, j'agrippe sa main gauche que j'ai glissée derrière sa tête. Alors, avec son talon droit, il se cogne l'entrejambe, si violemment que j'en tressaille. Vite, je passe ma grande jambe sur la sienne, si petite, et pose ma main droite (qui tient toujours la sienne) sur sa cuisse gauche, pour l'immobiliser. Il est plus fort qu'il n'en a l'air. Malgré son ossature d'oiseau, c'est du granit. Si on ne le retenait pas, il réduirait ses oreilles en purée.

Bien sûr, il y a le risque que rien de tout cela ne marche. De temps à autre, l'hydrate de chloral a un effet rebond et le transforme en pochard gloussant. Devoir intégralement réitérer l'opération une heure plus tard n'est pas rare. Quand il prend froid (huit, dix fois par an), la toux le réveille toutes les vingt minutes. Quelquefois il pleure des heures durant, sans raison. Il y a des nuits où rien ne va, d'autres où il est en pleine forme, où il rit, joue et rampe sur moi. Ces nuits-là, malgré ma fatigue, ne me dérangent pas : il a une mauvaise vue, mais dans le noir nous sommes à égalité, et je sais qu'il est content. La nuit, à certains moments, il n'est pas différent d'un garçon normal et plein de vie. Vous le dire me donne presque envie de pleurer.

Cette nuit, nous avons de la chance : au bout de dix minutes, je le sens s'assoupir. Il cesse de grogner, tripote son biberon, tourne le dos et coince son petit derrière osseux contre ma hanche, un signe qui ne trompe pas. Il s'endort.

Je me dépêche de l'imiter. Malgré ce cauchemar – les années d'angoisse, de désespoir, la maladie et le manque de sommeil chronique, le chaos qu'il a semé dans nos vies, mettant en péril notre couple, nos finances et notre santé mentale –, je savoure l'instant où il laisse son corps informe, dingue, s'endormir contre moi. L'espace d'un instant, il me semble être le père d'un petit garçon ordinaire. Parfois je pense que c'est le cadeau qu'il m'offre – en vrac, pour me montrer combien ce présent est rare et précieux. Walker, mon maître, mon doux, si doux enfant perdu et brisé.

Au début, après qu'on eut diagnostiqué chez Walker, âgé de sept mois, le syndrome CFC, le nombre de personnes atteintes de cette maladie variait à chacune de nos visites chez le médecin. Le corps médical – du moins la poignée de praticiens qui étudiaient le syndrome cardio-facio-cutané, ou savaient ce que c'était – en apprenait autant sur le CFC que nous. Le nom lui-même n'était guère plus que l'amalgame des principaux symptômes de la maladie : cardio, à cause d'un souffle systolique et d'une cardiopathie hypertrophique, facio car la dysmorphie faciale en est la caractéristique visible – arcade sourcilière proéminente et yeux tombants – enfin cutané en raison des nombreuses anomalies ectodermiques. La première fois qu'un généticien me décrivit le syndrome, il me déclara qu'il y avait seulement, dans le monde, huit autres enfants CFC. Huit : ce n'était pas possible. Nous avions sûrement été propulsés dans une galaxie inconnue.

Cependant, au cours de l'année qui suivit, nos médecins se plongèrent dans la littérature médicale, et je fus informé qu'il existait vingt cas, la plupart apparus en Italie. Puis on passa à quarante (le nombre changeait si vite que cela me poussait à dénigrer les médecins : en tant que professionnels de la santé expérimentés, ils auraient quand même dû en savoir plus que nous.) Plus de cent cas de CFC ont été signalés depuis que le syndrome fut pour la première fois publiquement décrit chez trois personnes en 1979 ; certains estiment qu'il y en a trois cents. Tout ce qui touchait au syndrome était un mystère. Il n'eut de nom qu'en 1986. Les symptômes se classaient au hasard, par genre et niveau de gravité. (Certains chercheurs pensent qu'il y a peut-être des milliers de patients

CFC, mais avec des symptômes si légers que leur maladie n'a jamais été diagnostiquée.) Certains enfants se donnent des coups, la plupart ne le font pas. Certains parlent ou font des signes. Tous ou presque souffrent d'un retard mental variable. La cardiopathie va du sévère au bénin. (Le souffle systolique de Walker n'est pas grave.) Leur peau est souvent sensible, parfois atrocement douloureuse. Comme beaucoup d'enfants CFC, Walker a des difficultés de mastication et de déglutition ; il ne parle pas ; sa vision et son ouïe sont déficientes (il a les nerfs optiques rétrécis, l'un plus que l'autre, et des canaux auditifs étroits sujets à d'incessantes infections) ; il est menu et mou, « hypotonique » dans le jargon médical.

À l'instar de quasiment tous les enfants CFC, il n'a pas de sourcils, des cheveux clairsemés et frisés, l'arcade sourcilière bombée, les yeux largement écartés, les oreilles plantées très bas et une personnalité de type cocktail party, souvent enjouée. Les caractéristiques CFC sont devenues plus visibles, plus « anormales » au fur et à mesure des années. J'ai supposé que mon petit garçon était dans la moyenne de la maladie. En réalité, je me trompais. En réalité, la moyenne n'existe pas – pas dans cette histoire.

Sa situation n'a pas changé. Aujourd'hui, à treize ans, sur le plan mental, développemental – le seul fait d'écrire ces mots me terrifie – il se situe quelque part entre un et trois ans. Physiquement, il est en meilleure forme que beaucoup d'enfants CFC (il ne souffre pas de crises d'épilepsie fréquentes ni d'ulcères intestinaux) ; cognitivement, c'est moins bien. Il pourrait dépasser la quarantaine. Chance ou malchance ?

Hormis quelques nouveaux détails génétiques, cela constituait et constitue toujours la somme globale des connaissances du corps médical sur le CFC. Le syndrome n'est pas largement étudié, contrairement à l'autisme. La plupart des parents d'enfants CFC en savent davantage sur la maladie que leurs pédiatres. La population touchée par le CFC n'est ni nombreuse ni politiquement puissante, comme celle concernée par la trisomie 21, laquelle représente plus de trois cent cinquante mille personnes en Amérique du Nord, c'est-à-dire un cas pour huit cents naissances. La prévalence du CFC n'excède pas 1/300 000, peut-être même 1/1 000 000. Le National Institutes of Health Office of Rare Diseases a défini le CFC comme « extrêmement rare », à peine répertorié par les statistiques, de même que des anomalies génétiques bizarres comme le syndrome de Chédiak-Higashi, dû à des anomalies leucocytaires et à un dysfonctionnement des thrombocytes. Seulement deux cents cas de Chédiak-Higashi sont recensés, en partie parce que les enfants atteints ne survivent pas longtemps.

Élever Walker équivalait à poser un point d'interrogation. J'éprouvais souvent le désir de raconter à quelqu'un cette histoire, les sensations, les odeurs et les bruits associés à cette aventure, ce que je remarquais quand je ne courais pas dans le noir. Mais qui pouvait être concerné par une telle anomalie humaine, par ce recoin de l'existence, exotique, si peu fréquenté, où nous avions subitement atterri ? Onze années s'écouleraient avant que je rencontre quelqu'un comme lui.

# 2

Très tôt, j'ai découvert que mon fils possède la faculté de me remonter le moral, que je réponds à son extraordinaire valence émotionnelle. De nombreuses journées, même à présent, sont réglées comme du papier à musique.

Je rentre du travail fatigué (éventuellement parce qu'il m'a empêché de dormir la nuit précédente), voire découragé : mon bateau n'est pas arrivé, pire il n'a même pas pris la mer*. Le crépuscule tombe. Walker joue avec Olga, sa nounou depuis qu'il est né. Elle s'appelle Vera, mais pour nous elle a toujours été simplement Olga. Si elle n'est pas déjà rentrée d'une promenade de trois heures avec lui (il adore être dehors) et ne lui a pas donné son bain, je peux m'en charger. Je le faisais quotidiennement, quand il était chez nous tout le temps. Le baigner me rend à moi-même.

Je fais couler le bain ; je vais chercher Walker au rez-de-chaussée (il suit obstinément Olga de la cuisine à la buanderie au sous-sol, remonte à la cuisine, se lance régulièrement seul dans des visites du salon, de la salle à manger, du piano, du vestibule, et de l'escalier de notre étroite

---

* Référence à la ballade « On the Ocean » de K'Jon, figurant dans son album *I Get Around*. (*Sauf indication contraire, toutes les notes sont de la traductrice.*)

maison de ville ; longtemps, jusqu'à ses six ans, l'escalier était son séjour favori) ; le délester prestement de ses vêtements (les boutons, les zips, extraire ses bras raides des manches, un vrai problème de géométrie, le maintenir debout, l'empêcher de s'affaler sur le sol pendant que je me penche pour lui retirer ses chaussures, en regrettant que nous n'ayons pas choisi le modèle Velcro au lieu de celui-ci, pourvu de lacets) ; se débarrasser de la couche et s'acquitter du nettoyage si nécessaire. Voilà, ça c'est fait. Le soulever pour le déposer dans la baignoire, le surveiller comme le lait sur le feu pour qu'il ne s'y engloutisse pas tandis que je me déshabille en un clin d'œil et le rejoins.

Ensuite : tous deux étendus dans le bain, la douceur de son dos nu contre mon torse. Il est calme comme une eau qui dort. Ses mamelons sont minuscules, littéralement de la taille de clous. Ils me rendent nerveux, j'ignore pourquoi. (Je ne peux qu'imaginer.) Ses omoplates et les vertèbres de sa colonne sont étrangement molles, malléables, flexibles, comme recouvertes par quelque prodigieux capitonnage. La peau de ses bras et de ses cuisses paraît également presque artificielle, trop épaisse, les cellules en folie, proliférantes, l'une des conséquences directes des dérapages génétiques qui l'ont rendu tel qu'il est.

Son corps se transforme si lentement que j'oublie souvent à quel point il a pourtant changé. Plus Walker avance en âge, plus ses malformations sont visibles – on nous avait avertis à ce sujet, quand il n'était qu'un bébé. Naguère c'était un fil de fer, à présent il a un petit bedon. En revanche, sa peau est plus douce qu'autrefois, comme si le temps rebroussait chemin.

Au début, lorsqu'il était tout petit, le bain le perturbait. Néanmoins, si on restait tranquillement assis près de lui, remplaçant l'eau qui refroidissait peu à peu par de l'eau chaude, à la bonne température, il se calmait, appréciait brièvement, jusqu'à ce qu'on lui rince les cheveux ou qu'on provoque chez lui une sensation forte, inattendue : les CFC ont horreur des stimuli nouveaux, leurs nerfs semblent en permanence à vif. Au fil des ans, cependant, il se mit à aimer le bain qui semblait libérer ses membres aux articulations déficientes, alléger le poids dont la gravité les chargeait. L'ironie du sort voulait que l'élément liquide fût l'une des malédictions qui s'était abattue sur lui à l'origine : inhalation du liquide amniotique en excès in utero ; et trop de liquide dans ses cavités cérébrales excessivement larges.

Il rit plus volontiers quand il est dans son bain. Naturellement, je me plais à penser qu'il rit parce qu'il est avec moi, mais c'est absurde. Il rirait avec tout le monde.


Une autre journée. Ce matin, nous sommes debout avant le petit déjeuner, la maisonnée dort. Nous avons commencé à le laisser se lever quand il en a envie, pour lui donner l'illusion d'avoir le choix. Walker et moi sommes dans la cuisine, et j'entreprends l'inventaire quotidien de son corps : ses oreilles (il les a en chou-fleur à cause des coups qu'il s'inflige, et elles sont sujettes à de constantes infections), son nez (passons), son état général. Il joue avec un sac en plastique rempli de languettes d'ouverture de canettes. Olga les garde. Je ne sais pas pourquoi elle les garde, mais il y a des centaines de ces languettes, bien enveloppées et rangées dans la maison – dans l'attente de quelque mystérieuse catastrophe pour laquelle Olga se prépare inlassablement.

Peut-être la catastrophe que serait son absence ? Olga nous a sauvé la vie. Elle s'était occupée de la mère mourante d'un grand industriel, quand nous l'avons dénichée grâce à la mafia des nounous philippines. Hayley avait un an. Olga avait travaillé dans le monde entier comme domestique et garde-malade, après avoir dû renoncer à ses études d'infirmière à Manille afin de pourvoir aux

27

besoins de sa famille. Lorsque Walker naquit, deux ans plus tard, et nous donna aussitôt du tracas, Olga le prit sous son aile. Il était son sosie miniature : compact, déterminé, difficile à détourner de son objectif. Elle lavait ses vêtements, rangeait sa chambre, lui donnait ses médicaments, le nourrissait et le changeait, le promenait pendant des heures et chantait pour l'endormir ; et si elle ne s'en chargeait pas elle-même, elle nous aidait à le faire. Elle s'attelait à la lessive comme les pèlerins s'adonnent à des rites, scrupuleusement et au moins deux fois par jour. La nuit, le matin et les week-ends, quand Olga était chez elle, notre maison nous paraissait moins sûre : nous étions de nouveau livrés à nous-mêmes, sans Olga. Rien ne la dérangeait – ni les cris, ni la maladie, la saleté ou le désastre. Elle notait tous les détails concernant Walker – le nombre et la consistance des selles, la durée des promenades, son humeur, le dosage des médicaments pris quatre fois par jour, les périodes de repos et les crises, nos allées et venues – le tout dans un carnet à spirale qu'elle posait sur le micro-ondes.

*Matin 19 nov.*
*Walker Brown*
*10 h 30 – chloral*
*11 h – Peptamen/Claritin/Rispéridone*
*Selles : Oui – midi – normal*
*Bain : Oui*

Si elle ne s'occupait pas de Walker, elle massait le dos et les pieds de Hayley. Hayley l'appelait Olgs. Elle n'avait pas de qualification particulière pour veiller sur un garçon aussi complexe que Walker – hormis son indéfectible patience, son imagination, un sens de l'humour baroque, une fiabilité à toute épreuve, une passion pour le téléphone portable et un cœur immense qui ne faisait pas de distinction entre les uns et les autres. Lorsque Walker s'endormait, ce qui était rare, elle s'asseyait à la table de la cuisine et dévorait tous les journaux de la maison. Elle et moi avions exactement le même âge. Tous les deux mois, à bord d'un bus avec une quarantaine de ses copines philippines, elle partait en voyage organisé pour quelques jours à Orlando, Las Vegas, Chicago ou New York, ou bien Atlantic City. Après ça, pour elle, peut-être que même Walker était du repos.

Le sac plein de languettes de canettes que Walker tripote est de la pâte à modeler métallique. Il tire dessus, le malaxe et l'aplatit, le triture continuellement entre ses longues mains fibreuses, comme s'il s'agissait d'un rosaire de robot, d'une chose capable d'adoucir l'avenir. Un gadget sorti tout droit de *Blade Runner*. J'ignore pourquoi il fait cela, ce que cela signifie pour lui ; je dois me contenter de ma seule certitude : il aime toucher ce sac, énormément. Avoir un fils comme Walker est une expérience peu commune : il a sa propre vie, son univers secret, depuis toujours. Il est tout jeune, pourtant cela lui donne un air grave, adulte. Il a des choses à faire, des objets à pétrir.

Est-ce le tranchant des languettes sous la douceur du sac en plastique qui lui plaît – deux sensations égales quoique opposées, simultanées ? Peut-être un sac en plastique rempli de languettes métalliques représente-t-il la version selon Walker de la capacité négative, le corollaire objectif de l'idéal de Keats* – un esprit capable d'embrasser des notions égales et contraires, dans le même temps, sans disjoncter, sans en choisir une au détriment de l'autre. Une idée réduite à un phénomène physique. Mais

---

* Capacité négative, d'après le poète Keats : « Qualité qui contribue à former un homme accompli lorsqu'il est capable d'être dans l'incertitude, les mystères, les doutes sans courir avec irritation après le fait et la raison. »

peut-être que j'exagère. Il m'y oblige. Chaque instant que nous partageons, lui et moi inventons ensemble notre monde. *Comment tu vas, Walkie ? Qu'est-ce que tu fais ? Ah, tu tapes sur le sac de languettes, tu essaies de trouver une musique quelque part. C'est bien ça ?*
Il y a de pires façons de passer le temps.


Tout chez lui me subjugue, à moins que cela ne me terrifie, ou parfois les deux. Aujourd'hui, en haut dans sa chambre, avant de descendre lourdement l'escalier, une marche après l'autre, la main sur la rampe – il prend toujours appui sur son pied gauche – bataille d'oreillers. Cela dure vingt minutes, jamais je ne l'ai vu conserver son enthousiasme si longtemps. Pour la première fois en dix ans, je découvre qu'il adore être frappé à coups d'oreiller. Stupéfaction – comment cela m'a-t-il échappé ? –, plaisir, un brin d'ennui parce que ça n'en finit plus, mais (surtout) bonheur, car il est heureux. Avant que l'hydrate de chloral ne se diffuse dans son organisme, pendant que, debout à côté de son lit, il essaie de déféquer (sa tâche matinale, au lever, boum !), la mimique appropriée sur son visage impassible (la défécation se lit effectivement sur sa figure), il est grognon et perturbé, il frotte ses doigts sur la zone du bouton de gastrostomie comme si c'était une mine à ciel ouvert. Il ne se laboure pas la peau ; il l'écorche, simplement, une punition anodine par rapport à ce qu'il s'inflige généralement. La peau est blanche, irritée. J'imagine que c'est douloureux, même s'il ne semble pas très sensible à la douleur, autre caractéristique de son syndrome.
Quoi qu'il en soit, j'aime descendre l'escalier avec lui. J'ai l'impression qu'ainsi nous progressons. Je déteste sa chambre, cet antre abandonné du deuxième étage. Je déteste la moquette bleu clair et les posters de Babar (qui ne changeront jamais, comme lui), et le porte-ceintures

artisanal en bois qui se démolit sans arrêt (il n'a jamais eu de ceinture qui lui aille, assez courte pour sa taille trop fine au-dessus de ses longues jambes). Les multiples commodes en osier, dépareillées, bourrées de vêtements que nous ne nous résignons pas à jeter ; le lit à barrières, fait sur mesure, appuyé contre le mur tel un autel, emmailloté dans un filet de protection, une espèce de tente, pour empêcher Walker de s'échapper ; la potence en acier inutilisée, abandonnée dans un coin de la pièce (mais dont nous ne pouvons pas nous débarrasser, au cas où une urgence surviendrait ; au cas où nous en aurions de nouveau besoin : Seigneur, et si nous en avions encore besoin ?) ; le fauteuil à bascule que ma mère m'a offert quand j'étais gamin, à présent cassé, l'un des seuls liens qu'elle a avec mon fils. Et bien sûr Clarence le Clown, la cauchemardesque tête de clown en plastique qui se démonte, les yeux, le nez, la bouche, pendant que Clarence vous parle et vous laisse recréer son visage, triste, content, cubiste, terroriste. Faut-il en conclure que ce jouet devait fatalement être le favori de mon fils dysmorphique, parce qu'il peut remodeler et déformer cette figure de clown ? Ou bien lui plaît-il parce qu'il peut couper et rebrancher à sa guise la voix électronique, contrairement à la sienne ? À vous de me le dire. Je déteste sa chambre car elle a l'air d'un musée démodé, un endroit qui, à l'instar de mon fils, est rarement en progrès.

Il a le corps d'un vieux boxeur : carré, littéralement. Des tubes en tissu rigide qui gainent ses bras pour l'empêcher de plier les coudes, afin qu'il ne se cogne pas le crâne à longueur de journée, font qu'il n'a pas de gros biceps, cependant ses avant-bras s'ornent de blocs de muscles. Il a la mâchoire inférieure lourde, de bonnes joues ; pas de menton proprement dit. Des cheveux frisés mais pas de sourcils du tout. Un nez épaté, caractéristique de son syndrome (et de nombreux autres). Des lèvres épaisses, surtout

31

la lèvre inférieure, « éversée » pour reprendre l'expression des médecins à l'époque où il était encore une étrangeté. Des dents carrées, jaunies par la nutrition entérale, mais en bon état. Des mains pareilles à des gants, grandes pour sa taille. Le casque qu'il porte de plus en plus est bleu roi, brillant, en mousse de polystyrène – les coups ricochent dessus. Il est vendu avec une mentonnière aux couleurs de l'arc-en-ciel, geste amical d'un inconnu pour l'accueillir dans la communauté. (Walker est-il, pour le monde extérieur, aussi étrange qu'un transsexuel ? Je me pose parfois la question.) Il peut se blesser et faire du mal à ceux qui l'entourent en agitant ses bras, en donnant des coups de tête ; il cogne même Ginny, notre border terrier, involontairement. Elle ne lui en garde pas rancune. Moi aussi, j'accorde toujours à Walker le bénéfice du doute.

Il y a maintenant deux pièces trois quarts de la maison consacrées à ses affaires. Il a étendu son domaine peu à peu, mais son empire conserve la même superficie, trois ans après son admission dans une institution. Il y passe une semaine et demie, puis trois jours à la maison, pourtant nous conservons intacte notre version du monde de Walker. Parce que, naturellement, nous ne pourrons jamais le laisser nous quitter, même s'il le souhaitait. Au deuxième étage, à côté de sa chambre, une pièce entière sert à stocker les jouets avec lesquels il n'a jamais joué, les vêtements qu'il n'a jamais portés – archéologie de notre futile croyance que tel ou tel jouet l'arracherait à son univers clos et lui permettrait d'entrer dans le nôtre, plus ouvert. Ce fut rarement le cas.

Nous avons des tiroirs pleins de vêtements offerts à Walker par X ou Y – difficiles à enfiler, à boutonner, coupés dans des tissus ne convenant pas à sa peau hypersensible –, de bonnes intentions qui ont plongé dans la perplexité des dizaines de personnes qui se creusaient les méninges : quel cadeau faire à notre étrange et limité petit garçon ? Le château-dinosaure, qui l'occupe environ cinq minutes par mois, s'il se trouve à proximité. Mister Wonderful, le poupon qui, quand on lui appuie sur le ventre, dit tout ce qu'on rêve d'entendre : « Chérie, prends donc la télécommande. Tant que je suis avec toi, je me moque de ce qu'on regarde. » Il y a prêté attention quinze secondes. Ma femme, elle, a bien rigolé.

En revanche, le pignon d'une ancienne maison en pain d'épice collé sur une assiette en carton – pétrifié et qui n'est plus comestible depuis des lustres – le fascine chaque fois qu'il l'aperçoit. De même qu'un sac en plastique plein de décorations de Noël, autre invention d'Olga, qu'il pétrit des milliers de fois dans la journée. Briques à assembler, puzzles, ballons, gadgets lumineux, sonores, pâte à modeler, consoles, automates, boîtes à musique, jeux éducatifs, figurines, peluches, panoplies – tous dépérissant, tel un reproche, dans des paniers à linge en plastique blanc.

En bas, au sous-sol, dans le vieux sauna dont nous nous servons comme d'un débarras (qui aurait du temps pour une séance de sauna ?), sont entreposés des objets plus inhabituels, les machins carrément effrayants prêtés par les services sociaux, et qu'utilisaient les thérapeutes qui venaient chez nous. Lorsque Walker était bébé et que je rentrais à la maison, j'avais toutes les chances de découvrir une femme, de trente ou quarante ans, assise par terre dans mon salon, occupée à tapoter mon fils, lui stimuler le visage, manipuler ses mains, répéter patiemment le même son ou le même geste, encore et encore, et encore. Chaque fois que j'arrivais et découvrais une de ces femmes, je ressentais un pincement au cœur, car cela me rappelait que j'avais un enfant qui avait besoin de son aide, mais en même temps j'éprouvais une bouffée d'espoir et de gratitude – peut-être cette séance serait-elle la solution qui, soudain, le propulserait sur le chemin d'une existence normale. J'éprouve toujours ces sentiments contradictoires quand je le vois avec un nouvel intervenant, tout frais et conquérant.

À ce jour dans la cabine de sauna, par exemple, on trouve un assortiment de petits seaux en plastique jaune, hauts de sept centimètres environ, chacun pourvu d'un bidule particulier. L'un d'eux est équipé, dans le fond, d'une roue yin-yang, une spirale noir et blanc avec un bouton pour la faire tourner. Je comprends la roue yin-yang : les tout-petits réagissent bien au contraste, aux dessins noirs et blancs. Autour du motif sont disposés des rivets métalliques, qui tintent dès que la roue s'agite. *Ding! ding! ding! ding!* Une musiquette vaguement népalaise, tibétaine. Ça marcherait sûrement pour mon petit bouddhiste ? Bref, le bidule est au fond du seau jaune. Il y a également deux trous au fond du seau, peut-être pour y fourrer les doigts, ou évacuer la bave, peut-être les deux. Je n'ai jamais été capable de comprendre comment on utilisait cet engin qui n'a jamais capté l'attention de Walker plus de deux secondes – en réalité même pas deux secondes. Pourtant nous le conservons, car ce sera peut-être l'objet magique, l'invention qui changera tout. Une étiquette plastifiée a été appliquée sur la face extérieure du petit seau jaune :

MATÉRIEL DE DÉVELOPPEMENT DE LA MOTRICITÉ FINE
TORDRE, TOURNER ET APPRENDRE
MODULE COMPLET # 10

Et au-dessous, estampillé :

RÉGION MÉTROPOLITAINE
PROGRAMME SPÉCIAL (VISION)

Je ne sais ce qui est le plus déprimant : l'incommode concept sonore, les incompréhensibles trous doigt/bave,

34

les mentions administratives, la mention « module complet » (peut-être l'incomplet eût-il été plus efficace ?), la
catégorie bureaucratique (vision) incluse dans une autre
catégorie, plus large (région métropolitaine), et ce que cela
implique de vastes programmes exhaustifs au niveau de
la province de l'Ontario, du pays, tous emboîtés les uns
dans les autres, de circonscription en sous-circonscription
pour aboutir finalement à cette minuscule particule du
système, à deux trous, en plastique jaune – laide, brutale,
si peu pratique – que l'on a réservée à mon irrécupérable
petit garçon. L'espérance touchante, et pourtant le désespoir absolu, que traduit cette étiquette, la conception
néandertalienne de la nature humaine (stimulus/réponse,
bien/mal, on/off) qu'elle reflète. Ou bien est-ce simplement qu'il y a au sous-sol quatre autres seaux en plastique
jaune, pareils au premier quoique différents ? Un avion
avec une hélice amovible. Un clown affublé d'un nœud
papillon qui tourne. Des fleurs aux tiges molles. Les
incontournables clichés, parce que les enfants réagissent
bien aux clichés – du moins les enfants normaux, pas
Walkie. Chaque seau peu commode à manipuler, montrant à quel point notre compréhension du développement de l'enfant est, à l'heure actuelle, sombre, fumeuse
et terriblement basique, à quel point nos connaissances
sont limitées. Mais empilables, ces seaux : ça, c'est un
atout. Je m'y connais en empilage, je sais combien est
cruciale cette capacité à s'empiler dans une maison pleine
de rossignols et de désillusions.

Chaque fois que je regarde les seaux jaunes (or je les
mets dans le sauna pour justement ne pas avoir à les regarder), je vois dans leurs infimes détails l'histoire de Walker.
Ils représentent seulement quelques-uns des objets soigneusement étiquetés que les associations et organismes
d'éducation ou d'assistance nous ont prêtés – prêtés !
Attendant de nous qu'on les nettoie et les leur restitue

quand le problème serait réglé ! Comme si le problème allait un jour se régler. Comme si, ce jour venu, nous serions en mesure de les retrouver sous cette avalanche de jouets où nous sommes engloutis, nous remémorer de quel organisme précis, parmi une dizaine, ils provenaient, et où était à présent situé ledit organisme, les nettoyer donc puis les charger dans la voiture – peut-être Walker nous accompagnerait-il – et les leur rapporter ! Quel joli rêve. J'aimerais que ça marche de cette manière, plus que quiconque, j'aimerais que ça marche de cette manière.

Au lieu de quoi, les seaux jaunes végètent dans le sauna inutilisé, me renvoient à ma culpabilité – une tâche de plus que je n'ai pas eu le temps d'accomplir. Il existait un système clairement défini, conçu pour éduquer Walker. Acuité visuelle ! Motricité globale ! Coordination audio-manuelle ! Faculté de fourrer son doigt dans un foutu trou ! Pourquoi ne m'étais-je pas conformé à ce système ? D'autres parents l'avaient sûrement fait – ce qui expliquait que le système ait été conçu de cette façon. En tout cas, j'en étais convaincu.

Et peu importe que mon fils n'en ait jamais tiré le moindre enseignement.

Le plus mystérieux des dispositifs, prêtés et non restitués, consiste en une boîte triangulaire rouge et blanc. Il est également pourvu d'une étiquette plastifiée :

JOUETS POUR ENFANTS HANDICAPÉS
PRISME PLASTIQUE

Les trois longs côtés de la boîte triangulaire sont rouges ; les extrémités, blanches. Tous sont censés stimuler l'enfant de façon différente.

Un côté est pourvu d'un miroir – tellement éraflé qu'il ressemble à un pavé, mais cela n'en est pas moins un miroir.

Un autre a deux boutons encadrant une ampoule. L'ampoule est au centre d'un cercle en creux.

Un troisième côté a un autre creux où de minuscules ampoules rouges dessinent une figure souriante ; en-dessous est disposée une roulette en bois qui ne tourne pas mais cliquette quand on la pousse.

Enfin, dans le fond du dispositif est placée une ficelle qui, jadis, allumait les ampoules de la figure. J'ai expérimenté, les ampoules n'ont jamais fonctionné, mais la théorie est celle-ci : si l'enfant tire sur la ficelle, les ampoules s'allument, par conséquent l'enfant sera incité à tendre la main vers la roulette, laquelle émettra son cliquettement. L'objectif et la théorie du dispositif sont résumés par une formule :

Ficelle + ampoules : reconnaissance faciale et association voix/bruit

Le but de ce jouet, donc, était d'apprendre à Walker à associer visages et voix, à imprimer mentalement la notion qu'il pouvait y avoir un lien entre un visage et une voix. Du moins, je le suppose. J'ai tenté de contacter le fabricant, simplement pour savoir ce que l'appareil était censé enseigner à mon fils, qui parfois me sourit quand je prononce son prénom et approche mon visage du sien, mais le nom du fabricant ne figure pas sur le jouet. Cela aurait peut-être risqué de distraire l'attention de l'enfant.

Je me souviens encore du jour, à l'époque où Walker était bébé, où ma femme eut l'idée de poser un panier de jouets à chaque étage de la maison. Cela me parut génial ; je crus le problème résolu. Mais des années plus tard, ils sont toujours là, pleins à ras bord, au même endroit, comme nous le sommes souvent.

# 3

Le Dr Norman Saunders, le pédiatre de Walker, était furieux contre l'hôpital qui ne l'avait pas joint assez tôt, quand Johanna a accouché cinq semaines avant terme d'un bébé visiblement préoccupant. Et, assurément, ça ne tournait pas rond ce jour-là.

Nous étions le 23 juin 1996, un dimanche. J'animais mon émission de radio hebdomadaire, qui dure trois heures. Johanna me téléphona au bout de la deuxième heure de contractions. Sa voix était presque aussi calme qu'à l'accoutumée. Mon frère la conduisit à l'hôpital. Le gynécologue de Johanna étant en congé, l'accouchement fut supervisé par l'un de ses associés, un homme grand et doux dénommé Lake. Il n'est pas responsable pour Walker, bien sûr, malgré tout je ne lui ai jamais pardonné.

Quelque chose d'autre clochait ce jour-là, outre l'absence du médecin de ma femme : la façon dont le bébé, au moment de son arrivée, tomba lourdement dans les mains de Lake. Il avait un air bizarre, déconfit, comme s'il savait que ça n'allait pas. Sa peau était ictérique. Ses poumons ne s'étant pas bien déployés, les internes l'emportèrent prestement sur une table et, pendant plusieurs minutes, appliquèrent un masque à oxygène sur son nez et sa petite bouche. Pendant des années, je me suis demandé si ce problème d'oxygénation n'avait pas contribué à son retard – car c'est chose possible. « Ouf, ai-je entendu l'interne chuchoter à ses collègues, je suis bien content qu'il ait commencé à respirer. »

C'est là que débuta la sourde et constante panique, l'inquiétude qui, depuis ce jour, a marqué de son empreinte la vie de Walker. Le désastre de sa vie. Les signes étaient là dès le début. Cette curieuse touffe formant une bande de cheveux frisottés, hérissés sur le sommet de sa tête oblongue – d'un modèle inhabituel. L'autre jour, je suis passé à vélo devant l'hôpital où il est né et j'ai failli cracher dessus. Je déteste cet endroit, jusqu'aux briques jaunâtres de ses murs. Mais, nous disions-nous, il était prématuré ; alors, naturellement, il était léthargique. (On ne repère pas un CFC à ce stade.) Il refusait le sein maternel, l'un de ses testicules n'était pas descendu, et il ne pouvait ouvrir qu'un seul œil. Néanmoins, lorsqu'il vit le Dr Saunders pour son premier bilan deux jours plus tard, notre enfant avait pris trois cents grammes.

Toutefois, dès cette visite inaugurale – je le sais à présent car j'ai consulté les dossiers médicaux de Walker – le Dr Saunders nota certains détails dans le dossier de mon fils. *Palais anormalement haut, hypotonicité musculaire, courtes fentes palpébrales,* autrement dit l'ouverture des yeux ; *oreilles basses en rotation postérieure ;* pli cutané à la racine du nez. Hayley avait été un magnifique bébé. Pour le petit frère, le Dr Saunders était moins enthousiaste.

Deux jours après, Walker avait perdu la majeure partie du poids gagné. Johanna était en plein chaos hormonal, et n'avait qu'un seul souci : que le bébé s'alimente. Il ne paraissait pas capable de téter, une heure lui était nécessaire pour ingérer quelques millilitres de lait. Et quand il les avait ingérés, il vomissait. Son corps refusait de survivre.

– Nous voulons que cet enfant vive, n'est-ce pas ? nous déclara Saunders d'un ton sec, un matin, alors que nous venions, une fois de plus, le consulter.

Une question rhétorique, me dis-je. Elle en impliquait une autre, non formulée : « Cet enfant ne peut pas vivre sans que soient prises des dispositions extraordinaires ; voulez-vous aller jusque-là et en assumer les conséquences ? » Même s'il avait énoncé ces mots, je ne m'imagine pas répondant autrement que par oui. Toutes les théorisations éthiques du monde ne peuvent modifier les pressions du moment : le bébé hurlant sur la table d'examen, son ventre gonflé, l'inquiétude évidente du médecin, le père planté là comme un dépendeur d'andouilles. L'appel impérieux de l'enfant en chair et en os, et en souffrance.

Ce ne fut que plus tard, seul dans la nuit, quand je m'étais bagarré des heures pour l'assoupir et étais ensuite moi-même incapable de dormir, qu'il m'arriva parfois de réfléchir au coût de son existence, et à l'autre solution. Le médecin m'avait-il implicitement demandé si je voulais laisser la vie de Walker s'éteindre, ainsi que la nature l'aurait fait ? Je m'asseyais sur les marches, derrière notre petite maison au cœur de la ville, à quatre heures du matin, je fumais et pensais à l'impensable. Des pensées criminelles, ou du moins très particulières : et si nous ne les prenons pas, ces dispositions extraordinaires ? S'il tombe malade et que nous ne nous mettons pas en quatre pour le soigner ? Pas de meurtre, juste l'œuvre de la nature.

Mais alors même que j'envisageais ces terribles desseins, je savais que jamais je ne pourrais les accomplir. Je ne me vante pas ; mon hésitation n'était ni éthique ni morale. C'était plutôt une impulsion ancestrale, instinc-

40

tuelle et physique ; la peur d'un certain échec, la peur du châtiment si je restais sourd à l'appel étouffé de sa chair, de son corps et de son dénuement. En tout cas, il me semblait être un bœuf qui accepte son joug. Je sentais le fardeau des tragiques années qui m'attendaient, aussi inévitables que le mauvais temps ; certaines nuits, elles me paraissaient même les bienvenues. Enfin un destin que je n'avais pas à choisir, une destinée à laquelle il m'était impossible de me dérober. Il y avait dans cette idée un infime éclat de lumière, le soulagement de se soumettre à l'inéluctable. En dehors de cela, ce furent les pires nuits de mon existence. Je suis dans l'incapacité d'expliquer pourquoi je n'y changerais pas un iota.

Avant l'arrivée de Walker, après la naissance de notre premier enfant, Hayley, ma femme et moi avions les rituelles discussions modernes – étions-nous ou non en mesure d'en avoir un autre ? J'aimais Hayley, elle était le plus beau cadeau qui m'ait été donné, mais je n'étais pas sûr que nous ayons les moyens d'élever un deuxième enfant. Je souhaitais que Hayley ait des alliés dans ses futurs combats contre nous, la perspective d'une grande famille me plaisait, mais Johanna et moi étions tous deux journalistes, nous ne roulions pas sur l'or. J'avais besoin d'être rassuré – il ne me faudrait pas renoncer à mes ambitions.

« Dis à ta femme que tu n'as pas envie d'être un père au foyer », me suggéra un ami. Je le fis, et Johanna me répondit : « Je sais. » Je m'inquiétais surtout d'être perméable, influençable – j'écoutais tous les avis. Et puis la décision était en soi considérable. Mettre un enfant au monde, une étape majeure dans la vie, susceptible de se solder par un échec ou, pire, un cœur brisé. Lorsque j'étais un jeune célibataire, j'avais souvent vu des couples mariés se chamailler dans la rue ou dîner au restaurant sans échanger un mot. À quoi bon ? me disais-je. Ensuite, quand je fus marié, je voyais des couples harcelés par leurs enfants, et je me demandais : à quoi bon ? Si je croisais un couple avec un enfant handicapé, j'étais horrifié. Non par la vue de l'enfant, mais par l'idée du fardeau. Je n'imaginais rien de pire.

La discussion à propos d'un deuxième enfant se termina comme se termine fréquemment cette discussion : nous avons laissé la nature suivre son cours et engendré un petit frère pour Hayley. Elle avait trois ans à la naissance de Walker. Une part de moi ne s'étonna absolument pas que mon fils soit handicapé ; il représentait ce que je méritais, mon apprentissage. Dès la première nuit où je le pris dans mes bras, au lit, pour le nourrir, je sentis ce lien entre nous, ce lien signifiant que nous étions enchaînés l'un à l'autre, que j'avais une dette envers lui.

Après la naissance de Walker, j'ai cru que la discussion – avoir d'autres enfants – cesserait, au lieu de quoi elle s'intensifia : Johanna était maintenant habitée par l'envie d'un troisième bébé. Elle voulait insérer Walker dans la normalité, préserver Hayley de la solitude qu'on éprouve quand on est élevé avec un frère gravement infirme, qui ne lui tiendrait jamais compagnie comme une sœur ou un frère normaux. Mais c'était inconcevable et je refusai. La culpabilité qui en découla était aussi inévitable que le mauvais temps.


Le premier mois, Walker vit encore trois fois le médecin. Il vomissait comme un vrai pro ; il ne dormait jamais. Sa mère était l'ombre d'elle-même. À chaque visite, le Dr Saunders notait des détails anatomiques : pouces ovales, spatulés, léger blépharophimosis (yeux assez petits, obliques et tombants), hypertélorisme orbital (orbites largement écartés). Il inscrivait toujours des termes scientifiques dans le dossier du bébé – cela contribuait à une communication plus précise entre médecins. Il s'agissait là de mots sérieux, incarnant une forme professionnelle d'exactitude. Mais Walker Brown était un défi à l'exactitude. Néanmoins, ses deux testicules étaient désormais palpables, une modeste victoire.

– Il est encore trop tôt pour s'alarmer, disait Saunders à Johanna.

Il avait un don pour rassurer les mères, raison pour laquelle, entre autres, on le considérait comme l'un des meilleurs pédiatres de la ville. Frisant la cinquantaine, il était soigné, bien habillé (il tenait à porter la cravate) et maîtrisait l'art du bavardage. La plupart des mères de ma connaissance avaient le béguin pour lui. Elles se pomponnaient quand il fallait emmener les gamins au cabinet pour les rappels de vaccin.

Mais ses patientes ignoraient que leur bien-aimé Dr Saunders s'intéressait depuis belle lurette aux maladies rares et à leurs conséquences humaines. Son épouse, Lynn, avait été éducatrice spécialisée. Un pédiatre gagne moins que beaucoup d'autres spécialistes, toutefois il pratique une médecine porteuse d'espoir : il parvient à guérir de nombreux gamins, vite et sans hésitation. Quand il ne le pouvait pas, Saunders en était profondément affecté : il voyait de l'héroïsme chez ces enfants, dans leur vie. (Peu avant qu'il succombe à un cancer du côlon, au printemps 2007, à l'âge de soixante ans, il fut à l'origine de la création du Norman Saunders Initiative in Complex Care à l'Hôpital des enfants malades de Toronto.) Sur un plan personnel, Saunders avait un dada : les héros de l'histoire navale britannique du dix-huitième siècle. Avec la plupart des enfants dévastés par la maladie, Saunders, à son tour, était devenu un explorateur naviguant sur des mers inconnues.

Mais sa vigilance à l'égard de Walker rendait Johanna cinglée. Elle rentrait d'une consultation, bataillait pour franchir le seuil avec la poussette, le sac à langer et quelque nouvel appareil pour essayer d'alimenter le bébé, qu'elle tendait à Olga en ronchonnant :

– Ce que Norman peut m'énerver ! En principe, il sait ce qu'il fait. Mais, avec Walker, il se contente de le regarder.

En réalité, Saunders s'efforçait de déterminer si l'apparence singulière du bébé – sans parler de son manque de tonus et du fait qu'il ne se développait pas – était symptomatique d'un syndrome. Et si oui, lequel ? Il existe des milliers de syndromes cliniques et au minimum six mille maladies rares. À lui seul, le blépharophimosis en suggère un certain nombre : syndrome de Van Den Ende-Gupta, par exemple, ou syndrome d'Ohdo, ou de Carnevale. À l'époque, l'Internet était encore un outil nouveau, les généticiens l'enrichissaient quotidiennement de listes de symptômes qui, ensuite, permettaient de diagnostiquer un syndrome à la fois plus facilement et plus difficilement qu'auparavant. Cela équivalait à tenter de trouver une plante précise dans un immense jardin de fleurs exotiques, plus bizarres les unes que les autres.

Lentement mais sûrement, Walker atteignit sa seizième semaine. Alors que le premier automne de son existence grisaillait et cédait la place à l'hiver, Saunders affina son diagnostic – il n'en était pas encore à dire que c'était grave, seulement que quelque chose clochait. Le bébé était plus alerte ; il suivait maintenant les objets du regard, même s'il avait un peu de mal à tourner la tête. Il avait commencé à sourire. Des signes positifs, selon le médecin.

Cependant le soir chez lui, Saunders se plongeait dans la littérature médicale sur les maladies rares. Il n'aimait pas ce qu'il y découvrait : notamment un article élaboré par des chercheurs et illustré de photographies d'enfants ressemblant presque trait pour trait à Walker Brown. L'anomalie était décrite depuis peu et épouvantablement rare, un accident génétique produisant une large gamme de syndromes cousins, collectivement connus sous le nom de syndrome cardio-facio-cutané. Il faudrait encore des années pour que, à l'échelle mondiale, on travaille à l'élaboration de la carte complète du génome humain ; la génétique clinique, qui précédait le séquençage, n'était toujours, en majeure partie, qu'un jeu d'enquête, d'observation et d'hypothèses. Les symptômes de divers syndromes se chevauchaient, et les erreurs de diagnostic étaient fréquentes. Le syndrome de Shprintzen ressemble au CFC – Saunders faillit tomber dans le piège – pourtant il y a des différences : les enfants atteints ont des sourcils. Le syndrome de Noonan est beaucoup plus répandu que le CFC, auquel il emprunte de nombreuses caractéristiques, toutefois il provoque généralement des retards d'acquisition bien plus bénins. *Idem* pour le syndrome de Costello, à ceci près que les enfants Costello ont la peau plus « lâche » (on se demande ce que cela signifie) et sont plus menacés par certains cancers que les CFC. De nombreux généticiens croient que les syndromes CFC et Costello ne sont que des variantes du syndrome de Noonan ; d'autres affirment qu'il s'agit d'anomalies distinctes. Ma femme et moi espérions que quelqu'un serait plus précis, et surtout nous serait plus utile, mais les généticiens ne paraissaient sûrs que d'une chose : ils ne savaient pas grand-chose.

À la fin de l'automne 1996, d'après les constatations de Norman Saunders, Walker présente quasiment tous les signes du CFC. Les conséquences potentielles sont démoralisantes : difficultés d'apprentissage, surdité, déficit intellectuel, déficit de langage. « La capacité de socialisation peut l'emporter sur les capacités intellectuelles », note un chercheur, assez élégamment. Chez dix pour cent des malades, à l'adolescence des troubles psychiatriques apparaissent.

En novembre, Saunders rapporte le cas de Walker au Service de génétique de l'Hôpital des enfants malades. À la maison, ce qui au départ n'est qu'une inquiétude légitime à cause d'un bébé prématuré se mue en état d'affolement, vingt-quatre heures sur vingt-quatre. Notre petit garçon n'est pas normal.

Tout parent d'un enfant malade se souvient du jour où on lui conseille de consulter le Service de génétique. C'est le second cercle de l'enfer du diagnostic. Ce qui était, jusque-là, une question de santé, un pépin qu'on finirait par surmonter, devient brusquement une question scientifique, gravée dans le bronze génétique.

Je me rappelle encore comment cette journée s'est achevée, comme le temps s'est arrêté. Il y avait eu un accident, des kilomètres en amont sur l'autoroute de la division cellulaire ; nous devions faire demi-tour. C'est comme perdre son alliance dans la mer, aussi choquant : on sait la bague disparue, irrécupérable. Il ne s'agit pas d'un problème que nous pouvons résoudre, c'est primitif, primordial. La veille, Walker était un être vivant et, brusquement, il est un faux pas dans l'évolution. Je déteste cette idée, mais à présent je comprends le destin dont parlaient les Grecs. Soudain, rien ne bouge plus, et j'ai pris dix ans d'un coup.

Le bâtiment abritant le Service de génétique de l'Hôpital des enfants malades ressemble à un vaisseau spatial futuriste : acier étincelant, propreté, pas le moindre défaut. En principe, les services médicaux, les urgences des hôpitaux, les instituts et départements où nous nous rendons avec Walker sont des asiles de fous – chaos, enfants braillant dans tous les registres. Mères qui s'arrachent les cheveux. Assistantes sociales chargées de dossiers.

Médecins, en tout cas ceux de sexe masculin, essayant très discrètement d'éviter la mêlée. Le bip des machines : une fois, j'ai compté dix bips différents.

Le Service de génétique, au contraire, évoque la banque du sperme de Woody Allen dans *Tout ce que vous avez toujours voulu savoir sur le sexe sans jamais oser le demander* : propre, immaculé, parfaitement rangé, net. Chaque chose à sa place. Et le silence ! Pas étonnant, il n'y a jamais personne dans les parages. On a l'impression que, dans ce service, la certitude règne, que l'on peut obtenir quelques réponses. (Je suis encore innocent. À ce jour, malgré des tests génétiques réitérés, le diagnostic de CFC n'est pas confirmé, bien que les médecins de Walker soient convaincus qu'il en est bien atteint.)

Saunders nous adresse au Service de génétique en novembre ; la demande fait son chemin à travers le système médical, et, en février, nous avons un rendez-vous. Le généticien est le Dr Ron Davidson, il a un fils également généticien. Il est grand, la voix assurée, et il confirme les soupçons de Saunders : Walker souffre du syndrome cardio-facio-cutané. Il a huit mois. Encore aujourd'hui, voilà ce qu'on appelle un diagnostic précoce.

– Maintenant que nous savons ce qui ne va pas, nous saurons ce qu'il faut soigner, dit Johanna, touchante, dans le bureau du Dr Davidson.

Elle a foi dans la médecine. Elle a envisagé cette carrière, a fait une année d'école préparatoire, avant que la physique et la chimie organique n'aient raison de son ambition.

Le Dr Davidson est optimiste. *Il franchit les étapes développementales à un rythme qui se situe dans la normale*, écrit-il dans son compte rendu après avoir examiné Walker. (Il y a invariablement un compte rendu après les visites médicales. Nous en avons des tombereaux.) *La caractéristique du syndrome CFC qui soulève le plus d'inquiétudes est le risque de problèmes d'apprentissage.* Tiens donc. Mais là aussi il y a de l'espoir, selon le docteur. *Le nombre de cas signalés ayant augmenté, plusieurs individus atteints auraient un parcours d'apprentissage parfaitement normal et une intelligence normale.*

Le syndrome n'est pas héréditaire : les risques d'avoir un deuxième enfant CFC sont infimes, en revanche Walker a cinquante pour cent de chance d'engendrer un CFC.

– Cependant, à ce moment-là nous en saurons beaucoup plus sur la maladie et la mutation qui la provoque, par conséquent sa femme et lui auront indubitalement plusieurs choix possibles, complète le médecin.

La femme de Walker ! Je dois l'avouer, je n'y ai jamais cru.

# 4

Sa tête de bébé est très grosse et en forme d'olive, mais le reste de sa personne n'est pas plus lourd qu'une miche de pain : je peux le porter d'une seule main. Je l'appelle Boogle, ou Beagle, ou Mister B, ou encore Lagalaga (parce qu'il fait ce bruit-là) ou simplement Bah ! (Il aime la consonne *b*.) Au fur et à mesure, nous élaborons une langue à clics, qui nous est personnelle et que nous sommes les seuls à parler. Nos dialogues se résument à ceci : « Salut, c'est moi, je te parle en clic, à toi et rien qu'à toi, parce qu'il n'y a que toi et moi qui parlons le clic » ; à quoi il (ou je) réponds, je crois : « Ouais, salut, je vois que tu es là, et je te réponds en clic, j'adore qu'on parle notre langue à nous, en fait, je trouve ça hilarant. » C'est très agréable pour nous deux.

Je frappe dans mes mains, et il fait de même ; il raffole que je l'aide à taper ses mains l'une contre l'autre, plus vite qu'il ne le peut par lui-même. Prendre une photo correcte de lui est impossible, sauf coup de chance, auquel cas il ressemble à Frank Sinatra Jr. Il sent bon le chaud, le gâteau ; sa tête embaume aujourd'hui la barre Zagnut*.

---

* Friandise nord-américaine, présentée en barre et constituée de beurre de cacahuète enrobé de noix de coco croustillante.

Il ne se traîne jamais par terre, en revanche il s'est mis à marcher à deux ans et demi.

La maison est un cauchemar bien organisé. Quand on est parent d'un enfant handicapé, impossible de survivre si l'on n'est pas organisé, or ma femme l'était. Il y a les fameux paniers à linge remplis de jouets à chaque étage ; des tableaux d'éveil suspendus au dossier des chaises et fauteuils dans la cuisine et le salon, des cartons de seringues et de tubulures de gastrostomie en haut et en bas ; une réserve de couches-culottes dans une commode près de la porte d'entrée ; des légions de fioles et de tubes d'onguent déferlant dans les placards, sur les buffets et les plans de travail.

Walker adore toucher les objets. Les trois lames inférieures de chaque store de la maison sont massacrées. Sa conscience semble résider dans ses mains, dans ce qu'il peut manipuler – l'interrupteur génial, le fascinant dérouleur de papier hygiénique, tout ce qui clignote ou fait du bruit. Ce qu'il peut toucher, il le connaît.

Le plus beau, c'est sa façon d'exploser de rire, de se balancer de joie devant quelque mystérieux objet, ce qui attendrit les passants. (Un temps, je le suspecte de frotter son pénis entre ses cuisses, traditionnelle source de réjouissance pour tous les garçons.) En grandissant, il est devenu plus sournois. Il adore rafler ce qui se trouve sur les tables et autres surfaces horizontales, surtout celles qui sont surveillées de près. Il a un penchant pour les verres de vin, qui paraissent attirer son regard, aussi nous disons qu'il appartient à la ligue antialcoolique. Il distrait notre attention, puis envoie tout valser et rejette la tête en arrière, satisfait, momentanément plus malin que tout le monde. Est-ce son but secret, nous montrer que, parfois, il est assez intelligent pour nous berner ? Cela ne m'étonnerait pas. Ses désirs sont invisibles, non exprimés, mais cela ne signifie pas qu'il n'en a pas.

Il est devenu un grand voyageur, chanceux de surcroît. Par exemple, un soir : il a cinq ans. (Il a l'air d'en avoir trois.) Je le laisse dans un vestibule fermé, au pied d'un escalier, dans l'élégante demeure d'un ami chez qui nous dînons. Je sais qu'il ne peut pas grimper l'escalier et je sais qu'il ne peut pas ouvrir une porte.

Dix minutes après, j'entends un tintement. Un joli son, quelque chose d'aérien qui se brise, un bruit cependant suffisamment bizarre pour que j'aille voir ce que c'est. C'est Walker. Il a accompli l'inimaginable, monté l'escalier, ouvert la porte, et, gaiement, résolument, il s'emploie à casser le dernier des sept verres à vin disposés sur une table basse Noguchi. Lui n'a pas une égratignure. Nous appelons cette soirée la Kristallnacht. La blague n'est pas particulièrement drôle mais quand vous passez beaucoup de temps avec un enfant infirme, un enfant qui n'était pas destiné à vivre et dont la survie a radicalement transformé votre existence – spécialement si ledit enfant est le vôtre –, vous estimez avoir le droit de transgresser les règles. Ce petit garçon redonne au monde ses justes proportions. La crise de Machine qui n'est pas satisfaite de son job ou de Tartempion incapable de rencontrer une femme prête à le chouchouter comme il le souhaite pâlit auprès du problème : comment empêcher Walker de se frapper la tête et de s'écrabouiller la cervelle ? L'opinion d'autrui compte de moins en moins, au fur et à mesure qu'on sort dans la rue avec un garçon dont l'allure biscornue attire l'attention, les regards et provoque les ricanements. La vie est brusquement régie par d'autres exigences.

J'utilise le mot arriéré, par exemple, mais jamais pour décrire une personne handicapée ; appliqué à un être humain, il n'est pas suffisamment descriptif. En revanche, il est évocateur si vous décrivez un objet inanimé, ou un aspect particulièrement récalcitrant du comportement bureaucratique. Parfois je l'utilise lors d'une réception, et je sens le recul, même imperceptible, de mon interlocuteur quand surgit ce qui passe pour un mot inutilisable ; je le vois noter mes paroles, et je le vois décider de ne pas réagir, car il sait que j'ai un enfant handicapé ; il doit penser : « Si quelqu'un peut utiliser ce terme, c'est bien lui. » Il faut redéfinir tout ça.

Walker aime les femmes, belles de préférence. Bébé déjà, il tendait les bras pour qu'on le prenne – il ne s'est assis seul qu'à près d'un an – ou, plus tard, il grimpait sur les genoux des dames et, aussitôt, lorgnait leur décolleté. Je pense que c'était involontaire, mais les amies de Johanna sont persuadées du contraire. Il adorait tout ce qui brille et l'approchait de ses mauvais yeux. Nos amis l'avaient surnommé « le bijoutier ».

Enfin, nos amis intimes. Aux autres, du moins durant les toutes premières années, je ne parlais jamais des difficultés de Walker. Je n'ai pas honte de lui. Mais je ne veux pas de pitié et je refuse qu'il ait le sentiment d'en avoir besoin.

Il ne quitte pas mon esprit. Une ombre, une inquiétude, mais avant tout un talisman mental. Il en va de même pour ma fille, naturellement. Cependant, je marche du même pas que Hayley, tandis que Walker évolue au ralenti. Son aura, le fait même qu'il existe, surgit partout, de manière inattendue : dans les paroles d'une chanson de Neil Young à la salle de sport (*Some are bound to happiness / Some are bound to glory / Some are bound to loneliness / Who can tell your story\* ?*), entre les lignes d'un texte de Norman Mailer, lu durant une insomnie. Il surgit dans les conversations des gens. Une fois, à un cocktail – sans doute l'été de ses trois ans –

---

\* « See the Sky About to Rain », de Neil Young. Littéralement : « Certains sont destinés au bonheur / D'autres à la gloire / D'autres à la solitude / Qui peut raconter ton histoire ? »

j'ai entendu un gars que je connaissais depuis longtemps tenter d'expliquer à un ami comment on communiquait avec mon fils.

– C'est difficile à décrire, dit-il, un verre à la main. Son père lui parle dans une langue particulière, une espèce de babillage. Ça paraît marcher assez bien.

Je ne pus déterminer s'il approuvait ou non, mais pour la première fois j'entendis dire que nos échanges, à Walker et moi, sont une langue.

Je me demande souvent si les progrès de Walker ne sont pas le fruit de notre imagination, si nous n'inventons pas les liens que, selon nous, il noue avec son entourage. Dit-il vraiment « Heh-Heh » lorsque Hayley est à proximité ? Ou est-ce juste sa respiration ? Quand je le quitte, que je me penche pour l'embrasser, dit-il vraiment « Bye » ? *Ou est-ce sa respiration ?* Johanna l'entend aussi : « Il a dit bye ! » s'écrie-t-elle, ajoutant : « Je vais pleurer », instantanément en proie à cette surtension qui caractérise nos journées.

Walker fait ressentir certaines choses aux gens. Mais, lui, ressent-il quoi que ce soit ? Le petit garçon que j'entrevois sous la grossière façade, sous le lac étale de son esprit, existe-t-il vraiment ? Ou n'est-ce qu'un vœu pieux ? Je me persuade souvent que nos efforts pour discerner un être dans ce qui paraît un avorton relèvent d'une foi presque téméraire, assez comparable à l'attitude de n'importe quel zélote – par exemple, la mère d'un télé-évangéliste de Houston qui m'a affirmé, lors de notre rencontre, qu'elle irait au paradis et que Dieu lui avait déjà décoré son lopin en fonction de ses goûts personnels, comme il le faisait pour chaque fidèle.

– Dans mon paradis, il y aura beaucoup d'eau, me déclara-t-elle tranquillement, comme si elle décrivait son lieu de villégiature favori. Parce que j'adore l'eau.

Raisonnement primaire, mais en quoi est-elle différente de Johanna et moi ? Qui n'a pas envie de croire au paradis ? Cela ne signifie pas pour autant qu'il existe.

Et pourtant le questionnement permanent, passé au crible de Walker – ce qu'il fait est-il réfléchi ou pas ? – est également un modèle, un cadre auquel accrocher le monde des humains, une façon de vivre.

Quand Walker atteint ses douze ans, nous prenons nos premières longues vacances d'été sans lui. C'est cet été-là qu'il apprend à taper presque systématiquement dans la main qu'on lui tend. Pendant qu'il séjourne dans un centre à Toronto, Johanna, Hayley et moi partons une semaine chez mon frère Tim à Rockport, sur le cap Ann, au nord de Boston. Tim et moi y avons passé les étés de notre jeunesse, avec nos parents et nos sœurs ; nous y avons appris à nager et à faire de la voile, à manger proprement un homard, à aimer l'océan. Nous y avons acquis notre indépendance et nous y sommes devenus amis.

La maison se dresse au bord de l'océan, une habitation carrée, immaculée, tournée par-delà les vagues vers Thacher Island, un haut-fond si dangereux que deux phares, pas moins, le signalent. C'est l'un des coins de la planète que je préfère, et il me fait invariablement penser à Walker : il y était avec nous le premier été où nous y sommes descendus, avant que Tim achète la résidence, l'été où nous l'avons louée ensemble. Walker était né en juin, avec cinq semaines d'avance, mais nous avions quand même pris la route pour Boston en août, avec lui, âgé d'à peine six semaines. À l'époque, nous ne savions pas que ça n'allait pas, il semblait n'être qu'un bébé difficile à nourrir. À l'époque, nous nous pensions capables de tout gérer. Ma femme est restée deux semaines dans un fauteuil de la cuisine, au bord de l'océan, à essayer d'introduire des fluides dans notre bizarre petit garçon tout en contemplant les phares jumeaux.

54

Le fauteuil avait des coussins verts et des accoudoirs en bambou. Je l'ai si souvent regardé, durant ce premier été de la vie de Walker, que j'en ai fait une aquarelle qu'ensuite ma femme a encadrée et accrochée au mur de notre chambre, de mon côté du lit. Longtemps, ce fut sur ce tableau que je posais les yeux chaque jour au réveil. Johanna avait voulu me faire honneur, mais je me demandais, c'était plus fort que moi, s'il ne s'agissait pas d'une semonce : n'oublie pas notre fils.

Maintenant il a douze ans ; nous sommes de retour au bord de l'océan, notre première fois sans lui. Le fauteuil non plus n'est plus là. Le premier matin, je suis debout avant tout le monde, je dévale les rochers de granit jusqu'à l'océan pour nager tout nu. Il y a de la houle, il m'est difficile d'entrer dans l'eau et difficile d'en ressortir. Puis je rebrousse chemin jusqu'à la douche extérieure où je me rince, avant de m'habiller, de préparer le café et lire le journal en regardant l'océan. Je suis seul. Je suis au paradis.

Je ne songe même pas aux heures passées dans cette pièce avec mon petit garçon, douze ans auparavant. Je me réjouis qu'il y ait encore un lieu, un genre de sanctuaire où mon inquiétude pour lui ne puisse m'atteindre, où je puisse oublier un instant Walker. Mais quand cela se produit, il me manque invariablement, et il me revient toujours, comme à présent dans mon souvenir de cette cuisine au bord de l'océan. Quel luxe, que celui de n'avoir aucun souci ! De ne pas avoir Walker à l'esprit ! Sans lui, pendant un bref laps de temps, je peux faire tout ce que je faisais naguère, sans me poser de questions, comme quand on n'a pas un enfant handicapé.

Cependant, même là, Walker me retrouve. De retour de ma baignade, rôdant dans la maison, je me mets à feuilleter le catalogue d'une exposition des œuvres de Edward Hopper. Hopper a vécu à quelques encablures, à Gloucester, et y a peint quelques-unes de ses toiles les plus célèbres, baignées de la sévère et implacable lumière du cru. En 1947, Mme Frank B. Davidson demanda à Hopper ce qu'il pensait de l'art abstrait. Le grand réaliste n'était pas impressionné. « Il existe une école de peinture que l'on qualifie d'art abstrait ou non figuratif, dit-il à Mme Davidson, largement dérivé du travail de Paul Cézanne, qui vise à créer une "peinture à l'état pur" – c'est-à-dire un art qui utilisera la forme, la couleur, le dessin pour eux-mêmes, s'affranchira de ses liens avec la nature et de l'expérience humaine de la vie. Je ne crois pas qu'un tel objectif soit réalisable. Que nous le voulions ou non, nous sommes tous attachés à la terre par notre expérience de l'existence, les mouvements de l'esprit, du cœur, du regard, et nos sensations ne consistent pas uniquement en forme, couleur et dessin. Nous renoncerions à une bonne part de ce qui, selon moi, mérite d'être exprimé par la peinture et qui ne peut s'exprimer par la littérature. »

La première fois que je lis ce passage ce matin-là – je n'ai toujours pas pris mon petit déjeuner –, je me dis : c'est exactement mon erreur avec Walker. J'essaie de voir en lui des choses qui n'y sont pas, des phénomènes sans lien avec la vie et la nature.

Concernant Walker, nous sommes les partisans de l'abstrait, affirmant qu'il y a une peinture, une idée cohérente, quoique sous une forme radicale, que personne d'autre ne peut distinguer. Je relis le passage, et plus je le lis, plus je pense que ce que Hopper tentait de réaliser sur la toile ou le papier est fort peu différent de ce que nous tentons de faire sur la page blanche de Walker : on décrit ce qu'on voit, et ensuite on s'efforce d'analyser ce que cela signifie, ce que cela nous inspire et si c'est ou non réaliste.

Une heure entière peut s'écouler ainsi, à partir du simple fait de songer à lui.

Chez nous, au cours de ses tournées du voisinage avec Olga, Walker s'est constitué un large cercle de connaissances. Des inconnus m'abordent encore aujourd'hui pour me dire : « Vous êtes le papa de Walker. » Grâce à cela, je mesure à quel point il est brillant.

Il a toujours été bien habillé. Olga lui a offert pour ses anniversaires des tenues Gap dernier cri, et à l'occasion je suis allé en catimini lui acheter quelque chose. J'ai eu un indicible plaisir à lui payer sa première chemise de grand garçon : il avait l'air si dégourdi, si cool. Je lui ai acheté un sweater orange de skateboarder, je lui ai acheté son premier jean, son premier pantalon kaki, ses premières chaussures de sport, sa première casquette de baseball, un blouson d'aviateur avec un col en fourrure, et je lui ai rapporté un T-shirt de tous les endroits que j'ai visités. Je lui ai acheté un tricot de peau plus petit que ma main, des lunettes de soleil qui ne lui plaisaient pas. Un chapeau et des gants (qu'il a vigoureusement envoyés valser), des chaussettes, des ceintures indiennes ornées de perles. Tous les emblèmes d'une enfance de garçon normale. Pour mon plaisir et non le sien. Un jour, je l'emmènerai avec mon père et mon frère choisir sa première cravate. C'est futile, je sais : le bavoir qu'il porte, parce qu'il bave, cachera la cravate. Mais cela pourrait bien être le seul rituel masculin auquel nous l'initierons.

Extrait d'un carnet que j'ai conservé :

*27 décembre 1997. Je dois accorder plus d'attention au régime alimentaire de Walker. Il a eu un rendez-vous chez le médecin avant que nous venions ici, en Pennsylvanie, pour Noël. Notre pédiatre s'est étonné qu'il ne puisse pas encore marcher, se traîner par terre, faire l'effort de saisir des objets et se les fourrer dans la bouche, se nourrir, avaler quoi que ce soit de solide, ou empiler des cubes. Il a été encore plus*

*effaré par le poids de Walker – toujours dix kilos, la moitié*
*ou, au mieux, les deux tiers de ce qu'il devrait peser à son*
*âge, un an et demi. On craint, et c'est nouveau, que son inca-*
*pacité à prendre du poids affecte son développement intellec-*
*tuel, même au stade où en est son intellect. J'ai donc passé*
*un bon bout de temps à essayer de confectionner de la crème*
*aux œufs, ce qui, d'après une infirmière, lui mettrait un peu*
*de chair sur les os. Mais il a un mauvais rhume, il a du*
*mal à déglutir, par conséquent, il vomit une fois sur deux*
*après le repas. Je vois la menace d'une gastrostomie planer*
*sur son avenir et le mien. Mais surtout, je redoute sa solitude.*
*Depuis peu, je pense qu'il le comprend aussi – il comprend*
*soudain, fût-ce inconsciemment, qu'il n'est pas comme tout*
*le monde.*
*Il semble que je sois au bord des larmes, donc je m'arrête*
*là.*

Quand Walker fête ses trois ans, son dossier médical
comporte déjà dix pages.

Une série d'affections est rapidement apparue : douleurs
thoraciques, pneumonie, constipation, otalgies incessantes, peau squameuse. Il ne dort pas. Nous le trouvons
souriant, pourtant il pleure la moitié du temps.

Au moins, chez le médecin, on a la possibilité de poser
des questions. Rentrer à la maison équivaut à pénétrer
dans un long couloir où la lumière ne s'allume pas.
Johanna dit avoir l'impression qu'une « chape nous est
tombée dessus ». N'importe quelle situation de crise, avec
n'importe quel enfant, abat cette chape sur vous : votre
champ de vision se rétrécit, on regarde droit devant. Avec
Walker, c'est un état permanent, la différence réside là.
Avant lui, le futur semblait une succession de défis à relever pour, éventuellement, finir en apothéose. Après sa
naissance, l'avenir paraît immuable, triste, grevé d'obliga-

tions jusqu'à notre mort, laquelle n'évoque que la lugubre perspective de ce qu'il adviendra alors de lui.

Dès le début – cela aussi est commun aux familles d'enfants CFC –, nous décrétons que Hayley, adulte, n'aura pas à assumer la responsabilité de Walker. Elle l'assume, cependant. Un jour, je lui ai demandé pourquoi, selon elle, Walker, à deux ans, ne marchait pas et ne parlait pas. « Moi, j'ai marché à un an parce que je suis née avec les deux yeux ouverts, m'a-t-elle répondu. Tandis que Walker, il est né avec un seul œil ouvert. » Elle avait quatre ans.

Le diagnostic de CFC est un point d'appui, mais porter une étiquette n'améliore toujours pas la santé de Walker. Les notes du Dr Saunders sont devenues répétitives : *congestion, toux, otites, retard staturo-pondéral* reviennent sans cesse. À dix-huit mois, Walker ne prononce pas un mot, ne comprend rien, ne marche pas, n'a pas d'activité gestuelle, hormis lever les bras pour qu'on le prenne, et parfois, sourire. RETARD DÉVELOPPEMENTAL, écrit Saunders en lettres capitales dans le dossier.

Les journées n'étant pas assez longues pour attendre que Walker ingurgite l'once de nourriture qu'il est en mesure d'avaler, Saunders a prescrit la nutrition entérale. Tant que Walker ne sera pas plus vigoureux, il ne pourra pas manger et, comme il ne mange pas, il ne peut pas prendre des forces. La gastrostomie permettrait de lui administrer plus facilement les médicaments dont la liste s'allonge, pour traiter son reflux, ses otalgies, son insomnie ainsi que son agitation et ses éruptions cutanées : violet de gentiane, hydrocortisone, amoxicilline, azithromycine, clarithromycine, érithromycine (pour élargir au maximum le spectre d'action antibiotique), cisapride, Keflex, Betnovate, Flamazine, lactulose, Colace, hydrate de chloral. On croirait les noms d'ambassadeurs dépêchés à une conférence intergalactique d'extraterrestres. Sa constipation chronique (ses muscles sont trop faibles pour un transit normal), aggravée par l'hydrate de chloral pourtant indispensable, nécessite souvent non pas un mais trois médicaments – le lactulose en guise d'amorce, le Colace dans le rôle de la dynamite, enfin les suppositoires, les capsules explosives à proprement parler. Restent cinq minutes pour se mettre à couvert.

Rien n'est normal. Comme la plupart des gamins, il a de l'érythème fessier – mais parce qu'il s'agit de Walker, c'est le Tchernobyl des érythèmes fessiers, imposant une journée d'hospitalisation. Il produit tellement de cérumen que nous pourrions créer un musée de cire. Pendant dix mois, il a aux pieds d'atroces ampoules qui freinent sa marche déjà passablement entravée. Jaunâtres, elles font plusieurs centimètres et se forment qu'il ait ou non des chaussettes, des chaussures, puis disparaissent aussi subitement qu'elles sont apparues. Les médecins n'en ont jamais compris la cause.

Le diagnostic de CFC implique des rendez-vous supplémentaires : le spécialiste des oreilles, celui des yeux, le dermatologue, l'expert en reflux gastrique, le neurologue, un podologue, l'ergothérapeute, le comportementaliste, l'orthophoniste, le généticien, le cardiologue, les services où l'on s'occupe des problèmes d'alimentation, de sommeil, et même de salivation excessive. Leur conclusion (et je ne plaisante pas vraiment) : « Madame Brown, votre fils bave. » Le dentiste est contraint d'anesthésier totalement Walker pour lui nettoyer les dents. L'orthophonie est importante s'il doit apprendre à parler, mais deux années n'aboutissent à rien ; nous optons alors pour la langue des signes, malheureusement il n'établit pas le contact visuel pour apprendre à signer et, de toute façon, ses capacités de motricité fine sont trop rudimentaires pour y parvenir. À cette époque, il commence également à se frapper le crâne, ce qui n'encourage pas les thérapeutes. L'ophtalmo ne réussit pas à définir précisément ses problèmes de vue, et Walker ne peut pas lui dire ce qui ne va pas. Pareil pour l'oto-rhino. Outre la dizaine de visites au Dr Saunders dans la seule année 1998, et les passages aux urgences, Walker en est à une consultation médicale hebdomadaire. Cela quand il est plutôt en forme.

Mieux vaut se concentrer sur sa motricité globale, nous disent les spécialistes, s'il marche, au moins il pourra diversifier son environnement et, ainsi, se stimuler lui-même et être nettement moins dépendant des autres pour le reste de sa vie. C'est la formule employée : *pour le reste de sa vie.*

Nous suivons donc une coûteuse et radicale thérapie chilienne, trois fois par semaine pendant deux ans. La méthode MEDEK implique de le suspendre par les pieds et de placer ses jambes dans des positions inconfortables. La seule spécialiste de la ville, Ester Fink, habite à quarante-cinq minutes en voiture de chez nous, au nord de Toronto, dans un quartier largement peuplé de hassidim qui ont eux-mêmes un nombre non négligeable d'enfants handicapés. C'est un autre monde et, cependant, tout à coup, j'y ai ma place.

Walker déteste ces séances, il se met à hurler sitôt que la voiture s'engage dans l'allée d'Ester Fink, mais il apprend à marcher. Il a au moins ça. Il peut être celui que désigne son prénom\*. Peut-être est-ce pour cela que nous nous sommes obstinés.


Étrangement, dans cet interminable tunnel, il y a parfois pour nous réconforter quelques minuscules éclats de

---

\* Walker : marcheur.

lumière. Une simple réaction est considérable ; un sourire ou l'un de ses accès de joie enchante mon après-midi.

Je me rappelle ma fierté lors de son premier jour d'école. À l'âge de trois ans, nous l'avons inscrit dans une école maternelle Play 'n Learn, qui accepte enfants normaux et handicapés. Lorsque j'y ai conduit Walker, j'ai repéré immédiatement, sur le parking de l'école, les parents des handicapés : on aurait cru qu'une bombe venait d'exploser sur la banquette arrière de leur voiture. Ils cherchaient avidement à nouer des liens, brûlaient de se confier. Un jour, je suis tombé sur une femme dont la fille, lourdement handicapée, était décédée deux ans auparavant, à l'âge de quatorze ans.

– Vous savez ce que j'ai fait après les obsèques, sur le trajet de retour ? m'a-t-elle demandé. J'ai dit à mon mari : gare-toi, faisons l'amour.

Elle a divorcé quelque temps après.

Extrait du premier bulletin de Walker :

> *Walker aime manipuler des objets. Il les tourne entre ses doigts, en les examinant, et il a aussi commencé à les taper les uns contre les autres.*

Selon la théorie de Play 'n Learn, accueillir des enfants normaux et leurs pendants handicapés doit sensibiliser les premiers et inspirer les seconds. L'école s'enorgueillit de compter un thérapeute en intégration neuro-sensorielle (les enfants CFC sont souvent hypersensibles, il faut les aider à apprivoiser leurs sens, et même à tolérer qu'on les touche) et un thérapeute occupationnel, pour leur enseigner des pratiques basiques de sociabilité, comme s'asseoir avec les autres pour déjeuner. À ma surprise, Walker est devenu peu à peu plus hardi, plus extraverti. L'équipe (exclusivement féminine) était composée d'enseignantes dévouées, d'optimistes qui voyaient partout des raisons d'espérer.

*De manière caractéristique, il émet des voyelles ouvertes et des combinaisons voyelle-consonne – ce qui peut comprendre tous les sons (*b, n, d, l, y*). Bien qu'il ne prenne pas l'initiative d'interagir avec les autres, il apprécie d'être au milieu de ses camarades. Quand l'un de ses camarades lui tient la main, il paraît content.*

Cette dernière ligne m'a déchiré le cœur. Il avait besoin de quelqu'un à qui s'amarrer. Le gouvernement provincial de l'Ontario, attaché à montrer qu'il prend l'éducation au sérieux, tient à ce que tous les enfants soient notés. Des notes impliquent des normes. La première fois que Walker est revenu à la maison avec un bulletin dans son cartable, nous y avons lu qu'il progressait en maths. Les maths ! Des progrès ! Nous en avons ri comme des dingues, puis nous l'avons embrassé en disant : « Bravo, Walker ! Deux plus deux égalent quatre ! » Nous l'avons félicité longtemps, nous avons savouré ce moment comme un mets rare et délectable. Certes, nous ne pensions pas Walker capable de faire des maths au sens commun du terme. Mais c'était une histoire qu'il nous offrait et que tout le monde était en mesure d'apprécier, un détail de sa vie perceptible au travers du rideau isolant qui l'entourait.

En revanche, j'ignorais ce que tout cela signifiait pour lui. Savait-il qu'il « peignait » quand l'enseignante guidait ses mains ? Il avait un copain, Jeremy, mais savait-il ce qu'était un copain ? Il s'asseyait à table avec les autres gamins pour le snack – une récréation dénommée snack, j'adorais ça –, mais ressentait-il le brouhaha collectif ? Que se passait-il sous cette peau épaisse, dans son cœur trop gros ? Je me fichais qu'il ne réussisse jamais à lancer un ballon, à persécuter sa sœur, à skier à mes côtés, ou à raconter une blague ou à sortir avec une fille (j'aimerais tellement, pourtant, qu'il le fasse). Je me demandais surtout s'il avait une idée de lui-même, une vie intérieure. Quelquefois, cela me paraissait la question la plus pressante.

Depuis le moment où il est sorti de l'hôpital et arrivé à la maison, nourrisson de deux jours, les nuits ont été pénibles. Quand c'était à Johanna de le coucher et de dormir avec lui, je ramenais Olga chez elle. Le lendemain, c'était mon tour. Les nuits où nous n'avions pas à nous occuper de Walker étaient de grands événements : j'organisais ma semaine en fonction de cela, malgré la fragilité de cette organisation. (Si l'un de nous deux avait un déplacement professionnel – ce qui se produisait pour ma femme et moi plusieurs jours par mois, au minimum –, l'autre assumait Walker seul, nuit après nuit. C'était exténuant, mais cela nous obligeait à savourer les moments où il dormait, qui se muaient en cadeaux magnifiques et inespérés. Quatre heures de tranquillité représentaient pour nous une nuit de sommeil pour le commun des mortels.)

Dès que je déposais Olga chez elle, j'étais libre. Je pouvais aller boire un verre, me balader. La plupart du temps, je rentrais au bercail, je m'y faufilais à pas de loup, ouvrant sans bruit la lourde porte, laissant mes chaussures dans le vestibule, avec l'espoir de me mettre au lit sans le réveiller, sans l'entendre pleurer ou se frapper la tête. Il avait le don de se frayer son chemin dans mon cerveau à la seconde où je prenais un bouquin ou bien m'attelais à l'écriture d'une lettre et, dès que je l'entendais, j'étais happé. Je ne supportais pas l'écho de son incessante souffrance.

Mais s'il dormait et que, moi, je parvenais à rester éveillé, je lisais voracement. Je n'ai jamais apprécié les mots, les livres, le temps libre et la vie intellectuelle plus intensément que durant ces nuits volées. Dante, *The History of Mental Retardation*, des ouvrages sur la surdité et le bégaiement, des romans sur des cow-boys et des réprouvés, des journaux intimes de diplomates, les *Mémoires* de Casanova. (Casanova déclarait n'avoir parlé qu'à cinq ans, alors qu'il était étendu dans un bateau qui descendait le Grand Canal à Venise. « Les arbres bougent ! » dit-il, si mes souvenirs sont bons. Ses parents, au lieu de se réjouir que leur lambin de garçon ait finalement parlé, le traitèrent illico d'idiot. « C'est le bateau qui bouge ! » Sur quoi, Casanova émit sa deuxième phrase : « Alors il est possible que la Terre tourne autour du Soleil ! » J'avoue que, certains jours, j'ai espéré pareil coup d'éclat de Walker. En tout cas, j'ai collectionné ce genre d'anecdotes.) J'ai lu les lettres de Chesterfield à son fils, les ennuyeux romans policiers de Chesterton, et tout ce qui m'aidait à m'évader : Elmore Leonard, Chandler, Roth et Updike, des livres sur les pères et les collectionneurs et l'obsession, des essais sur diverses formes de vie intérieure, des biographies d'artistes et de milliardaires et, naturellement, tous les articles scientifiques sur le CFC. Et la presse. Une de mes photos préférées de Walker, datant de cette époque, le montre assis entre mes cuisses sur un transat. Nous sommes chez un ami au nord de Toronto, sur sa terrasse avec vue sur un lac immobile. Je lis le journal, les sourcils froncés. Walker s'appuie contre ma poitrine, hilare. Nous sommes heureux, tous les deux.

Nous rêvions de vacances, Johanna et moi, mais partir était compliqué. Il avait déjà trois ans quand nous l'avons confié à Olga pour une nuit, avec Hayley. Mais cela nous déplaisait : Olga travaillait assez dur comme ça, lui demander plus, c'était trop. Nous préférions l'emmener avec nous : Johanna, moi, Hayley, Walker, et souvent Olga – notre petite caravane de tendresse.

Dans l'une des premières études consacrées au CFC, on a émis l'hypothèse que la gaine de myéline protectrice recouvrant les fibres nerveuses des enfants CFC est insuffisante, et que, par conséquent, trop d'informations se propagent dans leur cerveau : leurs déficiences résultent d'un excès d'informations, d'un système neuronal insuffisamment contrôlé et organisé. Cette notion me paraît sensée. Dans une voiture ou un avion, quand il regarde par la vitre ou le hublot – un stimulus –, Walker n'arrête pas de gigoter. En avion, il regarde par le hublot et rit, regarde ses mains, regarde de nouveau par le hublot, rit encore, saisit ses genoux pour se rouler en boule sur le siège, d'un côté et de l'autre, se redresse sur son séant, regarde encore par le hublot, se frappe le crâne, se laisse tomber sur le flanc, hurle de rire puis s'étire sur le fauteuil moelleux et glissant (il aime le capitonnage lisse, qui ne provoque pas de frottement). Puis il recommence tout ça, puis il se met à pleurer. Deux minutes d'action qui valent le coup. Il ne semble pas en mesure de maîtriser ce qui le submerge, or ce n'est pas rien.

Il adore le moment où l'avion quitte le sol et celui où notre voiture démarre. Sur la banquette arrière, il actionne la commande électrique des vitres et s'amuse à jeter n'importe quoi dehors, quand il croit qu'on ne fait pas attention à lui (ce qui est fréquent). Parfois, lorsque je travaille à la maison, sur la table de la salle à manger, englouti dans de nébuleux articles sur la génétique ou la neurologie, il entre dans la pièce, s'installe dans mon giron, tolère que je le fasse sauter sur mes genoux. Dix secondes plus tard, il s'en va. J'entends Olga dans la cuisine et je pense : *combien de temps cela durera-t-il*, même si je suis content qu'il m'interrompe. Dix minutes après, il est de retour et réitère son manège. Rythme étrange de l'énigmatique petit garçon.

Ça, ce sont les bons jours. Les mauvais jours, il reste avec moi, s'accroche à mon bras ou se couche près de moi, gémissant, vagissant ou pleurant. S'il y a trop de neige pour qu'on le sorte dans sa poussette, il pique des crises, se cogne la tête par terre. Je connais par cœur ce bruit, il est gravé dans ma mémoire.

Les bons jours, ma femme et moi attrapons au vol un peu de temps pour nous-mêmes. Nos amis Cathrin et John possèdent un vieux chalet au bord d'un lac dans la région de Muskoka, au nord de Toronto, à une heure et demie de route. Ils nous y invitent sans cesse, souvent avec un autre couple, Tecca et Al. Cet endroit est devenu pour nous notre deuxième maison, le sanctuaire de nos week-ends. De leur île, on voit de l'autre côté de l'eau, à l'infini, le vert duveteux des arbres.

Nous emmenons Hayley, Walker et Olga, laquelle Olga garde notre garçon sur la terrasse d'une petite dépendance construite sur la berge : l'air et les paroles de *Do Your Ears Hang Low** ? s'envolent de cette terrasse pour virevolter sur l'eau comme des bouffées d'amour. La brise, souvent, ravit Walker. En fin d'après-midi, il lui arrive de patauger dans l'eau, sans enthousiasme débordant, cependant il aime qu'on lui tienne compagnie au bord du lac. Il aime, calé contre moi, faire du kayak et laisser ses mains frôler l'eau, tel un insecte tâtant la surface liquide de son environnement. Je lui parle à l'oreille, je divague. « Tu vois les arbres, tu vois toutes ces nuances de vert ? Tu vois le waterslide ? Ça, ça te plairait beaucoup. » Il aime qu'on lui parle. Il aime tant de choses, du moins en apparence. Je bavarde tout bas, inlassable-

* Comptine. Littéralement : « Avez-vous de longues oreilles ? »

ment, et cela ne me dérange pas qu'il ne me réponde jamais. Il m'oblige à me dépasser ; pour d'inexplicables raisons, je lui en suis reconnaissant et le serai toujours. Que serais-je devenu sans lui ? Ce garçon si petit, si léger, si dépendant : quiconque est avec lui représente son univers, et j'aime être son univers, s'il m'y autorise. Ses cheveux frisottés me chatouillent le dessous du menton, tandis que nous voguons ensemble dans notre embarcation.

Le soir, après le dîner, quand nous sommes installés sur la véranda, Walker se joint de nouveau à nous. Je me rappelle la première fois qu'il s'est comporté ainsi, comment il a salué tranquillement chacun de nous : comment il a grimpé sur les genoux de Cathrin et posé la tête sur son épaule, est redescendu et est allé caresser le bracelet en argent de Tecca (c'est elle qui l'a surnommé « le bijoutier ») avant de passer à Al, à John, à moi, à sa maman, sa sœur, les amies de sa sœur, son univers. Il a fait sa tournée, ensuite de son pas de patineur il est retourné vers Olga et est allé vagabonder au-delà du cercle des lumières et des sons de la stéréo, ou bien il a poussé la porte-moustiquaire qui s'ouvre sur la nuit au-dehors. Il a voulu que nous sachions, j'imagine – le seul verbe que je puisse employer – qu'il nous aimait. Ses amis adultes considèrent à présent cette époque comme un voyage exceptionnel, impossible, que nous avons fait tous ensemble. « Ces étés furent extraordinaires, m'a dit un ami l'autre jour, même si à l'époque je ne savais pas trop à quel point ils étaient extraordinaires. »

À part ça, je lis, je discute, je nage et je cuisine. Et je bois : du gin, souvent et abondamment, quand ce n'est pas mon tour de passer la nuit avec lui, pour le coup de fouet immédiat que cela me procure (je n'ai pas de temps à perdre). Chaque minute de liberté est pareille à un saphir et, pourtant, me tourmente comme un reproche :

non parce que je n'assume pas ma responsabilité, mais parce que la misère de Walker ne désarme jamais. Nous nous efforçons frénétiquement de nous détendre au maximum durant les instants dont nous disposons. Il y a trente ans à peine, un enfant comme Walker n'aurait sans doute pas survécu, et sa maladie est toujours un mystère pour le corps médical autant que pour nous : comment ne pas m'interroger sur ce que je suis censé faire avec lui ?

Au chalet aussi, Johanna et moi marchandons des nuits, l'un de nous demeurant auprès de Walker dans une chambrette au rez-de-chaussée de la maison principale, pendant que l'autre savoure des heures de solitude et le luxe d'une chambre aménagée dans une dépendance au bord de l'eau – libre de se lever tard, de boire encore un verre, de vivre brièvement ce qui semble être une vie exotique. Les trains sifflent dans la nuit, au loin.

Le matin, après une nuit mouvementée avec Walker – je prétends, furieux, qu'il ne se repose jamais avec moi parce qu'il dort comme une bûche avec sa mère – quand il s'est enfin assoupi, ou à dix heures lorsque Olga prend la relève, je descends, chancelant, le sentier menant au lac.

Je revois encore ma femme à cette époque, ses longues jambes. Déjà allongée sur la berge, elle lit et bronze avec avidité. Je suis content pour elle et fâché contre elle, exténué. Mais, malgré tout, la sempiternelle question me turlupine : où est le petit ? (Nous l'appelons : « le petit ».) Pourquoi n'est-elle pas avec lui ? Pourquoi ne suis-je pas avec lui ? Les reproches se mettent en route, nous les portons en nous, indéfiniment, à fleur de peau.

# 5

Prendre une bonne photo de Walker est quasiment impossible. Le truc consiste à attendre l'instant crucial où au moins trois phénomènes se produisent simultanément : le moment où il est calme, où son corps est détendu, sous contrôle ; le moment où ses batailles intérieures faiblissent et où il ne se donne pas de coups ; et le moment où il est alerte, plein d'énergie. C'est rarissime. Mais quand cela arrive, que par hasard on a un appareil à la main et qu'on réussit à l'utiliser à temps, alors, éventuellement, on obtient une photo que l'on a envie de regarder, qui ne nous contraint pas à détourner les yeux. Ces photos sont de vrais trésors, elles prouvent l'existence du Walker qui, nous en avons la conviction, est bien là sous le tumulte et la douleur.

La première fois que cela arrive, il a près de trois ans et il est dans son bain. À ce stade de son existence, son calme dans le bain est presque religieux. Il fallait quarante litres d'eau pour le bain rituel des Hébreux : cela convient à Walker, jusqu'à ce que la chaleur atteigne sa poitrine, ce qui le rend nerveux. Il s'agit de rester dans les limites de sa zone de confort.

Cette première bonne photo est un coup de veine, prise alors qu'il lève les yeux du jouet qu'il tourne entre ses mains. J'ai acheté des sous-marins, des baleines souffleuses et des grenouilles nageuses, mais il leur préfère les tasses à mesurer et les passoires d'où l'eau dégouline. Il aime le bruit que cela fait.

Les premiers clichés que Johanna apprécie sans retenue sont pris quand il a sept ans. Sept années à essayer de photographier Walker dans une pose que sa mère a plaisir à voir.

C'est par une chaude journée d'été, et Walker, comme à son habitude lorsqu'il fait chaud, ne porte qu'un T-shirt et une couche. Il est affalé sur le canapé de la salle de télé, sur le dos, en T-shirt orange, avec sur le nez mes lunettes de soleil que Hayley lui a mises. Ce qui, en soi, est gonflé : Walker est un fléau pour les lunettes, de vue ou de soleil, il s'empresse d'en casser les branches. Johanna venait d'interviewer récemment le producteur Robert Evans. À l'époque, il était largement septuagénaire, cependant il incarnait encore le nabab hollywoodien des années 60 – grosses lunettes noires, foulard autour du cou, starlettes pendues à son bras, une voix qui paraissait éraillée par le tabac et l'argent. Rien ne dérangeait Evans, rien ne le gênait. Sitôt qu'elle a vu les clichés de Walker, Johanna l'a surnommé Walker Evans, et a punaisé cette photo sur le placard de la cuisine, une illustration de son charme.

Quand je la regarde à présent, je me rappelle la mélopée qu'il chantonnait alors (il ne le fait plus), une succession de *rah-rah-rah-rah-rah-rah*, qui était à l'évidence sa façon de raconter une histoire, dès qu'il savait qu'il avait la parole. Il aurait pu être au téléphone, en train de rouler quelqu'un dans la farine. Il tenait le crachoir. Il n'avait pas les mots, mais il avait le ton.

Mes photos favorites sont celles de ses moments plus intimes. Il avait à peine un an lorsque nous avons loué un chalet sur une île de la baie Géorgienne, à quelques heures de route au nord de Toronto. Un endroit isolé à quarante minutes de la marina la plus proche, où il n'y avait alentour que les occupants d'autres chalets sur des îles accessibles uniquement par bateau. C'était si tranquille que quand il n'y avait pas de vent, je craignais que nos voisins des autres îles n'entendent les cris de Walker, ou les miens. Mais cette paix le changeait : dans cet environnement, il devenait plus sûr de lui, moins distrait. Parfois il tournait les yeux vers le coucher du soleil à la fin d'une belle journée, la lumière orangée, la brise, comme s'il discernait quelque chose à des centaines de kilomètres, de l'autre côté de la baie – très loin. Il connaissait les lieux, il en connaissait la saveur, même s'il ignorait où il se trouvait exactement, ou bien ne pouvait pas le montrer. Nous avons une photographie de lui là-bas, dans les bras d'Olga (la seule fois où elle vint en sept étés ; c'était le seul endroit où elle refusait d'aller : elle détestait les serpents, or l'île abritait des crotales), sa bizarre houpette de cheveux dorée par le couchant : l'enfant dieu, voilà comment Johanna a désigné cette photo, et c'est juste. C'est sur cette île que, pour la première fois, j'ai pensé qu'il avait une vie intérieure, une vie indépendante de nous tous. Et ce fut là, un après-midi, alors que tout le monde faisait la sieste après des heures de baignade – la version canadienne du paradis – que Johanna le photographia sur le canapé du salon, inondé de soleil grâce aux fenêtres panoramiques.

Il semble absolument normal, le portrait craché de son père au même âge et, avant, de son grand-père. C'est peut-être pour cette raison que j'aime ce cliché, preuve de ce qui nous relie. Je vois ses cuisses minces, son teint hâlé – hâlé ! Il a posé la tête sur ses mains, remonté les genoux : il porte un short à carreaux (que Hayley ne mettait plus) et un sweat bleu. C'est presque la photo de ce qui aurait pu être. Cela semble même un rien malhonnête.

Sur la photo que je préfère entre toutes, il a six ans. À l'époque, il est entré dans une nouvelle école et s'est épanoui. L'école élémentaire Beverley est à dix minutes de chez nous, juste à côté de mon minuscule bureau : je sors et je le vois par-dessus le grillage, qui fait de la balançoire sur le terrain de jeux. C'est une école magnifique, grande et aérée, équipée de fenêtres de toit et d'autres, basses, pour les enfants qui restent couchés sur le dos la majeure partie de la journée. Il y a de l'espace.

Le cliché a été pris peu après ses débuts dans cet établissement. Walker est dans le solarium de notre maison, les yeux rivés sur ma vieille machine à écrire. Il a les mains sur le clavier, les doigts bien écartés. Bien entendu, il est attiré par le contact des touches sur ses paumes qui le démangent, par l'envie de taper dessus. Mais on dirait qu'il s'en sort bien, une illusion familière aux gens qui écrivent. Il porte la chemise rouge à carreaux que je lui ai offerte, il est prêt à dactylographier tout ce qu'il a à dire, et il a le regard luisant de celui qui a hâte de s'exprimer. Peut-être parce qu'il voit, à longueur de temps, ses parents penchés ainsi sur leur clavier. C'est une scène charmante ; qui sait, peut-être représente-t-elle une authentique curiosité, un éclair de lucidité dans cette tête embrumée. C'est du moins ce que je me dis – jusqu'à ce le charme se dissipe, que je commence à avoir mal aux yeux et ne puisse plus regarder cette photo. Chaque instant de joie avec lui est, ainsi, lesté du plomb de la tristesse, du rappel que – bah, peu importe. Ne voyons pas trop grand, n'allons pas trop vite.

Maintenant je les range, ces photos de lui ; les regarder plus longtemps m'est impossible. Il m'a fallu une éternité pour me délivrer de ces chimères ; je n'ose les laisser revenir.

Pendant les périodes difficiles, ma femme et moi avons fait deux ou trois expéditions à l'hôpital par semaine. Infections des oreilles, rhumes assortis de suffocation, constipations épiques, diarrhées, saignements, déshydratation *et* constipation (au moins une fois, mémorable), rages de dents et – surtout – pleurs incessants. Un jour, je suis resté à l'Hôpital des enfants malades de onze heures trente à minuit, et j'y étais de nouveau le lendemain matin de neuf heures à midi.

Dans l'enfer des urgences d'un hôpital pour enfants, on est en pleine réalité augmentée. À commencer par le niveau sonore produit par une dizaine de gamins s'époumonant en même temps, chacun dans sa tonalité et sur son échelle de fréquence. Rossini en aurait fait un opéra. Les soignants rebondissent d'une crise à l'autre, balles humaines en tenue bleu pastel et vert, vouées au bien-être des enfants : internes survoltés, infirmières débordées, mais d'un calme olympien et, par-dessus tout ça, les médecins, attentifs à ne pas trop s'engloutir dans le maelström de cris, pipi, vomi, bobos. Et naturellement, l'autre tapage que l'on ne peut pas toujours entendre, mais que l'on sent invariablement comme un mugissement à son oreille – les angoisses des parents. Certains d'entre eux sont assez malotrus pour s'adresser vertement aux docteurs et aux infirmières, ou pour s'affoler et faire passer leurs gamins avant le vôtre parce que c'est plus urgent ou qu'ils ont attendu plus longtemps. Il y a deux catégories de mères aux urgences, celles qui ont horreur d'être là et celles qui, secrètement, aiment ça car, là au moins, elles sont au milieu de personnes qui reconnaissent la prééminence de leur enfant.

Les urgences, c'est du grand spectacle sociologique : des gamins apparemment en bonne santé présentant de bizarres marques bleuâtres sur des jambes qui ne se doutent de rien (maladie du sang) ; mères seules nanties de quatre mômes blafards, mal nourris, vivant dans des logements que je me représente sans peine, avec trop de rallonges électriques traînant dans la chambre (le plus jeune a 39 de fièvre depuis plusieurs jours) ; des familles bien vêtues, serrées dans un coin, découvrant le théâtre de la consultation postopératoire (accident de camping, un couteau dans le crâne qui a manqué de peu le nerf optique, aucun problème visuel ou cérébral, mais une faiblesse permanente du bras gauche).

Qui aura de la chance, cette fois ? Qui restera, qui repartira en poussant un soupir de soulagement ?

Mon angoisse, cette puanteur, afflue et reflue. C'est un refroidissement ? Non, c'est un cancer. Non, c'est un refroidissement. Les médecins ont toujours été éberlués par l'état de Walker, ils m'ont posé les mêmes questions, ont voulu connaître les mêmes détails, sempiternellement.

*Oui, il n'est alimenté que par gastrostomie.*

*Oui, nous avons essayé de le nourrir par la bouche.*

*Hydrate de chloral. Oui, on le lui prescrit.*

*Ce n'est pas un problème d'oreilles. Je sais que ce n'est pas les oreilles parce que j'étais là hier pour ses oreilles, donc ce n'est pas ça, il ne pleure pas comme ça quand c'est juste un problème d'oreilles.*

*Oui, docteur, j'ai attendu. J'ai attendu cinq jours, alors qu'il hurlait sans arrêt, avant même de songer à l'amener ici.*

Tous ces animaux en peluche vendus à la boutique dans le hall du remarquable hôpital pour les enfants, en plein centre d'une ville remarquable et géniale. Et pourtant les lieux sont peuplés de docteurs incapables de secourir mon petit garçon. J'ai acquis un scepticisme à l'égard du corps médical qui a eu tendance à se manifester après que le quatrième toubib d'affilée m'a dit ce que je savais déjà. Quelquefois ils ont perçu mon scepticisme et se sont inclinés, avouant en silence leur impuissance, ce qui me les a rendus de nouveau sympathiques. Parfois ils ont senti ma frustration et s'en sont tenus éloignés.

J'ai acquis une patience quasi géologique. Je connais l'hôpital aussi bien que mon sous-sol, de fond en comble : le coin le plus pratique du parking (deuxième niveau, vu que le premier est immanquablement bondé, près de l'ascenseur nord), la caisse où régler, la meilleure heure pour faire la queue et avoir un bon café (avant 7 h 45 ou après 11 heures), comment réduire l'attente au comptoir de la pharmacie où sont délivrées les ordonnances. Je connais par cœur l'itinéraire à suivre pour atteindre les services de physiologie, d'IRM et de chirurgie dentaire. Je sais qui je vais y voir vadrouiller – les enfants et leurs maux bizarres, leurs têtes grosses comme des melons avec d'une oreille à l'autre leurs balafres rouge vif, suturées de frais, leurs appareils dentaires, leurs plâtres, leur teint verdâtre, leurs yeux résignés, une résignation plus profonde, plus absolue que ne pourrait l'être celle d'un adulte.

Je sais comment réagir. Je sais sourire. Sourire à chacun d'eux. Rien d'outrancier ; je sais ce que j'ai éprouvé quand quelqu'un flagornait Walker, je n'avais aucune envie de ça. Afficher un visage ouvert, dénué d'hostilité et de crainte, voilà tout. Une sorte de médicament. Pourtant, toujours, je regarde et me demande : mais qu'est-ce qui s'est passé ?

D'une certaine manière, malgré la tension, se retrouver aux urgences est facile parce qu'il y règne un calme véritable, pragmatique, sans angoisse. Aux urgences, s'angoisser ne sert à rien : on est dans la gueule du loup, c'est effroyable et il faut s'en sortir. Je connais des médecins qui, en privé, admettent que la médecine d'urgence ne manque pas d'attraits : ils sont trop occupés pour s'appesantir sur la tristesse de tout ça. Travailler sans réfléchir, foncer, est libérateur.

En tant que parent, on peut s'asseoir et attendre longtemps, dans cette impassibilité générale, sans difficulté.
On regarde autour de soi. La technologie omniprésente,
sur des chariots, toute une science montée sur roulettes,
mais aussi reproduite à la tête des lits, chambre après
chambre, les mêmes tubulures neuves, nettes, les bouteilles
et les valves, à l'infini, car naturellement nos faiblesses
intimes sont identiques. D'innombrables grands sacs
jaunes pour les résidus infectieux, toute une industrie (gestion des déchets !), de l'argent à tirer des ordures liées
aux traumatismes du corps. Les odeurs : désinfectant, café,
vomi, muffins, draps propres, merde, angoisse, terreur,
chagrin. L'odeur du chagrin, la pire : sèche, du café moulu
éventé, du goudron surchauffé. Et les mains qu'on lave,
encore et encore, le savon que crache le distributeur, le
bruit des mains qui s'enduisent de liquide gluant, le rituel
sacré du principe de précaution. Des chœurs de plaintes.
Des civières qui claquent. Les ambulanciers qui badinent
avec des victimes. Les rideaux masquant un désespoir
inconcevable. Les questions : est-ce curable ? Ma peur est-
elle visible ? Et puis, l'inévitable comparaison : mon
enfant est-il en meilleur état que cet enfant-là ?

Et pendant ce temps, vous le tenez, votre enfant, vous
tenez sa chair et sa chaleur tout contre vous, comme une
peau en feu, parce que vous éprouvez le besoin de vous
accrocher à la vie que ce corps renferme. La nécessité de
manger nous anime, le sexe nous ôte toute pudeur, mais
le contact... voilà ce dont nous sommes véritablement
affamés. Accroche-toi. Accroche-toi. Accroche-toi.
Accroche-toi, c'est tout.

Et peu à peu, sans même que vous le remarquiez,
quelque chose change, vous n'avez plus à vous cramponner si fort, ou bien il n'y a plus rien à quoi se cramponner.
La crise passe ou se résout. Tout cela est incommunicable,

pourtant, beaucoup plus tard, impossible de ne pas en parler ad nauseam.

Si vous avez de la veine, ils vous laissent repartir tous les deux. Une sensation de libération extrême, quand vous quittez enfin l'hôpital au petit matin, avant que le soleil ne soit vraiment levé, le trottoir encore humide de rosée, votre enfant une nouvelle fois sauvé, pour l'instant. La terre qui semble se remettre à tourner. Vous regagnez votre voiture – deuxième niveau, près de l'ascenseur nord – et vous recommencez à échafauder des projets.


Durant ces années, ma femme et moi nous sommes beaucoup querellés. Comme la plupart des parents de CFC, le sommeil était notre principal sujet de dispute : qui avait pu dormir et qui n'avait pas pu, qui méritait de dormir et qui ne le méritait pas.

Cela se déroule à peu près toujours de la même façon : au milieu de la nuit, alors que c'est au tour de Johanna de rester avec Walker – ou inversement –, je n'arrive pas à fermer les yeux et descends au salon pour bouquiner. Cinq minutes s'écoulent, j'entends Johanna : « Non, Walker, non ! » Une minute après, elle apparaît en bas de l'escalier, nue, toujours légèrement bronzée (même en janvier), épuisée. Walker fait la java depuis trois heures, il vient de lui flanquer un coup de tête en éclatant de rire.

– Tu peux le prendre ?

Je soupire (erreur) et dis (deuxième erreur) :

– Je l'ai eu hier, trois heures d'affilée au milieu de la nuit.

– On oublie, répond-elle en s'éloignant à grands pas. Aucune importance ! Désolée de t'avoir dérangé !

Je la suis à l'étage, j'ai changé mon fusil d'épaule.

Je passe devant elle, atteins le premier la chambre de Walker et m'allonge près de lui. Maintenant ma pauvre femme est si exténuée qu'elle refuse de lâcher prise. Elle vocifère, je vocifère, je claque la porte. Elle la rouvre, je l'empêche d'entrer, referme la porte et la bloque avec mon pied. Quand je rouvre encore la porte, j'entends Hayley dans notre chambre (le sempiternel jeu des lits musicaux, pour s'adapter au petit), elle demande ce qui se passe. Moi, je demande pardon à sa mère, je me répands en excuses. Ce n'est pas absolument sincère mais, parfois, dans ces querelles volatiles, ça calme le jeu.

Mais il y a aussi d'autres moments – des moments de plaisir intense. Nous quatre ensemble, dans le lit, un samedi matin. Walker à genoux, qui pour une fois nous domine tous. C'est quelque chose, voyez-vous : chaque fois qu'il est heureux, il l'est totalement. Hayley, danseuse classique fine et douée, twistant avec Walker sur une musique que joue la stéréo, Walker au septième ciel. Des minutes de sa vie. Des situations banales pour un enfant normal. Mais moi, je connais leur véritable valeur.


Peu avant les deux ans de Walker, nous avons entendu parler d'une étude clinique sur le CFC conduite par le célèbre Hôpital des enfants de Philadelphie. Dix heures de voiture pour aller là-bas. À la fin d'une journée d'examens, nous avons enfin rencontré un médecin, le Dr Paul Wang, pédiatre spécialiste du développement, qui nous a appris une chose que nous ne savions pas.

Wang effectue une série de tests. C'est un homme mince, au front haut, à la voix douce. Il montre à Walker des dessins, une ampoule, un puzzle ; Walker balance le tout par terre. Au bout d'une heure, le docteur a terminé et Walker grimpe sur mes genoux.

– Vous ne l'ignorez pas, dit Wang, il y a plusieurs degrés de retard mental – léger, moyen, et puis sévère, voire profond.

– Où se situe Walker ? demande Johanna.

– Si Walker continue à son rythme actuel, à l'âge adulte, on pourrait poser le diagnostic de retard moyen.

– Moyen ? répète Johanna qui presse une main sur sa bouche. Elle pleure déjà (j'espère lui avoir pris l'autre main). J'espérais un retard léger. Est-ce qu'il sera un jour capable de lire ? ou de... conduire une voiture ?

– J'en doute.

Mauvaise nouvelle. Le retard mental moyen demeure catastrophique, et rien ne permet d'affirmer que cela n'empirera pas en vieillissant. Il aura besoin toute sa vie d'être guidé, soutenu dans l'organisation de son quotidien.

– Dans l'immédiat, nous n'avons guère d'informations définitives sur les enfants atteints du syndrome CFC.

Le docteur estime que le développement global de Walker équivaut à celui d'un enfant de dix mois. Dix mois. Moins de la moitié de son âge.

– Au fur et à mesure des années, bien sûr, les différences seront plus évidentes. Des questions ? me demande Wang.

– Une seule. Cet été, pour la première fois, nous avons loué un chalet au nord de Toronto. Un endroit très isolé, très tranquille. Une île, où nous sommes seuls. Walker semble aimer ce lieu qui le transforme, qui l'apaise. Et la façon dont ce lieu le change a beaucoup d'importance pour moi. Pourrai-je un jour lui expliquer tout ça ?

Wang secoue la tête.

– Pas de manière rationnelle, probablement pas. Mais... (il s'interrompt, pensif)... j'ai l'impression qu'il le comprend déjà.

Nouvelle pause.

– Les bouddhistes disent que le chemin vers la lumière, vers l'état naturel, nécessite de se vider l'esprit. Je ne voudrais pas vous paraître simpliste, mais Walker sait ça. Il est la quintessence du vivant. Dans ce domaine, malgré son retard mental, il est largement en avance sur la plupart d'entre nous.

C'est la première fois que quelqu'un laisse entendre que Walker possède un don que nous n'avons pas.


Insensiblement, à mesure que l'habitude de le soigner, de veiller sur lui, de lui poser des limites et de le stimuler s'installait, ma peur s'est atténuée et mon chagrin s'est mué en une étrange solitude. La vie avec lui et la vie sans lui : l'une et l'autre inconcevables.

J'avais beau essayer de réfléchir à d'autres solutions, je n'imaginais pas de ne pas m'occuper de lui au quotidien : je n'imaginais pas une journée sans le lever du matin, la toilette, l'habillage, l'école, le retour à la maison, les pleurnicheries dues à la fatigue, puis soudain les accès de joie lumineuse, le nourrissage, les vaines tentatives d'enseignement, les fous rires, les hôpitaux et les médecins, l'inquiétude constante, les nuits mouvementées, tout cela répété jour après jour jusqu'à la fin, quelle que soit la fin. Nulle part où nous aurions eu les moyens de le mettre et, d'ailleurs, nulle part où le mettre.

Nos amis proposaient de le prendre pour nous offrir un week-end de liberté. Nous avons accepté deux fois en douze ans. Une seule nuit, une fois chez un couple, la seconde chez un autre couple – des amis intimes. Ils ont maintes fois réitéré leur offre avant que nous l'acceptions : demander à quelqu'un de s'occuper de Walker était compliqué, n'est-ce pas, avec tous ces tuyaux pour le nourrir, les médicaments, les cris et les coups qu'il se donnait. Nos amis, quand je leur ai déposé Walker, arboraient une expression concentrée mais satisfaite. Trente-six heures plus tard, quand je suis revenu le chercher, ils affichaient la mine de gens qui avaient eu cent cinquante invités pendant le week-end, dans une maison où toute la plomberie avait explosé. J'ai vu cette expression hébétée, il y a peu, sur la figure de passagers rescapés par miracle du crash de leur avion qui s'était abîmé dans l'Hudson. C'était l'expression de nos amis après un week-end avec Walker. Je comprends tout à fait. Mais je serai toujours là pour eux, car ils ont essayé – ils ont essayé de nous atteindre au fond de notre puits, de nous soutenir. Il m'est impossible de vous expliquer combien ce puits est insondable, jusqu'à quelles profondeurs ils sont descendus. Je ne leur ai jamais demandé de recommencer. Comme je le répétais à Johanna, c'était trop exiger.

– Je regrette que les gens de notre entourage ne nous proposent pas plus souvent de le prendre, m'a-t-elle dit une fois.

C'était la nuit, nous étions couchés, nous bavardions et, phénomène exceptionnel, Walker s'était endormi immédiatement. Être allongés côte à côte, dans le noir, était si rare à l'époque. Quelle excitation ! Je sentais sa peau chaude contre la mienne, j'étais émerveillé par cette quasi-nouveauté d'un corps adulte près de moi. L'obscurité était telle qu'on ne se voyait pas, mais on bavardait dans le noir. Un modeste acte de foi, et quelqu'un à écouter.

– Je veux dire, personne de ma famille ou de la tienne n'a jamais proposé de le prendre ne serait-ce qu'une nuit. Ma mère, une fois. C'est tout.

J'ai été choqué, non pas seulement par la véracité de ses propos, mais par l'audace de ce qu'elle suggérait. Demander à quelqu'un de prendre Walker ! Quelle idée ! Mes parents étaient octogénaires, et ils avaient peur de Walker, peur de ne savoir que faire. Mes sœurs habitaient des villes lointaines. Mon frère, qui vivait à Boston, et son compagnon Frank, s'étaient portés volontaires, mais je ne me résolvais pas à leur imposer ça : ils n'avaient pas d'enfants, leur maison était trop parfaite pour qu'on la leur dévaste. La sœur de ma femme, célibataire, vivait à Los Angeles ; nous n'avions pas de famille dans les environs, pas de parentèle en ville. Ce n'était pas seulement trop exiger, cela dépassait l'entendement.

— Nos meilleurs amis ont accueilli Walker dans leur existence comme s'il était l'un de leurs enfants, lui ai-je dit. Toutes ces semaines de vacances dans leurs chalets, tous ces dîners chez eux. Ils n'y étaient pas obligés.

— Mais une nuit ? Moi, j'aurais fait plus pour eux.

— Parce que tu sais ce que c'est. Tu as un gamin comme Walker. Pas eux. La plupart des gens ont la trouille.

Nous prononcions ces mots dans la nuit noire, nos corps se touchaient, nous nous souvenions de la chance et du bonheur.

*C'était trop exiger.*

Invités à dîner, nous nous attablions à tour de rôle, l'un de nous deux mangeait tandis que l'autre se promenait main dans la main avec Walker pour qu'il demeure calme. Si ça dérapait, qu'il devenait grognon, se mettait à se frapper le crâne de façon incontrôlable, je l'asseyais sur mes épaules ou le sanglais dans sa poussette et l'emmenais dehors : nous nous éclipsions pour reparaître une vingtaine de minutes après. Si je captais un fumet de couche sale, je l'emportais en quatrième vitesse. Nous tenions à conserver nos us et coutumes ordinaires. « Tout va bien », me disaient nos amis quand ils nous invitaient à dîner ou à boire un verre, mais je connaissais son hurlement de scie sauteuse et je ne voulais surtout pas que d'autres l'entendent ; je ne voulais surtout pas que nos amis ne nous invitent plus, car nous n'avions qu'eux. En ce temps-là, je pensais encore que Walker était le reflet de moi-même, je ne l'envisageais pas comme un être distinct de moi. Lorsqu'il était calme, Walker allait d'un invité à l'autre, grimpait sur leurs genoux, tripotait leur montre ou leur

bracelet, bavait sur leur pantalon et leur chemise. Il rappelait obstinément non seulement sa présence, mais l'existence
de tous les enfants comme lui, ces enfants que nous tentons
si souvent d'oublier. Voilà pourquoi nous sélectionnions
nos hôtes avec prudence. S'il se pendait aux basques de
quelqu'un, je m'empressais d'intervenir : « Attendez, je le
prends. » Beaucoup protestaient et me défendaient de m'en
mêler ; beaucoup se taisaient. Dans les yeux de ces derniers,
dans leur posture, je lisais de la réserve : ils continuaient à
bavarder, mais ils ne refusaient pas de se débarrasser de
Walker. Qui les en blâmerait ?

Johanna, sur ce plan, se débrouillait mieux : elle laissait
les autres s'occuper de lui, le promener, s'asseoir près de
lui. Elle semblait considérer qu'il le méritait, qu'elle le
méritait, que nous le méritions, alors que je bondissais
littéralement pour l'écarter des gens. Je refusais que quiconque le rejette, par conséquent, je m'évertuais à éliminer
tout risque de rejet. C'était mon petit garçon. Je n'allais
laisser personne lui faire du mal, il avait assez souffert,
aussi j'enveloppais son innocence dans une constante présence afin de le protéger contre tout, y compris le rejet.
Nous étions ensemble, lui et moi, dans la même galère,
et au diable les autres. On pouvait s'acharner sur moi,
mais lui, on n'y toucherait pas. Comme quand on reçoit
une raclée : se recroqueviller, se replier, survivre jusqu'à
ce que les coups cessent de pleuvoir. C'était le minimum
que je pouvais faire, moi son père, et au moins je faisais ça.

Voilà pourquoi nous l'emmenions avec nous, en avion
et en voiture. Voyager en voiture était plus facile : Hayley,
Olga et Walker à l'arrière, Johanna et moi à l'avant ; tout
ce dont nous avions besoin était réparti en deux lots, les
affaires que nous pouvions stocker dans la *wayback** (c'est

---

* Allusion à l'organisation d'archivage Internet, située à San Francisco. Son nom « *wayback machine* » fait référence à une série de

ainsi que nous surnommions le coffre) et les bricoles que nous devions garder à portée de main pour Walker. Ce lot comprenait la poussette, au moins un carton de trente-six couches, une ou deux boîtes de produit nutritif, une petite glacière Coleman pleine de médicaments, des vête-ments de rechange, des bavoirs et des bandanas dans un grand sac (parce qu'il bavait et vomissait) pour le trajet, un autre sac de jouets et de babioles pour le distraire – cela, n'est-ce pas, sans compter les valises et son lit-parc pliant. En voiture nous pouvions nous charger davantage, naturellement, emporter une seconde banne de jouets et son trotteur en plastique violet, vert et jaune, un engin à roulettes avec un siège suspendu en tissu, où il s'asseyait pour se propulser alentour. Il adorait ce machin. « Tu aimes trotter, trotter, trotter ? » lui demandait Johanna, et lui souriait, trottant, trottant, trottant.

Nous prenions l'avion avec lui, mais ça, c'était vraiment périlleux, une forme de voyage extrême que nous osions uniquement pour aller voir Joanne et Jake, la mère et le beau-père de Johanna, en Pennsylvanie à la période de Noël (nous installions le lit pliant entre les lits jumeaux de la chambre d'amis surchauffée, les fenêtres ouvertes malgré l'hiver, et nous nous occupions de lui ensemble, tentant de le faire taire pour qu'il ne réveille pas la mai-sonnée) ; et pour aller en Floride visiter Disneyworld. (Jake, catholique fervent, achetait des indulgences au nom de Walker et priait le Padre Pio, un candidat à la sainteté.)

Nous ne savions jamais si Walker aurait mal aux oreilles et braillerait pendant tout le vol, ou si le fait d'être enfermé dans l'avion le rendrait dingue (et nous aussi), ou bien s'il dormirait, ou resterait sage sur son siège, à

---

dessins animés dont l'un des personnages, Mr. Peabody, construit une machine à remonter le temps.

contempler les nuages par le hublot, un sourire étalé sur la figure. Nous ne savions jamais.

Quand nous étions coincés, nous avions recours à des baby-sitters. Lorsque Olga était indisponible, le soir de la Saint-Sylvestre et pendant les grandes vacances, nous faisions appel aux agences d'aide à la personne, spécialisées dans l'accompagnement des enfants handicapés. Des gens de premier ordre, généralement d'un sang-froid à toute épreuve, mais avant de les rencontrer ou de savoir qui on allait vous envoyer, on avait quasiment l'impression d'abandonner son gamin entre les mains de quelque godiche mercenaire. Car, n'est-ce pas, qui est libre de faire du baby-sitting le soir de la Saint-Sylvestre ? Certaines étaient du genre excentrique. Une géante claudicante et pathologiquement timide toquait à ma porte, et je me comportais comme s'il n'y avait rien de plus normal que de confier mon fils handicapé (et souvent ma fille) à une inconnue, pendant six heures. « Ah, salut, Cyclope. Comment va, enchanté de vous voir, entrez donc, je suis Ian. »

Je n'obtenais pour toute réponse qu'un hoquet terrifié.

« Et voici... Walker ! Tu dis bonjour, Walker ? » Bien sûr, il était incapable de dire bonjour, je ne l'ignorais pas, mais on attendait de moi cette déclaration, n'est-ce pas ? *Et voilà, tous les deux, vous êtes bien assortis.* Au lieu de quoi j'énonçais les seuls mots possibles :

– Laissez-moi vous montrer sa chambre.

Venait ensuite notre explication bien rodée du quotidien de Walker. Ses produits nutritifs, ses vêtements, ses couches, sa salle à langer, sa chambre, sa salle de jeux, son lit. Puis le programme : cette piqûre à telle heure, et 4 ml de ceci à telle autre, ensuite deux boîtes de produit nutritif toutes les quatre heures, que vous lui administrerez comme ceci, en reliant ce bout-ci et ce bout-là et ce truc-ci dans ce machin-là, etc.

« Hayley sait ce qu'il faut faire », disions-nous en désignant notre adorable fille de quatre ans. Cela équivalait, en quelque sorte, à expliquer la plomberie d'une immense et complexe demeure, en cinq minutes, avant de filer. Car, bien sûr, nous *voulions* filer.

Mais c'était à cet instant que Cyclope déballait son… sac. Un sac ? Les géantes borgnes trimbalaient invariablement un sac en tapisserie renfermant leur barda. Aérosols et inhalateurs (les leurs) ; tube de crème pour les mains ; casse-croûte (dont, une fois, un pain entier : « Qu'est-ce qu'elle compte faire ? » avait dit Johanna, après notre départ. « Pique-niquer ? »). Une de ces femmes – elle revint plusieurs fois – trouva l'escalier trop pénible et, en rentrant vers minuit, nous la trouvâmes en train de camper dans le salon, Walker vivant, en bonne forme et toujours bien éveillé. Hayley se prit d'affection pour certaines – la dame des Maritimes* qui lui racontait des anecdotes hilarantes de son enfance à la campagne – et d'autres, comme celle qui exigea que Hayley lui donne tous les vers de terre acidulés rouges de son paquet de bonbons et les lui apporte un par un. Nous vivions dans un monde à nous, un monde parallèle créé par Walker.

---

* Provinces du Canada, comprenant le Nouveau-Brunswick, la Nouvelle-Écosse et l'île du Prince-Édouard.

# 6

Permettez-moi de vous poser une question : ce que nous avons traversé est-il si différent de ce que traversent tous les parents ? Même si votre enfant est aussi normal qu'une journée ensoleillée, notre vie est-elle si éloignée de votre propre expérience ? Plus intense, peut-être ; souvent plus extrême, effectivement. Mais est-ce vraiment intrinsèquement différent ?

Nous n'étions pas des masochistes de l'infirmité. J'ai connu des gens de ce type, des parents d'enfants handicapés qui semblaient jouir de leur épreuve et de la possibilité de donner à tout un chacun le sentiment d'être privilégié et donc coupable. Je les détestais, je haïssais leur véhémente conviction qu'on leur devait quelque chose, leur inébranlable apitoiement sur eux-mêmes sous le masque du courage et de la compassion, leur incapacité à avancer, à demander de l'aide. Ils voulaient que le monde se plie aux exigences de leur situation, tandis que – en admettant que j'eusse pu trouver les mots pour l'exprimer – je souhaitais simplement que le reste du monde reconnaisse (requête ô combien modeste !) que nos vies, celles de Walker, de Hayley, de ma femme et de moi-même, n'étaient pas différentes de la vie de quiconque, qu'elles ne s'en distinguaient que par un certain degré de concentration. Je me rends compte que je m'illusionnais.

On me disait fréquemment : « Comment vous faites ? Comment êtes-vous encore capables de rire, avec un fils comme ça ? » Et la réponse était simple : c'était plus difficile qu'on ne l'imaginait, mais également plus satisfaisant, plus gratifiant. Il y avait une chose qu'on ne nous disait pas : pourquoi le gardez-vous à la maison avec vous ?

N'y avait-il pas d'endroit où l'on pouvait s'occuper d'un enfant comme Walker ? Pour que les parents n'aient pas à porter tout le fardeau, qu'ils aient un moment pour travailler, vivre et se rappeler qui ils étaient et ce qu'ils pourraient être ?

Moi-même, je me suis posé ces questions. Je savais que Walker serait contraint de vivre en institution, un jour ou l'autre, mais sûrement pas avant des années. J'abordais le sujet fortuitement, y compris à la maison.

– Nous devrions l'inscrire sur la liste d'attente pour une place à long terme, disais-je tout à trac au petit déjeuner – j'avais tendance à réfléchir au problème la nuit, au lit.

– Oh, répondait invariablement Johanna. Je ne suis pas prête.

– Non, non pas maintenant. Plus tard.

Quand Walker eut deux ans, il commença à s'agripper les oreilles et à se mordre. Pendant dix-huit mois, il n'arrêta pas. Nous pensions qu'il avait une rage de dents, une otite. Mais non. La mention *automutilation* apparut sur son dossier médical, pour la première fois, en mars 1999, peu avant son troisième anniversaire. Il passa rapidement aux coups à la tête. Il cherche le coup dur, comme un bon boxeur. Hayley appelait ça « faire crac-crac », expression que nous avions adoptée.

Paradoxalement, il avait pourtant accompli des progrès : pince digitale plus précise, il ingérait quelques aliments. (Il aimait la glace. Si on réussissait à le convaincre d'en avaler, la glace le faisait sourire et tiquer à cause de la sensation de froid à la fois. Il était capable de repérer visuellement des objets, d'agiter la main pour dire au revoir, et souvent il jacassait comme une pie.

Et puis il plongea dans les ténèbres.

Par haine de soi ? Je me posais la question. Nous l'avions inscrit dans une clinique de réhabilitation réputée, le Bloorview MacMillan Children's Care (devenu le Bloorview Kids Rehab), au nord de Toronto, où il était suivi par un thérapeute comportementaliste. Partout ailleurs, quand les gens voyaient ses hématomes, ils se demandaient ce que nous infligions à notre enfant. *Incapacité à communiquer*, notait le Dr Saunders.

Parfois, Walker était au supplice quand il se frappait, il hurlait de douleur. Parfois, cela semblait être une façon de s'exprimer, de s'éclaircir les idées, ou bien de nous laisser entendre que, s'il avait pu parler, il nous aurait dit un tas de choses. Quelquefois – et c'était insupportablement désolant –, il éclatait de rire aussitôt après. Il ne pouvait pas nous dire un traître mot, nous devions tout imaginer. Des spécialistes, toujours plus nombreux, peuplaient notre existence. On déclara que, outre le CFC, Walker était atteint d'autisme fonctionnel – et non clinique, malgré son comportement. Le Dr Saunders essaya le Prozac, le Celexa, la rispéridone (un antipsychotique prescrit dans le traitement de la schizophrénie, connu pour apaiser les troubles obsessionnels compulsifs chez les enfants). Rien ne marchait. Un jour, en Pennsylvanie, il se mordit la main jusqu'à l'os et, après une heure au bloc opératoire pour réparer les dégâts, passa une nuit à l'hôpital.

Les notes du Dr Saunders relataient des épisodes épouvantables, de plus en plus longs. *« Crac-crac » oreilles x 2-3 jours*. Je me rappelle ce matin-là et, surtout, l'expression de profond chagrin de Walker tandis qu'il se donnait des coups. Il me regardait. Il savait que ce n'était pas bien, qu'il ne fallait pas, qu'il se faisait du mal, il voulait s'arrêter et ne le pouvait pas – pourquoi, moi, ne pouvais-je rien ? Sa plainte sourde devenait effrayante, assourdissante. De juin 2001 au printemps 2003, dans ses dossiers médicaux, chaque compte rendu mentionne sa tristesse, son irritabilité.

Savait-il que sa marge d'apprentissage se refermait ? *72 heures de comportement agressif. Chagrin, larmes x 5 jours.* Même l'écriture du Dr Saunders tenait du griffonnage, elle se déformait, brouillée par le chaos des consultations. *Hurlé toute la journée, nécessité de le tenir.*

Je redoutais la salle d'attente du médecin, les mamans bien habillées et les enfants bien élevés. Tout le monde était très gentil, mais quand j'y entrais avec Walker qui braillait et se frappait le crâne, j'avais l'impression de faire intrusion dans une église – moi, l'homme-orchestre nu comme un ver, une chandelle romaine plantée dans les fesses, en chantant *Yes ! We Have No Bananas* * !

*La mère pleure beaucoup*, nota le Dr Saunders le 29 décembre de cette année cauchemardesque. *Urgent de l'hospitaliser pour repos.*

Je me rappelle aussi ce jour. Nous avions ramené Walker de chez le docteur, nous avions nourri Walker, nous avions donné son bain à Walker, nous avions consolé Walker, couché Walker dans son lit. J'avais écouté ses pleurs s'apaiser peu à peu. En principe, Johanna était soulagée quand il sombrait dans le sommeil, mais, cette nuit-là, elle descendit de la chambre de notre fils en sanglotant, les bras noués autour de son corps.

– Il est parti, dit-elle. Mon petit garçon est parti. Mais où est-il parti ?

Elle était inconsolable.

---

* Célèbre chanson des années 20, plus tard reprise, notamment, par Spike Jones.

Alors peut-être comprenez-vous pourquoi, dès le lendemain matin, je me mis à chercher véritablement une issue de secours. Je n'en parlai pas à Johanna, mais je devais trouver un endroit où installer Walker, quelque part hors de notre maison. Je ne me doutais pas que cela prendrait sept ans, que ce serait le chemin le plus douloureux que j'aurais à suivre et que cette douleur ne se dissiperait jamais.

Sur ma table de travail, au bureau, j'ai une photo de Hayley qui fait la lecture à Walker. Ils étaient là-haut dans le Nord, sur notre île si paisible. Ils sont allongés côte à côte sur un lit, et Walker regarde le livre que tient Hayley, comme si chaque mot le fascinait. J'ignore s'il comprend ne fût-ce qu'une syllabe. Mais il entend la voix de Hayley, il est heureux d'être avec elle et, manifestement, perçoit l'affection de sa grande sœur si intelligente. Il est devenu l'instant présent, et l'instant est devenu lui, parce qu'il n'a rien d'autre pour exister. Walker est une expérience dans l'existence humaine vécue dans l'atmosphère rare du présent continuel. Très peu d'êtres peuvent y survivre.

La photo me rappelle un poème lu un jour dans un magazine, de Mary Jo Salter :

*Nous les avons oubliés, ces jours*
*Où des inconnus de passage nous adoraient*
*Au premier regard*
*Parce que nous étions vivants*
*ou que nous marchions par les rues.*
*Ils chantaient tous nos louanges,*
*nous quémandaient un sourire.*
*Toi aussi, dans un instant, mon très cher,*
*Tu auras perdu tout cela,*
*Tu auras demandé un baiser, tu en auras reçu un,*
*Et appris combien l'amour condamne à mériter l'amour*
*Sitôt que nous pouvons dire son nom.*

Mon petit Walker n'a, dans ce domaine, aucun souci. Il ne demande rien, mais beaucoup de gens l'aiment. Je doute cependant que ce soit si facile pour lui.

– Des parents d'enfant handicapé répètent sans arrêt qu'ils n'échangeraient pas leur enfant, m'a dit Johanna une nuit, alors que, dans notre chambre, nous bavardions avant de dormir. Ils répètent : je ne l'échangerais contre rien au monde. Mais moi si. Je l'échangerais, s'il suffisait d'appuyer sur un bouton, contre le gamin le plus ordinaire possible, qui récolte des notes médiocres en classe. Je l'échangerais immédiatement. Pas pour moi ni pour nous. Mais pour lui. Je crois que Walker a une vie très, très dure.

# 7

Pendant sept ans, nous avons discuté de l'éventualité pour Walker d'aller dans une institution pour handicapés. Ou plus exactement : pendant sept ans, j'ai timidement abordé le sujet du placement de Walker dans une institution, et aucun de nous n'a réussi à affronter cette idée. Nous devions le faire, mais nous ne le pouvions pas.

Notre dilemme m'évoquait une expérience sur des rats. On les plaçait dans une boîte de Skinner. Le plancher de la boîte était électrifié et, pour éviter le choc électrique, les rats n'avaient qu'une solution : sauter sur une plate-forme surélevée. Malheureusement, tout animal qui se réfugiait sur la plateforme était puni par un brusque jet d'air glacial dans l'anus – ce dont, apparemment, les rats ne raffolent pas. Enfermés dans ce dilemme fatal, les cobayes manifestaient rapidement des tendances schizophréniques classiques. Moi, je savais ce qu'ils éprouvaient.

À neuf ans, Walker faisait ses trente kilos, il grandissait, et nous, on vieillissait. J'avais cinquante ans, Johanna quarante et un. Hayley, subitement, était une adolescente. Porter Walker au premier équivalait à remorquer un sac de plomb, avec tout le poids au fond du sac. Trois heures de sommeil par nuit, quatre nuits d'affilée, produisaient leur effet : les migraines ophtalmiques étaient pour moi une nouvelle donnée. Combien de temps pourrions-nous tenir ? Le désespoir était cyclique, semblait-il, surtout lorsque la santé de Walker battait de l'aile.

J'ouvrais grand mes oreilles, à l'affût d'informations sur des foyers d'accueil ou des centres médicalisés pour handicapés mentaux ayant pignon sur rue, mais chaque fois que je suivais une piste, elle s'évaporait sous un prétexte quelconque : pas de place, pas de budget, ou bien ce n'était pas un bon endroit pour les petits garçons. Une institution réputée pour handicapés mentaux, au nord de la ville, avait une liste d'attente – sur vingt ans – et n'acceptait pas les enfants. J'adhérai à une association locale œuvrant pour le placement en institution, avec l'espoir de m'insinuer dans les bonnes grâces de ses dirigeants et, ainsi, avancer plus vite ; au lieu de quoi les dirigeants m'informèrent que, en moyenne, le candidat à une place dans le réseau municipal d'institutions était un trisomique quadragénaire dont les parents âgés avaient eux-mêmes besoin d'entrer en maison de retraite. Après cette discussion, je me dis que le futur était très loin devant nous. Pas étonnant que nous souhaitions garder Walker auprès de nous : le spectacle qui se jouait en dehors de notre demeure, dans le monde des établissements publics pour handicapés profonds, ressemblait à un roman de Zola.

Nous avions vécu des années avec, en arrière-plan, ce déprimant état de fait. Lorsque Walker avait deux ans, à la sinistre époque où il avait commencé à se donner des coups, un ami, père d'une fille handicapée, m'avait présenté à un homme qui, m'affirmait-on, résoudrait mes problèmes. Il s'agissait d'un avocat spécialisé dans le handicap. Je connaissais l'existence de ces personnes, des créatures quasi légendaires, dont on parlait mais que l'on apercevait rarement. Un avocat était un genre de coach personnel et d'imprésario – il se chargeait de cas précis (pas n'importe lesquels, loin de là) et intervenait pour eux dans le dédale d'une bureaucratie aux exigences complexes. L'avocat aidait les familles à analyser ce dont elles avaient besoin, élaborait un plan d'attaque, puis faisait du lobbying pour obtenir soins, soutien et financement. Les avocats étaient généralement appointés par des organismes d'action sociale, en principe des organismes à but non lucratif, financés par des subventions publiques et des dons.

Avant de rencontrer cet avocat, je me figurais qu'il existait un système public, étatique, qui examinait chaque cas. Je me trompais lourdement.

– C'est chacun pour soi, me déclara l'avocat qui avait la trentaine et portait un costume-cravate. Ce que vous obtiendrez, tout le monde ne l'obtiendra pas.

Il me parla d'enfants qui, à force de négociations, avaient été admis dans des foyers, et d'autres qui avaient leur propre appartement et un million de dollars par an pour rémunérer leurs assistants de vie : tout dépendait de qui demandait, comment c'était demandé, comment on marchandait.

– Mais Walker a d'énormes besoins, ça c'est bien, conclut-il.

Il fallait s'accrocher jusqu'à ce qu'on vous accorde ce que vous vouliez, car si vous acceptiez une broutille de l'État, il était ensuite difficile de faire machine arrière et d'avoir plus. D'un autre côté, si on offrait à votre enfant une place dans un foyer décent et que vous la refusiez, vous redescendiez tout en bas de la liste d'attente. Ces pourparlers aboutissaient à un jeu inégal, secret, imprévisible, qui rendait les parents d'un enfant handicapé à la fois tourmentés et âpres au gain, ainsi que pathétiquement reconnaissants pour tout ce qu'on daignait leur octroyer.

Une culpabilité nouvelle, et d'autant plus étrange, m'assaillait. Si Walker résidait à plein temps dans un bon foyer, cela coûterait au minimum deux cent mille dollars par an. S'il vivait jusqu'à cinquante ans, le total atteindrait huit millions de dollars. Je ne possédais pas huit millions de dollars, cependant huit millions d'habitants peuplaient l'Ontario, la province où j'habitais. Walker valait-il un dollar par personne ? Voilà le genre de calcul qui occupait mon cerveau, la nuit.

L'avocat connaissait par cœur les rouages des services sociaux. À la fin des quatre-vingt-dix minutes passées ensemble, j'étais convaincu d'avoir affaire à un génie, et je le lui dis.

— J'aimerais que vous représentiez Walker, si vous le pouvez, si vous le voulez, et si vous avez du temps pour un client supplémentaire, bredouillai-je en lui faisant presque la révérence.

— J'en serais ravi. Il lui faut un avocat. Seulement, il y a un problème : je quitte le métier, je vais travailler pour le ministère.

Il me sembla que les murs de la pièce s'écroulaient. Un nouveau gouvernement conservateur venait d'arriver au pouvoir au Canada, et les organismes d'action sociale de la province de l'Ontario considéraient nécessaire qu'un des leurs s'implante au cœur de l'appareil pourvoyeur de fonds. Près de dix années allaient s'écouler avant que je rencontre un autre homme de cette trempe.

Extrait de mon journal :

*25 novembre 2003*
*Coup de fil de l'école de Walker. « Nous avons atteint, en quelque sorte, le point de non-retour », annonce Alanna Grossman, la directrice. Non seulement, il se mord mais se cogne la tête, outre son cirque habituel de tics et de bêtises.*
*Nous nous retrouvons à l'école à 9 heures. Sont présents : Grossman ; les deux jeunes enseignants de Walker, Thomas et Dean ; une psychologue membre du conseil d'éducation, une femme stricte, pointilleuse, en robe-chasuble écossaise ;*

*deux assistants d'éducation ; moi ; et Johanna, tout juste sortie de la bataille matinale – réveiller, laver, habiller, consoler et nourrir Walker – et qui n'avait donc pas eu le temps de se vêtir, d'ôter le pyjama qu'elle arborait sous son manteau. Une armée pour s'occuper d'un petit garçon. « Il a besoin d'être stimulé », décrète la psychologue, afin d'expliquer pour quelle raison il se frappe. Comment le sait-elle, je n'en ai aucune idée. « Nous voulons que cette façon de se donner des coups soit plutôt un choix. »*

*Ces gens se réunissent chaque semaine pour parler de Walker. Il se met en danger huit jours sur dix.*

*– Il est capable de suivre un programme, mais, si on le lui impose, il se met dans tous ses états, dit Dean. Quelquefois se montrer ferme fonctionne.*

*– Mais, parallèlement, nous voulons qu'il choisisse, objecte la psychologue.*

*Moi, je veux qu'elle change de métier.*

*– Je refuse de croire que c'est sa personnalité, déclare Johanna. Voilà pourquoi je me sens tellement frustrée de ne pas réussir à créer pour lui un système de communication.*

*Question de Robe-Chasuble :*

*– Vous ne le prenez pas trop dans vos bras ? n'est-il pas trop dépendant ?*

*Voilà ce qui se passe, selon moi : Walker veut qu'on le rassure, qu'on lui montre qu'il est un être humain. Il ne supporte pas d'être si étrange, si différent. Et la psychologue cherche à m'interdire mon seul moyen de dire à Walker qu'il n'est pas si étrange, si différent.*

Sans avocat, dans l'attente d'un événement qui nous permette d'échapper à ce cauchemar – veiller sur un garçon dont les besoins s'accroissent à mesure que nos capacités diminuent –, nous sommes renvoyés vers les services ad hoc que les autorités proposent, faute de solution permanente. Il y a les services de jour – des auxiliaires de vie qui se déplacent à domicile et prennent soin de Walker deux demi-journées par semaine –, mais cela exige aussi de faire des recherches, de déposer un dossier, lequel doit être accepté. Tout ce dont nous avons besoin nécessite de remplir un formulaire : mais quel formulaire ? Où se le procurer ? Qui a le temps d'aller le récupérer ? Où faut-il l'envoyer ? Et, une fois que c'est envoyé... on attend.

De nombreuses et brillantes étudiantes traversent ainsi l'existence de Walker – dans ma cervelle encombrée se sont uniquement gravés les prénoms de Gwen, Elizabeth et Del. Gwen est une médiéviste du Texas, créative et très douée, dotée d'un look de bibliothécaire sexy ainsi que d'un petit copain baraqué et charmant. Elizabeth est la première fanatique de *Buffy contre les vampires* que j'aie rencontrée : elle pouvait parler des heures, avec esprit, de son héroïne, et m'a appris à prendre au sérieux la pop-culture. Del est la plus douce : brune, tranquille et studieuse, elle se destine au professorat des écoles et a un frère handicapé. Hayley les aime beaucoup, elle les considère toutes comme de grandes sœurs, et Walker ne les perturbe pas plus que la foule dans la rue. Elles sont si jeunes, si pleines d'espoir et d'énergie, je leur suis tellement reconnaissant. Je déborde de gratitude, une gratitude pareille aux mauvaises herbes qui parsèment la pelouse.

Cependant, elles ont leur propre vie, elles ne restent jamais longtemps. Il existe certaines déductions fiscales, mais comme nous avons tous les deux une activité professionnelle, Johanna et moi, nos revenus sont généralement trop élevés pour que nous y ayons droit, ce que nous découvrons après avoir rempli tous les papiers. Certaines mesures sont prévues pour couvrir les frais de matériel médical, mais elles s'accompagnent de montagnes de paperasses, sans parler des enquêtes préalables : les autorités semblent penser que j'ai dans l'idée de m'approprier fraduleusement un lit avec barrière à filet et un pied à perfusion. Tout ce dont j'ai toujours rêvé !

Bref, il fallait que l'un de nous remplisse ces formulaires, or nous travaillons et nous occupons de Walker à plein temps. Depuis que nous avons tous les deux opté pour le travail en free-lance, afin d'avoir des horaires plus flexibles, les formulaires sont effectivement remplis – Johanna y consacre quatre heures par semaine – toutefois nous gagnons moins d'argent et, par conséquent, nous pouvons prétendre aux fameuses déductions fiscales. Le système dans son ensemble ressemble à une machine de Rube Goldberg*.

Et ce n'est là que la bureaucratie concernant les handicapés. La bureaucratie des non-handicapés est une autre galaxie. À cinq ans, Walker commence à fréquenter la Beverley Junior Public School – une institution locale réputée, exclusivement consacrée aux enfants intellectuellement déficients. On y compte un éducateur pour trois enfants. Les lieux sont vastes, aérés, conçus pour des gamins qui ne peuvent pas regarder par une fenêtre normale ou franchir aisément une porte standard. Cela a un effet bénéfique immédiat sur Walker qui prend confiance en lui : en un mois, lui qu'il fallait porter de pièce en pièce, marche tout seul à l'école.

Mais, au bout d'un an, le gouvernement provincial annonce son intention de fermer l'établissement. Il est réservé aux handicapés – une structure « ségrétative » dans le jargon de la scolarité en matière de handicap – et ne répond pas à la politique provinciale de soutien (beaucoup moins onéreux) des écoles « inclusives » où, en théorie,

---

* Dessinateur américain (1883-1970), créateur d'une série humoristique mettant en scène le professeur Lucifer Gorgonzola Butts. Il y dessine les schémas de machines compliquées réalisant des tâches très simples de manière extraordinairement confuse.

les handicapés apprennent aux côtés des valides, et où tous s'habituent à vivre ensemble. Les écoles inclusives sont souvent excellentes et ont la faveur d'une certaine génération d'éducateurs d'une certaine tendance politique. Cependant, même ces éducateurs admettront que l'intégration n'est pas pour tout le monde, que des établissements spécialisés peuvent être plus utiles pour des enfants aussi retardés que Walker.

Néanmoins, le gouvernement provincial est opposé à la Beverley School pour d'autres raisons plus importantes : elle n'est pas conforme aux mystérieuses règles relatives à la superficie, édictées par le ministère de l'Éducation. Afin de justifier les coupes sombres pratiquées dans le budget provincial de l'éducation, le ministère a décrété que les écoles doivent accueillir un certain nombre d'élèves par mètre carré d'espace au sol. Cela permet au gouvernement conservateur de construire des écoles neuves, plus « rentables », dans les banlieues où réside son électorat, et de fermer des établissements au centre des grandes villes, où vivent généralement ces casse-pieds de libéraux. La Beverley School ne correspond pas aux règles de superficie car il faut à ses élèves handicapés plus de place pour leurs fauteuils roulants, les tapis en mousse, les ventilateurs et les salles de luminothérapie, les potences à perfusion et les chariots. Résultat, l'institution est promise à la fermeture. L'indignation du public a obligé les autorités à la garder ouverte, mais les priorités gouvernementales sont claires : les handicapés ne votant pas, ils ne méritent pas qu'on leur accorde beaucoup d'attention. Ils ne sont pas dans les clous, pas du tout.

Vaille que vaille, nous continuons quand même à assurer. Entre Olga, nous-mêmes, le centre de jour, les étudiantes, les programmes ad hoc, l'école et la chance, nous parvenons à survivre dix ans. Nous apprivoisons le quotidien, mais le stress nous quitte rarement. Impossible

101

d'économiser un sou, nous ne pouvons pas échafauder de vrais projets, partir loin, dépasser la limite accessible en voiture ou en poussette (maintenant que Walker est plus grand, les voyages en avion sont redoutables), aller dans un lieu qui n'ait pas de bon hôpital à proximité.

Nous essayons de vivre comme si tout était normal. Mais le quotidien est aussi paralysant que la position que je suis contraint d'adopter quand je dors avec Walker. Et l'avenir paraît sinistre et frugal. L'argent que nous dépensons pour Olga, les 12 000 dollars annuels uniquement pour le mélange nutritif, les fortunes que nous claquons en couches-culottes – tout cela pourrait payer les études universitaires de Hayley. Crânement, notre fille dit qu'elle tentera de décrocher une bourse, toutefois c'est déjà une gamine angoissée parce qu'elle vit dans une maison où il y a toujours quelque chose qui menace d'exploser. Je rêve sans cesse d'argent, je rêve que j'ai perdu mes affaires, que je suis traqué, qu'on me tire dessus.

Et puis, soudain, une trouée de lumière dans le ciel plombé du futur. À l'automne 2003, nous sommes invités, une fois de plus, à passer le week-end de Thanksgiving dans le chalet de nos amis John et Cathrin. Nos fidèles compagnons, Allan Kling et Tecca Crosby, ainsi qu'un autre couple, Lorrie Huggins et Colin MacKenzie, sont également conviés. Nous n'avons cependant pas le loisir de parler beaucoup avec eux, car Walker est dans un état épouvantable. Il n'arrête pas de pleurer, de se donner des coups, il ne cesse de réclamer l'attention non pas d'une personne, mais de deux (parfois même quatre ou cinq) durant trois pleines journées de l'automne canadien.

Deux semaines plus tard, après avoir été intensément travaillée au corps par Tecca et Cathrin, Lorrie m'appelle

– moi, pas Johanna. Lorrie sait où elle trouvera le cœur le plus froid, le plus réceptif.

– J'ai quelqu'un à vous présenter. Une femme, une avocate de Surrey Place, me dit-elle, faisant référence à un institut local spécialisé dans l'étude et le traitement de l'autisme. Je pense qu'elle est peut-être en mesure de vous aider. Parce que vous en avez besoin.

Pour Lorrie, qui a sur nous un regard neuf, nos vies – celle de Walker et la nôtre – sont un cauchemar.

Une avocate, de nouveau. La femme viendra à la maison évaluer Walker, voir à quoi nous ressemblons, enquêter sur notre existence. Si nos « besoins » – dans mon esprit, ce mot est toujours entre guillemets – sont suffisamment importants, elle essaiera de nous aider à trouver, dans le monde du handicap, un coin où Walker pourra s'installer, vivre et exister. Mais je n'ai guère d'espoir.

*4 avril 2004*
*Nous avons désormais une avocate pour défendre Walker. Margie Niedzwiecki. « Nous allons commencer par les demandes préalables pour un placement permanent en institution », m'a-t-elle déclaré lors de notre première rencontre, juste avant Noël. J'ai dû avoir l'air choqué, car elle s'est empressée d'ajouter : « Vous n'avez pas à prendre cette décision tout de suite. Réfléchissez-y. »*

*Une démarche de cet ordre réclamera des années, de toute manière. À ma stupéfaction, que Walker soit à la fois dépendant et capable de marcher fait de lui un cas complexe. Il y a des centres pour enfants médicalement fragiles, mais Walker risquerait d'y semer la pagaille, d'arrêter les respirateurs pour le simple plaisir de tripoter des boutons. Parallèlement, il y a des centres pour gamins intellectuellement déficients, mais là, on ne peut pas assumer la fragilité de Walker, son corps de tout petit garçon.*

*Le manque de places, dans l'ensemble, est épidémique.*
*Chaque mois dans la seule ville de Toronto, où l'on compte*
*76 centres, 2 400 handicapés cherchent un lieu de vie. Cer-*
*tains attendent huit ans. Ces chiffres ne varient pas.*

*Notre meilleure chance, selon Margie, est d'obtenir l'aide*
*d'un prestataire de services sociaux ayant pignon sur rue, spé-*
*cialisé dans les « enfants problématiques, hors norme. »*

*L'idée que Walker vive ailleurs qu'à la maison me rend*
*malade, mais ma culpabilité devient à présent un luxe. Nous*
*devons agir. Il ne peut pas rester seul fût-ce une minute, et*
*cela vingt-quatre heures sur vingt-quatre. Un jour ou l'autre,*
*il sera forcé de s'en aller. Margie dit qu'il est sage d'opérer*
*la transition sans tarder. Quand il aura dix-huit ans, ce*
*sera trop tard.*

*La première rencontre se déroule dans notre salon. Margie*
*est plus âgée que nous, la soixantaine peut-être, elle est grande*
*avec des cheveux gris coupés à hauteur des épaules. Elle*
*affiche un calme olympien, et écoute, infiniment plus qu'elle*
*ne parle. Elle n'utilise pas le jargon des services sociaux, ce*
*qui lui vaut illico ma sympathie. Même Johanna accepte de*
*s'asseoir au salon et de discuter de placement permanent –*
*une surprise.*

*« Walker réagit à l'amour, dit-elle à Margie. Nous voulons*
*qu'il aille dans un endroit où on l'aime tout entier, pas juste*
*telle ou telle facette de lui. »*

*Mais elle n'en pense pas un mot. Comme moi, elle refuse*
*qu'il aille où que que ce soit.*

Il y a quelque chose d'indéfinissable entre mon père et
Walker. Mon père a dépassé les quatre-vingt-dix ans. Il
se rend toujours à son travail, pratique encore, tous les
matins, son quart d'heure de gymnastique callisthénique,
cependant il sent la faiblesse le gagner et a une sainte
horreur de ça. Il a laissé sa voiture au garage à l'âge de
quatre-vingt-treize ans, après s'être fait mal aux cervicales,

tout en clamant qu'il reconduira un jour. Cela ne se produira pas, cependant l'automobile le remet dans la norme : il ne peut plus marcher aussi vite que certains, alors dans une voiture il redevient l'homme qu'il était. Il s'appelle Peter ; j'ai donné son deuxième prénom, Henry, à Walker.

Le week-end, je rends visite à mes parents pour aider un peu. Ils vivent seuls dans une petite maison au bord d'une rivière, dernier vestige de la campagne, à la lisière de la vorace banlieue. Mon père a besoin de moi et de ma voiture pour les courses. Le coiffeur, le caviste, les conteneurs de tri sélectif, l'épicerie, la visite hebdomadaire à l'hôpital afin de changer les bandes pour ses varices, faire en sorte que ma mère soit contente – tels sont maintenant ses plaisirs. Il tient absolument à rester mobile, d'où ses sorties en trois actes de la voiture – ouverture de la portière, basculement des jambes sur le côté – *Tu y arrives ? Mais oui, mais oui* –, les bras écartés pour se cramponner à l'encadrement de la portière, comme s'il s'apprêtait à sauter en parachute d'un Cessna, très haut dans le ciel. On se penche en arrière, on se hisse et... dehors ! Attention à l'équilibre ! Contrepoids pour éviter la chute en avant. Est-ce que... oui ! Hourra ! Se transformer en fronde humaine, simplement pour aller acheter du lait ou régler les factures à la banque – l'une des deux banques dont lui et ma mère, quatre-vingt-quatorze ans, sont clients, pour ne pas courir le risque de mettre tous leurs œufs dans le même panier.

La peau de mon père est aussi délicate que du papier bible. J'avais l'habitude de le prendre par les épaules pour l'embrasser ; à présent si, distrait, je l'étreins, il tressaille. Je pourrais lui déboîter les articulations, ce qui doit être évité, coûte que coûte, sous toutes ses formes.

Pas question de modifier le programme – la banque, les conteneurs de tri, ensuite l'épicerie, dans cet ordre –, ni l'itinéraire. « Pourquoi tu passes par là ? » me demandet-il, comme si je remettais en question l'existence même des molécules de carbone. Il arrive avec trois quarts d'heure d'avance aux rendez-vous. Il ne se sépare pas de son mouchoir ; quand il croit que je ne le regarde pas, il essuie la salive au coin gauche de sa bouche. La vieillesse n'est pas seulement un phénomène qu'il déteste ; c'est pour lui une offense. Son humeur en est altérée, il est plus irritable. Le déclin de sa force physique lui a fait perdre ses bonnes manières pourtant célèbres : il est parfois désagréable, hormis avec Walker. Chacun d'eux semble comprendre la faiblesse de l'autre ; ils se témoignent une patience réciproque.

Chaque fois qu'ils se voient, c'est le même scénario. Le petit garçon se plante devant le vieil homme, et mon père lui tient les mains, le regarde dans les yeux. « Salut, toi », lui dit-il. Tous deux se sourient. Mon père sait comment s'y prendre sans qu'on lui ait jamais donné de consignes. Ensuite, Walker grimpe sur ses genoux et ne bouge plus pendant vingt minutes. Walker le reconnaît, je ne sais pas comment car il ne voit pas souvent son grand-père.

Ce n'est pas que mes parents ne l'aiment pas ; simplement, c'est trop stressant pour eux. Ils lui envoient des cartes d'anniversaire, nous chargent d'acheter les cadeaux qu'il faut à Noël, et demandent de ses nouvelles à chacune de mes visites, mais le charivari de Walker entrant chez eux et fonçant sur une calcéolaire, sur la table de bridge ancienne de ma mère – non, ce n'est pas de tout repos. Son nez, à lui seul, peut rendre folle ma mère qui a toujours mené une guerre sans merci contre les microbes.

Elle l'aime pourtant, indubitablement. Cissy – c'est son prénom – l'aime comme elle aime les créations de la nature, comme sa clématite ou ses roses ou encore la rivière au fond du jardin, comme le sang coulant dans ses veines. C'est son côté paysanne, laboureuse qui prend la nature telle qu'elle est. Toutefois la paysanne – vaillante, solide, courageuse et même violente – est également intimidée par les besoins scientifiques de Walker, par ses tuyaux et ses poches nutritives. Elle a peur de le faire souffrir davantage. Le jour où je lui ai annoncé à quel point Walker serait handicapé – cela se passait après notre visite à l'Hôpital des enfants à Philadelphie, lorsque nous avons su que ses capacités d'apprentissage de la lecture, et autres, ne dépasseraient jamais celles d'un enfant de deux ou trois ans –, ma mère était sur le petit sofa, dans la salle de télévision de sa maison si impeccable. Elle m'a dévisagé, les mains jointes dans son giron, impassible, puis s'est avancée tout au bord du siège.

– Eh bien alors, nous n'aurons qu'à l'aimer tel qu'il est.

Ce cadeau-là, je ne l'ai pas eu pendant ma jeunesse ; peut-être Walker l'a-t-il rendue plus tolérante. (Si c'est le cas, il est un faiseur de miracles.) Ce n'est pas vraiment une réponse : *Nous n'aurons qu'à l'aimer tel qu'il est.* Mais c'est l'unique réponse qui soit encore là, toute prête. Ma mère a le don de mettre le doigt sur le noyau dur de la vérité.

Mon père, quant à lui, est l'ami de son petit-fils. Ils restent côte à côte, main dans la main. Si Walker pleurniche, il a droit à un « Allons, voyons ! » sec, bien digne d'un marin – la carrière de mon père dans la Royal Navy, en tant que capitaine, refait surface. Souvent, ça fonctionne. Le grand-père et le petit-fils sont contents d'attendre ensemble. Peut-être attendent-ils la même chose – mais quoi ? Voilà le genre de pensée qui vous vient quand on les observe. Cet homme qui est devenu moi qui suis devenu Walker. Ce trébuchement, cette hésitation, cette indécision – du vieillard, du petit garçon, et de votre serviteur.

Mon père n'est pas du genre émotif : il avait quatre ans, en 1918, quand on l'envoya en pension. Son frère préféré, Harold, est mort en mer, sur un navire de guerre ; un autre frère a quitté la maison pour ne plus donner de nouvelles ; jamais on n'aborde ces sujets. Walker l'adoucit.

107

Plus mon père vieillit, plus c'est vrai. Il voit l'enfant brisé, et commence à comprendre que la puissance n'est pas tout ce qu'on lui en avait dit.

Et maintenant, je m'apprête à placer son petit-fils dans une institution.

*Mi-avril 2004*

*Nouveau rendez-vous à Surrey Place, une institution de Toronto spécialisée dans l'autisme, où un thérapeute comportementaliste a travaillé avec Walker.*

*Ces rendez-vous se déroulent toujours de la même manière : salle de jeux, moquette à usage intensif, murs pastel, une demi-douzaine de femmes intelligentes, armées de blocs-notes, toutes entre la trentaine et la cinquantaine, toutes vêtues de robes-chemisiers en denim ou d'amples jeans délavés à taille élastique – ce qui convient pour travailler par terre avec des enfants baveux.*

*Le rendez-vous d'aujourd'hui est centré sur les coups que Walker s'assène sur la tête. Toujours quelque nouveau terme de jargon à engranger.*

*– Alors c'est intrinsèque ?*

*– Il est intrinsèquement motivé. À l'évidence, il en tire un bénéfice.*

*– Ses capacités de motricité fine ne sont pas suffisantes pour le langage des signes.*

*– Le pointage peut être plus indiqué pour les sujets à faibles performances.*

*Pour que Walker communique par pointage, il faut dix séances d'« apprentissage du pointage ». Un nouveau « protocole » nécessitant une nouvelle « acceptation » et donc de nouvelles démarches.*

*L'une des thérapeuthes me dit qu'elle passe la moitié de son temps à se coltiner la bureaucratie du monde de la ré-adaptation. Mais sans ces femmes pour éclairer les tunnels, j'aurais succombé depuis des années.*

*La comportementaliste n'est pas encourageante.*

*– On empêche un enfant comme lui de se frapper grâce à la nourriture et aux jouets. Seulement, Walker y est indifférent.*

*De retour à la maison, Johanna est sous le choc.*

*– C'est à ce moment que je me suis dit : bon sang, ils ne savent rien du tout. Je comprends, à présent : personne ne nous a aidés, parce que personne ne le peut.*

*28 avril 2004*

*Déjà six mois. Notre avocate, Margie, nous présente à Lisa Benrubi et Minda Latowsky, principaux rouages de la nouvelle équipe chargée du cas Walker. Margie travaille depuis maintenant six mois. Lisa est la patronne.*

*Toutes trois sont venues à la maison, se sont installées au salon et ont écouté l'histoire de Walker jusqu'à aujourd'hui. Nous savons comment la raconter. Contrairement aux médecins, Lisa, Minda et Margie nous regardent en face. Elles paraissent aussi nous entendre.*

*– Comment avez-vous assumé tout ça pendant dix ans ? demande Minda – avec sincérité, semble-t-il.*

*Johanna pleure, quasi du début à la fin. Moi-même, j'ai les larmes aux yeux, je dois me moucher. Ensuite, je présente mes excuses à Margie.*

*– Mais non, c'est bien que vous ayez pleuré.*

*Minda sera notre porte-parole. Naguère, un enfant handicapé devait devenir pupille de l'État – légalement confié par ses parents à la tutelle de la Children's Aid Society – pour être admissible dans un foyer. Dans le nouveau système, nous serons toujours les parents de Walker – un soulagement pour nous et une condition sine qua non. L'idée qu'il aurait pu en aller autrement me fait frémir, mesurer la terrible ampleur de ce que nous entreprenons. Nous aurons le pouvoir de décider, mais d'autres que nous s'occuperont de lui. Minda, ma nouvelle divinité, refuse de dire, à propos d'un* centre potentiel, « la maison de Walker ». Elle dit : « Ce sera aussi votre maison. »

Le vrai problème est structurel. Jusqu'à une date récente, nul n'admettait – et certainement pas l'administration – que des parents, tout en aimant leur enfant, se déclarent incapables de l'assumer. Car, il y a vingt ans, les enfants aussi complexes, médicalement, n'existaient pas. Ils ne survivaient pas. La médecine de pointe a créé une nouvelle variété d'êtres humains nécessitant des soins surhumains. La société n'a pas encore entériné cette réalité, notamment sur un plan concret.

Or Walker est un spécimen extraordinairement exigeant de cette nouvelle variété humaine. Il existe des résidences d'excellente qualité, mais, bien sûr, elles ne disposent que d'une dizaine de lits. À 250 dollars la journée – soins, logement, nourriture, transport –, le financement est limité. Le matériel est ruineux : siège d'alimentation, 729 dollars ; casque de protection, 129 dollars ; filet de sécurité pour lit, 10 000 dollars. Il nous a fallu presque trois ans pour trouver de quoi payer celui que nous avons à la maison, et nous n'y sommes parvenus que grâce à l'aide de Margie. En revanche, vingt minutes suffisent pour obtenir un prêt immobilier de 500 000 dollars.

– Ce que j'aimerais vraiment, m'a dit Johanna après leur départ, c'est qu'on nous donne l'argent, pour qu'il ait toute l'aide et les soins dont il a besoin, mais ici, chez nous.

Je ne suis pas d'accord. Un hôpital miniature dans notre maison n'arrangerait sans doute rien.

Mais Johanna affirme avoir eu une révélation, par l'intermédiaire de Walker.

– Quelquefois, il ne s'agit pas de choisir entre ce qui est bien ou mal. Il faut quelquefois choisir entre le pire et le légèrement moins pire. Ç'a été pour moi une révélation : certaines choses sont irréparables.

Elle est peut-être en train d'accepter.

110

Qu'advenait-il de notre mariage ? Souvent il m'évoquait un personnage atteint d'une longue maladie qui ne se sait pas malade, qui s'affaiblit et maigrit, mais va quand même à son travail tous les matins.

– Nous exigeons trop l'un de l'autre en nous occupant de Walker, me dit Johanna un matin, expliquant ainsi notre mauvaise humeur partagée. Alors, quand il faudrait nous chouchouter mutuellement, on n'a plus rien à donner.

On estime le pourcentage des mariages qui sombrent à cause d'un enfant handicapé entre soixante et quatre-vingts pour cent. Ceux qui résistent, d'après d'autres études, sont fortifiés par l'épreuve. J'ignore si ces recherches ont un sens. Dans notre cas, le ressentiment recouvre tout comme une fine couche de poussière. Mais l'hypothèse d'une séparation est inconcevable ; si nous ne le faisons pas ensemble, nous ne pourrons pas nous occuper de Walker, ce serait impossible.

Comme on se partageait les nuits auprès de Walker, nous étions coturnes autant que mari et femme. Je voyais Johanna dans la maison le matin, trimbalant des couches et des poches nutritives, sortant pour se rendre à des rendez-vous, notre petit garçon ensommeillé dans les bras, et de nouveau la nuit, quand elle le faisait sauter sur ses genoux, ou l'éloignait de Hayley et de ses devoirs, ou introduisait les nutriments dans sa sonde, ou (durant les moments divins où il dormait) affalée sur la table en pin de la cuisine, avec sa tasse de thé, profitant de ces instants volés pour lire le journal (ce que, bien sûr, je lui reprochais parce que, moi, je n'avais pas une minute pour lire le journal ; tout comme elle me le reprochait quand les rôles étaient inversés).

Son thé : j'y pensais beaucoup lorsque nous étions trop accablés pour discuter, à la façon dont elle réchauffait son thé du matin au soir, et le gardait toujours près d'elle, calmant ou stimulant qui lui permettait de continuer. Je connaissais par cœur ses tenues d'intérieur : le long kimono que je lui avais acheté à une exposition d'artisanat, le ramasse-poussière japonais turquoise, le minuscule peignoir en soie pour l'été, celui, noir, passe-partout, qu'elle portait quand l'hiver refroidissait la maison. Mon *épouse*, ce terme antique ; la mère de mes enfants, la mère de Walker. (Là, de nouveau, l'aigreur. *Elle avait désiré un deuxième enfant.* Je me rends bien compte que j'étais présent au moment de la conception, mais cela ne m'empêche pas d'en vouloir au corps qui a engendré son corps à lui.)

Johanna me regardait aussi de loin, comme moi tourmentée, victime : elle travaillait à la maison, contrairement à moi. J'avais, quotidiennement, l'opportunité de m'évader. Elle n'échappait jamais au fardeau. « Elle fait tout », déclara un jour une amie, lors d'un cocktail, à quelqu'un qui demandait comment on se débrouillait. J'en fus vexé, je savais que ce n'était pas vrai : Johanna était presque constamment sur le pont, mais comme elle prenait tout terriblement à cœur, dès que Walker avait une crise grave – souffrance, maladie ou désespoir –, la tristesse la terrassait, voire la paralysait. Dans de tels moments, on s'appuyait sur ma carapace, mon pragmatisme, mon indécrottable obstination.

Parfois, j'étais trop fatigué pour lui dire bonjour le matin, et souvent j'étais de mauvais poil – elle devenait la collègue de bureau qu'on croise dans la rue –, un signe de tête, salut, un sourire, et chacun s'en va de son côté. (« Bonjour », disait-elle quand je débarquais, chancelant, dans la cuisine. Je grognais une réponse. « Bonjour », répétait-elle.) Je l'admirais, mais il était difficile de faire mieux, de se couler dans cette gentillesse occasionnelle, imprévue, ou cette douceur qui cimente un mariage solide. Je la voyais, je nous voyais de plus en plus à distance : il y a pires arrangements, mais celui-ci n'a jamais, semble-t-il, changé.

Les négociations à propos de Walker étaient, sont toujours, interminables.

— Tu peux emmener Walker à son rendez-vous avec le généticien/dentiste/nutritionniste/kiné ou autre, mercredi ? me demande ma femme.

Elle est organisée et directe. Je préfère une approche plus « neutre » :

— Walker a rendez-vous demain avec le généticien/dentiste/nutritionniste/kiné ou autre, dis-je, sans formuler ma requête.

Nous nous querellons pour savoir qui l'y conduira, qui l'y a conduit la dernière fois, qui a plus ou moins de travail, qui a le travail le plus urgent à rendre, lequel paie le plus.

Les questions d'argent sont explosives. Que Johanna en fasse plus paraît impossible, mais je ne sais pas où trouver en moi-même l'énergie d'apporter davantage d'eau au moulin. Nous avons nos moments d'intimité, mais ils sont si rares, si brefs, qu'ils ressemblent à des hallucinations. Nul ne peut prétendre que nous ne sommes pas efficaces.

En théorie, avoir un enfant handicapé pourrait souder une famille – un projet commun, un défi à relever ensemble, un lien. En pratique, Walker nous prive de toute intimité – or nous sommes des gens solitaires, des introvertis, des lecteurs et des méditatifs. Au lieu de nous rapprocher, Walker nous disperse, il nous rend à la fois moins solitaires et infiniment plus solitaires, désespérément en quête d'un refuge où il n'y aurait pas d'interruptions, de surprises. Je crains fréquemment de ne plus jamais avoir la possibilité de lire un livre du début à la fin ; ma concentration est en permanence perturbée. J'ai depuis longtemps renoncé au projet que j'avais d'acheter un chalet ou une résidence de vacances. Arriver à l'heure aux rendez-vous médicaux, voilà tout ce que nous sommes capables de faire.

Des semaines s'écoulent sans réel contact entre nous – et puis, brusquement, nous nous querellons, peut-être pour renouer le lien. Les preuves concrètes de la présence exigeante de Walker ne varient jamais, stigmates d'un enfant handicapé sur la maisonnée : les stores des fenêtres emmêlés, car il en tripote inlassablement les lamelles ; les piles de linge proliférant comme des plantes de la jungle ; sa brosse à dents dans un tiroir de la cuisine ; l'avalanche de potions, lotions, seringues et flacons que retient une porte de placard ; oui, tout cela. Avec ce chaos qui nous assaille à chaque pas, il (elle) ne pourrait vraiment pas ranger ce putain de lait ?

Peut-être était-ce nous, pas lui : je l'ai souvent pensé. Il y avait d'autres familles – je savais qu'elles existaient en consultant certains sites – qui semblaient bien s'en sortir. Nous avions été formidables naguère, avant notre garçon. Je regrettais cette époque.

Pourtant, j'aime encore ma femme. J'admire encore sa silhouette, son teint mat ; je souhaite encore la protéger. Elle me fait encore rire, elle a un vrai talent de conteuse, elle mémorise la mélodie de toutes les chansons qu'elle entend, elle est capable de raconter un film scène par scène, elle possède une profonde et inépuisable gentillesse. Elle est toujours une mère merveilleuse pour Hayley. Je sais toujours la faire rire mieux que quiconque, je sais toujours atteindre les recoins secrets, excentriques que seul connaît un couple. Quand nous le pouvons, nous nous couchons pour nous livrer à de folles batailles de calembours : j'entends tourner les rouages de son cerveau tant elle veut me damer le pion. Je lui reproche le temps qu'elle consacre à la lecture du journal, mais pas son amour d'autrui ; je lui pardonne la sombre terreur qui l'a envahie tant de fois, sa lutte pour aimer son petit garçon brisé. J'étais toujours prêt à lui tendre la main pour l'extirper de cette ténébreuse haine de soi. En ce sens, le petit

nous a aussi, quelquefois, rendus généreux. Vous n'imaginez pas le plaisir inouï qu'une personne peut offrir à
une autre par ces simples mots : *C'est bon, je l'emmènerai
chez le docteur.*

Un exemple : un soir, nous participons à une fête. C'est
la période de Noël, et il s'agit d'une fête entre collègues,
dans quelque bar obscur d'un obscur coin de la ville. Walker est encore tout petit, trois ans environ. Je suis assis,
adossé au mur, d'un côté de la salle, j'écoute d'une oreille
un couple discuter de fondamentalisme religieux, etc.
Mais, en réalité, j'observe ma femme – le hobby caché
d'innombrables maris. Je me rappelle ce moment, car je
regarde ma femme s'extraire brièvement du carcan de ses
sempiternelles obligations, de son immuable existence à
la maison avec un enfant handicapé. Parmi nos amis, elle
est célèbre pour la force d'âme qu'elle montre dans cette
épreuve, mais moi, je sais ce qu'il lui en coûte. Elle est
blottie au bar près d'un homme que je connais, un de
nos vieux amis, et elle rit à gorge déployée – j'ai perdu
le souvenir de la dernière fois où elle a ri ainsi, du moins
en ma compagnie. Ils ont l'air intimes : leurs épaules se
frôlent, ils ont commandé la même chose, vodka-tonic.
Je sais qu'il l'aime beaucoup, tellement que je lui ai un
jour demandé – j'avoue que j'avais un coup dans le nez
– s'il était amoureux de ma femme.

– Oui, me répondit-il. En effet.

– C'est un problème, non ?

– Non, ce n'est pas un problème.

– Alors tant mieux. Va t'enticher de quelqu'un ailleurs.

Et, à la vérité, cela ne me gêne pas. D'abord, il y a dans
l'intimité de Johanna de l'espace pour les lambeaux de ma
propre intimité. En outre, comment lui en vouloir pour
ces instants d'amitié, de liberté, de flirt même, ces instants
de tendresse après tout ce qu'elle a traversé ? comment lui
en vouloir de savourer un peu d'attention, le regard fran-

chement adorateur d'un homme frais, neuf, quelqu'un avec qui elle n'a pas à marchander la moindre minute de répit ? Auprès de lui, si grand, elle n'arrête pas de sourire, et je m'étonne d'en être content. Je suis certain qu'elle a ses secrets, je veux qu'ils restent secrets, qu'ils restent tout à elle, rien qu'à elle. Je suis tombé un jour sur le blog d'un père d'enfant handicapé, il évoquait ce genre de sujet. « Un enfant handicapé vous enseigne à définir vos propres règles », écrivait-il. Un verre à la main, je me demande ce qu'elle fait quand je ne suis pas dans les parages. Je sais qu'elle se pose la même question à mon propos.

En général, nous nous pardonnons. Walker nous a appris comment faire.

*25 janvier 2005*
*Ma première visite à Stewart Homes, une organisation indépendante, privée, qui peut-être — avec l'intervention de l'équipe de l'association — a une place pour Walker. Peut-être.*

*Elle a été fondée voici trente ans par Alan Stewart, lui-même père d'accueil.*

*Sur le seuil, j'étais terrifié. Entrer dans une salle peuplée de gamins handicapés, je connais : j'ai toujours été sidéré par la symphonie de cris et hurlements qui déferlait sur moi lorsque j'allais voir Walker à l'école. Mais ici, c'est différent : ici, ils sont sur leur territoire, et celui qui doit se montrer à la hauteur, c'est moi. Je me suis avancé dans une pièce où se trouvaient cinq enfants, si isolés les uns des autres, si absolument seuls, qu'ils auraient aussi bien pu être chacun sur une planète. Poignant.*

*Il y a environ huit enfants par maisonnette — de style bungalow, assez spacieuses pour les fauteuils roulants, les soulève-personnes et les jouets ; les sols sont lisses, pas de moquette, à cause des fauteuils. Les enfants sont difformes mais maîtres d'eux-mêmes : ce lieu est le leur, un havre où ils ne sont plus des phénomènes de foire. L'école est à vingt* minutes en bus ; le médecin du coin vient sur place ; il y a un bon hôpital à proximité, l'équipe comprend une infirmière, un psychiatre disponible à la demande. Johanna n'aime pas, entre autres, l'odeur de cet endroit, un parfum vaguement musqué aux notes dominantes d'humanité et de toilettes.

Évidemment, il n'y a pas de place. « Parfois une possibilité se présente de façon imprévisible », nous déclare Diane Doucette, la directrice.

Elle veut dire, je suppose, que des enfants meurent. Je me réjouis d'attendre.

### 8 avril 2005

Bureau de l'association. Voici sept ans que j'ai lancé l'idée de nous faire aider par des étrangers pour élever Walker, et voilà que Minda Latowsky lui a trouvé une place. À la lisière de Toronto, à Pickering, à quarante minutes en voiture.

Il y a déjà deux enfants qui marchent : Kenny, treize ans, un grand gamin efflanqué qui, après avoir failli se noyer, souffre de séquelles neurologiques. Cependant, il comprend et se fait comprendre en agitant les bras et en vocalisant. Et Chantal, minuscule pour ses huit ans, qui parle et comprend. Kenny sera le voisin de chambre de Walker – un concept de grand garçon, extrêmement excitant. On commencera par les essais de rigueur, avec Olga qui passera la nuit au nouveau foyer afin de montrer au personnel comment manier Walker, tandis que Johanna et moi serons au travail. « Ensuite, l'emménagement », dit Minda. Puis deux semaines sans visites, pour s'installer.

– Il s'écoulera des mois avant que vous assimiliez que vous pouvez poser votre tasse de café, qu'elle ne risque pas d'être renversée par Walker, m'affirme Minda. Mais, à ce moment-là, il reviendra souvent chez vous.

Johanna paraît résignée, ou du moins engourdie par notre décision qui a été si longue à se concrétiser. Mais moi, je suis une épave.

117

*Il me semble que les contours qu'il a donnés à ma vie, cette destinée qu'il m'a faite, se dissolvent. Pour quoi ? Pour mon confort personnel ? Parce qu'il n'existe pas de solution idéale ? Quand je pense à notre maison sans lui, mon corps devient une caverne.*

À mesure qu'approchait la date du départ de Walker pour son autre maison – le 25 juin 2005, à la fin de l'année scolaire –, je plongeai dans ce qui, je le comprends à présent, était un abîme de chagrin. Je consultai le médecin, me plaignant de crampes d'estomac : les examens ne révélèrent rien. Le chagrin – « le rideau du silence », comme l'appelait C. S. Lewis – me séparait du reste des vivants tel un linceul. Il me semblait impossible qu'on pût comprendre notre triste situation : si on ne nous considérait pas comme des monstres, alors on devait nous prendre pour des fous. La nuit, parfois, quand ce n'était pas mon tour d'endormir Walker, je traînais dans les bars du quartier, mais je me contentais de boire, seul dans mon coin, à écouter les autres bavarder, à essayer de capter des bribes de normalité. J'espérais que quelqu'un m'adresserait la parole – Dieu merci, nul ne le fit jamais –, je voulais retrouver un peu de ma jeunesse.

Quelquefois j'allais même dans des boîtes de strip-tease. La nuit, sur le chemin du retour, quand j'avais ramené Olga chez elle. Je suppose que j'avais besoin d'éprouver quelque chose, autre chose que la perte de Walker, fût-ce médiocre, or ma concupiscence, à son degré le plus basique, était ce quelque chose. Dans une boîte de strip-tease, on peut s'asseoir, un moment, à côté de ses propres désirs, ceux que l'on connaît et ceux qui nous prennent au dépourvu, et se remémorer les anciennes habitudes de l'inconnu qu'on est devenu.

Par-dessus tout, l'étrangeté de Walker me manquait. Avant lui, je m'imaginais que les parents d'un enfant handicapé, défiguré, ne s'aventuraient pas dehors sans émoi : la perspective d'être observés, reluqués et même moqués les tourmentait. Mais, à la vérité, Walker adorait se balader dans sa poussette, et moi aussi j'aimais être dehors avec lui – prendre un bol d'air, lui raconter le spectacle de la rue. Il répondait au son de ma voix. « Tu as vu, mon poussin, le gros chien ? Et sa maîtresse, regarde le gros bonnet en fourrure qu'elle a », etc. Je le faisais rire et, souvent, il avait une expression de curiosité – celle de ses expressions que je préfère. Les gens se retournaient sur nous, ils ne pouvaient pas s'empêcher de lorgner sa figure bosselée, ses traits gommés, son petit corps gigotant.

Chacun avait sa façon de nous observer. Le coup d'œil furtif, le plus commun. Le regard souligné d'un sourire, pour nous dire que nous étions acceptés, qu'il n'y avait rien de honteux. Certaines personnes étaient ouvertement horrifiées. Les enfants nous fixaient carrément, et certains parents ne les réprimandaient même pas. J'avoue que je les considérais comme de sales cabots lâchés dans les rues.

Parfois, des femmes enceintes ou des jeunettes qui, du moins je l'imaginais, commençaient à éprouver un désir d'enfant, arrivaient vers nous, leurs talons sonnant sur le trottoir. Oh ! Quasimodo et son gardien marmonnant. L'anxiété assombrissait leurs jolis minois. Après quoi, elles scrutaient mon visage, en quête d'un signe indiquant que j'étais bien le géniteur d'un gamin comme Walker ; je les voyais songer qu'elles seraient capables de repérer un tel géniteur. Mais j'ai l'air plutôt normal, et donc l'anxiété revenait, sombre nuage, et s'attardait. La déviance a du pouvoir sur nous car elle frappe au hasard.

Ces regards me dérangeaient. Les pires étaient ceux des adolescentes qui, c'est plus fort qu'elles, espèrent et redoutent qu'on les contemple avec ravissement – des filles qui veulent être remarquées tout en se fondant dans la masse, un tour de passe-passe que Walker ne nous permet pas.

Un printemps, au début de la saison de baseball, je l'emmenai à un match des Blue Jays de Toronto. Toute son école de l'époque – celle exclusivement réservée aux enfants handicapés – nous accompagnait : trente créatures voûtées, brisées, braillant, ululant et glapissant, dans des fauteuils roulants ou sur des chariots, en file indienne sur le trottoir jusqu'au cœur de la ville. Ça, ce fut une procession que tout le monde regarda. Nous nous séparâmes en arrivant au stade et je me frayai un chemin parmi les spectateurs avec mon petit garçon dans sa poussette.

Ce devait être la journée des collégiens ou de la batte de baseball, ou une improbable combinaison des deux, en tout cas le stade était bourré d'adolescents. Tous les deux mètres, le même rituel se répétait : une perche de treize ans en débardeur rose ou bleu, minijupe blanche et tongs, et son petit gang de trois filles – toujours moins grandes, vêtues comme leur chef – nous apercevaient, Walker et moi, venant vers elles. La meneuse se courbait et parlait tout bas à sa bande. Après quoi, toutes nous reluquaient. Parfois, une fille pouffait. Le plus souvent, elles se mettaient les mains sur la bouche. Je préférais un gloussement franc à leur politesse affectée.

Bref, j'ai su ce que c'était, le regard des autres, être un objet de peur, de pitié ou même de haine. J'espère que Walker ne s'en rend pas compte ; il paraît y être indifférent et, insensiblement, il m'a appris à l'être aussi. Maintenant nous nous baladons sur les trottoirs comme s'ils nous appartenaient. Walker m'a forcé à comprendre que beaucoup de règles qui gouvernent nos vies sont de pures élucubrations.

Le souvenir que je garde du jour de son départ est confus, comme si j'avais eu du coton dans la tête. Le trajet – Johanna avait transporté, lors de divers voyages précédents, ses vêtements et ses jouets – se déroula dans le calme, par un lundi après-midi ensoleillé. Nous entrâmes tous dans le centre où six des femmes qui y travaillaient l'accueillirent. Chantal, la fillette de huit ans, le prit en main tout de suite. Tour de la chambre et du reste de la bâtisse ; le jardin ; précisions pour ses médicaments, son alimentation, instructions pour le maniement de la pompe, tout cela dans le seul but de nous rassurer. Nous nous attardâmes une heure environ. Puis nous l'avons serré dans nos bras, embrassé, serré encore dans nos bras, moi et Olga et Johanna et Hayley, puis nous avons recommencé et, enfin, nous nous sommes contraints à partir, à dire au revoir à tous, d'une voix forte, à essayer de bouger, d'avancer, de ne pas demeurer immobiles, au cas où ce que nous étions en train de faire nous tomberait dessus. Le trajet de retour sans lui, sans tristesse ni colère, mais sur le qui-vive, comme si nous roulions en pleine tempête.

C'était un bon centre, oui bien sûr, excellent. Nous nous le disions mutuellement pour nous réconforter. Ce soir-là, nous ne sommes pas sortis. Nous avons regardé la télé, émerveillés par le silence, par le luxe voluptueux d'avoir soudain du temps en pagaille. D'énormes réserves de temps qui étaient là, dans l'air. On pouvait regarder la télé ! Tout ce qu'on voulait ! Et, bon sang, on avait hâte de se coucher. Je n'arrêtais pas de songer qu'il était en bas avec Olga, dans la salle de jeux au sous-sol, où ils traînaient souvent – et puis je me rappelais que non, le sous-sol était vide, il n'y avait plus rien là-dessous, seulement les murs blancs et le sol gris, plus de bizarre petit aventurier explorant, encore et encore, les moindres recoins, les étagères et les placards, apparemment certain qu'il y avait là un trésor, quoique difficile à dénicher. Le petit pirate, dans les entrailles de notre modeste maison. Il n'était plus là. Depuis, je ne peux pas repenser à cette nuit sans être pétrifié, sans avoir envie de me boucher les oreilles pour ne pas entendre son rire, sa voix nasillarde, perçante.

Nous nous installâmes dans ces nouvelles habitudes. Walker vivait dans sa nouvelle maison : il revenait chez nous tous les dix jours, pour trois jours, ainsi que pour de longs week-ends et des vacances. Minda nous téléphonait fréquemment pour savoir si nous tenions le coup. Je guettais chez elle une trace de désapprobation. Après tout, Minda était une mère, et je ne parvenais pas à croire qu'elle ne méprisait pas, au fond d'elle même, des parents incapables de s'occuper de leurs enfants. Car cette trace de désapprobation persistait en moi. Mais je me trompais : un jour, presque deux ans après le départ de Walker, Minda expliqua ce qu'elle avait vu chez nous lors de sa première visite. Nous étions en train de boire un café en banlieue, nous rentrions de l'une de ces réunions que nous avions à propos de Walker.

– Physiquement, dit-elle, Johanna et vous n'étiez plus que l'ombre de vous-mêmes. J'étais face à deux êtres qui aimaient leur enfant, qui s'efforçaient de fonctionner du mieux possible, qui avaient leur travail et un autre enfant à élever. Vous pensiez au futur : Hayley en souffrirait-elle ? L'émotion était palpable. Et le combat que je percevais en vous, la souffrance que vous portiez... vous étiez au bord de l'effondrement.

Elle s'interrompit. Je me servis un second café.

– Vous n'étiez pas des gens qui se plaignaient pour un rien, poursuivit Minda. Chaque famille a quelque chose. Ce n'est qu'une question de degré. Jusqu'où une famille peut gérer, comment chaque famille réagit. Vous avez été capables de demander de l'aide. Vouloir de l'aide et la demander, ce n'est pas du tout pareil. Car cela signifie qu'on ne peut plus y arriver seuls. Qui est prêt à se reconnaître incapable d'élever son enfant ?

*26 février 2006*

Suis allé chercher Walker aujourd'hui. Apparemment, il n'a pas une mais deux petites copines : Chantal, qui porte maintenant un corset pour sa scoliose, et Krista Lee, une adorable fille de quatorze ans en fauteuil roulant et que Walker adore. Chantal est autoritaire, elle va au-devant de Walker, Krista Lee attend, et donc il va vers elle.

Katie, membre de la phalange d'hommes et de femmes qui travaillent au centre, a même inventé un moyen d'empêcher Walker de se donner des coups sans recourir au casque en mousse qu'il déteste – des emballages de Pringles, renforcés par des abaisse-langue, du chatterton et recouverts de tissu de couleur vive. Les extrémités intérieures sont rembourrées avec un feston de caoutchouc mousse. On lui glisse les bras dans les tubes, jusqu'aux épaules : cela l'empêche de plier les coudes et de se boxer le crâne. Des années de souffrance vaincues par un emballage à deux sous.

Je suis toujours honteux lorsque les gens demandent pourquoi ils ne voient plus Walker ; incapable d'admettre qu'il vit la majeure partie du temps au centre. Johanna est plus flegmatique : elle s'est opposée à son départ, mais maintenant qu'elle a accepté cette solution, elle la défend. « J'ai l'impression qu'à présent, il appartient à d'autres autant qu'à nous », m'a-t-elle dit l'autre jour, alors que nous étions attablés dans la cuisine, plongés avec délices dans la lecture du journal (avoir le temps de le lire paraît toujours aussi exotique qu'un voyage à Las Vegas).

Lui, en tout cas, s'est bien habitué. Il n'y a pas longtemps, Olga et Johanna l'ont reconduit « là-bas », pour reprendre mon expression, après un week-end « ici ». Walker a fait une entrée de derviche tourneur, renversé la poubelle et enfoui sa tête entre les seins de Trish, sa surveillante de nuit. Puis il a pris Johanna et Olga chacune par la main, pour les escorter jusqu'à la porte, gentiment mais fermement. Il vou-

123

*lait qu'elles s'en aillent. Quel étrange mouvement de libération !*

*On lui a changé le dosage de rispéridone et le traitement contre le reflux, il est d'humeur plus égale. Mais c'est son assurance émotionnelle qui progresse. En ne vivant que dans notre monde, je suis sûr qu'il voyait partout ses propres limites. Dans sa nouvelle maison, me semble-t-il, entouré de ses pairs, il est aussi solide que n'importe qui. C'est, je l'espère, le cadeau que nous lui avons offert en l'abandonnant.*

Quand nous étions au plus bas, nous tentions n'importe quoi pour nous sentir mieux. Je me rappelle avoir un jour trouvé ma femme, à la maison, en train de boire du vin et de raconter une histoire compliquée à Tecca et Cathrin, les amies qui ont accompagné Walker tout le long du chemin.

– J'ai consulté Anita, mon ostéopathe, expliquait Johanna et, à la fin de la séance, elle m'a dit : j'ai une idée pour Walker. C'est assez zarbi –, c'était la formule d'Anita, zarbi –, mais est-ce que tu accepterais de l'emmener chez un chaman ? Un chaman amérindien. Et moi, j'étais tellement dans la mélasse avec Walker que j'ai répondu : d'accord. Deux semaines plus tard, on est donc allés voir le chaman.

– Quoi, tous les trois ? demanda Cathrin.

– Oui. On est allés dans un centre de soins autochtone, dans un bâtiment inclassable. Ça ressemblait à une salle de jeux – moquette industrielle, lambris en faux pin. J'avais peur que Walker chamboule le karma du chaman en piquant une crise. Mais, à l'arrivée du chaman, il s'est complètement calmé. Ça, c'était bizarre. Il semblait apaisé. Il y avait une couverture étalée au centre de la salle en sous-sol. Le chaman, une femme, y était assise. Un interprète expliquait ce qu'elle voulait dire. On devait lui donner de l'argent et du tabac en guise d'offrande.

Moi, je lui ai filé cinquante dollars et j'ai posé un paquet de cigarettes sur la couverture.

– Qu'est-ce que faisait Walker ?

– Il tournicotait entre la femme-médecine, moi, Anita et l'interprète. J'étais nerveuse, mais eux s'en fichaient, alors j'ai commencé à m'en foutre aussi. La femme a allumé une pipe bourrée de sauge. Elle s'est lancée dans une longue incantation. Elle prononçait le nom de Walker en entier : *Walker Henry Schneller Brown*. Elle a invoqué le vent d'est, puis tous les autres vents, et enfin Walker. À ce moment, un nuage de fumée planait dans la salle, et moi j'avais une migraine épouvantable. C'est alors qu'elle a dit : « La porte apparaît. » Et le type, l'interprète a déclaré : « Bon, ça commence. » La femme-médecine a dit : « Je vois un arbre. » Il était vieux et jeune. En partie mort, en partie vivant. Il y avait une lumière sur l'arbre. Plein d'oiseaux qui chantaient. De l'autre côté de la porte, se trouvait un puits, ou un trou. Elle chantait tout ça, l'interprète traduisait. Je condense. « Je vois un puits si profond qu'on aperçoit à peine l'eau. » Et elle a ajouté : « Je vois beaucoup d'anciens. »

Moi, j'étais encore dans le vestibule, je n'avais pas retiré ma veste, j'écoutais.

– « Les anciens sont venus voir Walker, a dit la femme. Ils sont plus nombreux que d'habitude. Peut-être qu'ils le connaissent ? Peut-être Walker est-il l'un des leurs. Peut-être Walker est un ancien. » Elle ne savait pas. Mais, en tout cas, ils paraissaient le connaître.

– Elle a dit que Walker était un ancien ? intervint Tecca.

– Elle n'était pas sûre. Après la cérémonie, l'interprète a dit que l'arbre représentait la vie de Walker. Les oiseaux qui chantaient, c'étaient nous tous. Le puits, c'était la quête de Walker. Et la quête de Walker, le but de sa vie, c'était de découvrir s'il parvenait à distinguer son reflet dans l'eau, au fond du puits.

Là, c'est moi qui suis intervenu :

– Tu déconnes.

– C'est ce qu'elle a dit. « Voilà le chemin qu'il s'est choisi, découvrir s'il parvient à voir son reflet. Il y arrivera ou non, mais telle est sa quête. » Puis l'interprète a demandé si j'avais des questions à poser à la femme-médecine. J'ai répondu oui. Est-ce que ce nouveau centre est bon pour lui ? Dois-je le laisser y aller ? Et la femme a répondu : « Cela changera son chemin. Mais son chemin est son chemin. Il doit suivre son propre chemin. » Alors je lui ai demandé pourquoi il se faisait du mal, pourquoi il se frappait. Et elle a dit qu'il essayait de trouver les contours de son reflet dans le puits.

Moi, j'ai eu envie de me coucher par terre, dans le vestibule.

– Ç'a été pour moi un immense soulagement, continua Johanna, parce que pour la première fois, la première et unique fois, j'étais face à quelqu'un qui n'essayait pas de le réparer. On le décrivait, tout simplement. Sans jugement, sans crainte. On l'acceptait. Je pense que, pour moi, ç'a été un tournant. Au lieu de chercher à rafistoler Walker, à le soigner, à l'examiner pour savoir ce qui provoquait son état, on constatait juste ce qu'il était, qui il était. On disait : voilà ce qu'il fait. Il ne s'agissait pas de victoire ou de tragédie. C'était simplement comme ça.

Silence.

– Eh bien, déclara Cathrin, si j'avais su que c'était un ancien, je ne l'aurais peut-être pas laissé reluquer mon décolleté chaque fois qu'il grimpait sur mes genoux. En fait, c'est un vieux cochon.

– Un vieux cochon de chaman, renchérit Tecca.

# 8

L'été où Walker fête son onzième anniversaire, au centre, je décide de me mettre en route. Je me sens forcé – poussé serait un terme plus exact – à rencontrer quelques-uns des êtres semblables à lui. Ils ne sont qu'une centaine, disséminés à travers le monde : Australie, Danemark, Grande-Bretagne, Japon, États-Unis. Au Canada, le cas le plus proche se trouve au Saskatchewan, à un millier de kilomètres. À bien y réfléchir, c'est encore une manière de m'accrocher à mon petit garçon, même si nous le laissons s'en aller.

La Californie est ma première escale. Il me faut une quinzaine de jours pour l'atteindre. Johanna ne voit pas d'inconvénient à ce que je m'absente : elle ne s'interpose jamais quand j'essaie de me rapprocher de Walker. Il en a toujours été ainsi, y compris au début quand il était nourrisson, qu'elle avait peur, que je le promenais pour elle dans les ténèbres, en attendant qu'elle soit prête à l'aimer.

J'y ai gagné de l'espace. À moins que, comme Johanna me l'a dit elle-même : « Je pense à Walker en tant que Walker. Si je vois d'autres enfants comme lui, je penserai à lui comme à un enfant atteint d'un syndrome. » Elle préfère qu'il soit unique en son genre. Moi, je veux qu'il ressemble

127

aux autres – ou inversement, quoique, à l'époque, je ne le sache pas.

On n'oublie pas facilement Emily Santa Cruz. Elle est la première personne CFC que je rencontre.

Elle a neuf ans, elle est dans les bras de sa mère, Molly, sur le perron de leur maison bleu et blanc à Arroyo Grande, sur la côte californienne. À Arroyo Grande, la vallée de Salinas, agricole et rôtie par le soleil, cède doucement la place à des régions plus fraîches le long du Pacifique. En arrivant à Arroyo Grande, j'ai l'impression d'entrer dans une atmosphère nouvelle, plus humaine.

Emily a les cheveux frisottés, noirs, typiques du CFC, comme Walker ; les yeux tombants CFC, comme Walker ; les doigts noueux CFC ; la peau épaisse, brune. Je ne peux pas m'arrêter de la contempler. Comme Walker, elle est maigrichonne et ne parle pas, mais elle fixe mieux que lui son attention et elle est moins farouche.

Je suis soulagé de rencontrer un enfant pareil à mon fils, et pourtant choqué de constater à quel point le syndrome est terrible : je ne suis pas encore attaché affectivement à Emily, je n'ai aucun besoin de découvrir chez elle une « personnalité intérieure » ou de la voir autrement qu'elle n'est, par conséquent je ne vois que ce qui est devant moi : une petite gamine toute courbée, bizarre, pleine de curiosité, secouée de contractions nerveuses, tourmentée mais aussi illuminée par son mal. Une forme élémentaire d'être humain. Des yeux très sombres ; un immense sourire.

Même leur maison ressemble à la nôtre, la moindre surface horizontale dégagée sur une quarantaine de centimètres pour que Emily ne puisse rien attraper ; comme Walker, elle adore balancer les objets par terre. Des jouets jonchent le salon, artefacts de sa matinée.

128

Molly Santa Cruz me fait entrer, me demande de lui montrer des photos de mon fils, après quoi nous discutons pendant huit heures d'affilée. Emily est plus chanceuse que Walker sur certains plans – elle peut manger normalement – et moins sur d'autres. Ses crises d'épilepsie sont consignées : la liste, sur le réfrigérateur, comporte plusieurs pages, interligne simple, quotidiennement mise à jour.

Parfois, Emily s'extrait de son siège et se met à quatre pattes près de nous pour examiner un jouet. Parfois, elle gratte un coin de mur avec ses doigts. Les mêmes cris d'excitation que Walker, les mêmes piaulements de désir.

Tout ce que raconte Molly m'est familier. Emily aime dormir sans couette. Durant ses trois premières années, elle s'est réveillée trois fois par nuit, toutes les nuits. « Je pense que les enfants qui ont des déficiences neurologiques adorent se lever vers trois ou quatre heures du matin », décrète Molly. L'existence des Santa Cruz est régie par les consultations médicales : l'ergothérapeute et l'orthophoniste deux fois par semaine, l'orthopédiste tous les trois ou six mois, le cardiologue une fois par an, l'ophtalmologiste deux fois par an, le neurologue quatre fois par an.

Molly a quarante-cinq ans. C'est une pragmatique, résultat de neuf années à s'occuper de Emily toute la journée, et travailler le soir dans le restaurant familial à Nipomo, une ville voisine. Son mari, Ernie, a cinquante-six ans. Il est logisticien dans une entreprise qui fabrique du Slime, produit obturant pour les pneus. Leanne, la sœur aînée de Emily, a dix-huit ans.

Nous discutons depuis une heure quand Emily commence à m'avoir à la bonne. Elle approche son visage tout près du mien et examine mon carnet ; je fais un dessin d'elle, elle le regarde et tousse, puis éclate de rire parce qu'elle tousse. Je lui frictionne le dos : maigre et osseux, avec une fine épine dorsale, comme celle de mon fils. Si les humains découvrent sur d'autres planètes une forme de vie bienveillante et coopérative, je ne serais pas surpris qu'ils ressentent ce que j'éprouve par cette venteuse journée californienne, après avoir rencontré Emily, la cousine génétique de Walker. C'est simple : son univers me semble moins désert qu'auparavant. Mon petit garçon n'est pas seul. Emily tape dans ses mains, remonte sur son siège et entreprend de faire vibrer ses lèvres, brrrrrrr, ce qui la rend encore plus hilare que moi. Elle est plus vive d'esprit que Walker, pourtant elle aussi se retire par intermittence dans les mêmes refuges secrets, inaccessibles. Molly lui parle normalement.

– Vous pensez qu'elle vous comprend ? je lui demande.

– Je ne crois pas qu'elle comprenne beaucoup de choses, mais ça vient. Surtout à l'école, jour après jour.

La rentrée aura lieu dans une semaine. Molly l'évoque avec une mine gourmande. Emily à l'école, c'est une chance de dormir.

Étrangement, lorsqu'on n'a plus à être perpétuellement vigilant, ce qui est nécessaire avec un enfant CFC, on a du mal à lâcher prise. Ernie Santa Cruz l'a remarqué la première fois que Molly et lui ont pris un week-end sans Emily, alors âgée de cinq ans. Ils l'ont laissée chez la sœur de Molly, Kate, qui habite à quinze minutes de chez eux dans la vallée, non loin de chez leurs parents, descendants des premiers missionnaires qui s'installèrent en Californie. Ernie avait réservé une chambre dans un hôtel à Avila Hot Springs*, le cadre idéal. Leur premier week-end de vacances en cinq ans.

Pourtant à quoi songeait Ernie ? À Emily. Toutes les deux minutes, les mêmes pensées l'envahissaient : que fait

---

* Sources chaudes.

Emily en ce moment ? Est-ce qu'elle envoie valdinguer tous les livres de la bibliothèque du salon ? Est-ce qu'elle est seule dans sa chambre ?

Ernie a grandi à Whittier, Californie, la ville où Richard Nixon a fait ses études. Ernie, lui, a fait les siennes à Chico, à l'université de Californie où il a décroché un diplôme d'EPS. Il a servi dans la marine au Japon et au Vietnam. Il entraîne quotidiennement l'équipe féminine de volley du lycée d'Arroyo Grande. Leanne, sa fille aînée, en fait partie. Ils ont remporté le championnat régional deux fois, et seize fois le tournoi de la ligue. On lui a proposé à plusieurs reprises un poste d'entraîneur universitaire, mais il ne veut pas voyager, s'éloigner d'Emily. C'est un homme très posé.

Dans le jardin, derrière leur maison d'Arroyo Grande, se trouve un vieil appentis. À côté, un vieux fauteuil. Et à côté, le sanctuaire de Ernie. « Il dit que c'est son identité », m'explique Molly, pendant que nous faisons le tour de leur résidence. Elle en est déroutée et, en même temps, rassurée. « Il dit que c'est son coin préféré. » Un camion en plastique, des grenouilles en caoutchouc, des petites voitures Dinky Toys, un hachoir à viande rempli de cactus, un seau à glace pour les bouteilles de Corona, des masques mayas, des baskets de Emily usées, ornées de cœurs dessinés sur les orteils. Emily, pendant ce temps, patrouille dans le jardin, s'accroupit pour humer la lavande avec des grands « Beuh ! Ouh ! Ouh ! ». Ernie aime s'asseoir dans le fauteuil pendant que Emily joue dans le jardin. Il s'installe dans son sanctuaire et regarde Emily être elle-même.

C'est certainement – peut-être – la dernière année qu'il entraîne l'équipe de volley. « Je vois bien qu'il se fatigue davantage », dit Molly. Ernie et elle ont toujours rejeté l'idée de placer Emily en institution. Mais cela est en train de changer.

– Nous avons toujours dit que nous la garderions avec nous le plus longtemps possible, me déclare Molly.

Lorsqu'elle aborde ce sujet, nous sommes dans sa voiture, en route pour dîner au restaurant que ses parents tiennent depuis des lustres. Dans les immenses exploitations agricoles bordant l'autoroute, les longues rampes d'arrosage se déclenchent, comme chaque soir, les gouttes d'eau se dispersent sur les champs, au loin, comme des pensées diffuses.

– Mais on commence à y songer. On a toujours dit, l'an prochain ce sera plus facile avec Emily. Seulement, ça n'est jamais plus facile.


Chacun est isolé, pourtant tout le monde se connaît, telle est la spécificité de la communauté CFC. Je rencontre Molly, Ernie et Emily Santa Cruz, par exemple, par l'intermédiaire de Brenda Conger. Tout le monde connaît Brenda.

En 1992, à trente-quatre ans, Brenda Conger a un mari, Cliff, une fillette de deux ans, Paige, en pleine santé, et un poste d'éducatrice spécialisée à Binghamton, dans l'État de New York. C'est alors qu'elle se retrouve enceinte.

Cette fois, cela ne se passe pas bien. Cliffie, son fils, naît huit semaines avant terme. À en croire la technologie grossière de l'époque, il ne présente pas d'anomalies chromosomiques, en revanche, il a des problèmes plus graves. Notamment, il ne peut pas respirer. Pendant les soixante-trois premiers jours de sa vie, il reste sous respirateur en unité de soins intensifs.

– En tant qu'éducatrice spécialisée, ma plus grande terreur, c'était d'avoir un gamin handicapé, dit Brenda.

Les médecins décrètent que le petit ne vivra pas et que, dans le cas contraire, il ne parlera et ne marchera jamais.

Pour Brenda, c'est un calvaire. Elle se met à prier, implorant un salut peu commun : « Reprenez cet enfant, et reprenez-le vite. »

Les jours se confondent avec les nuits. Finalement, après plus de deux mois à regarder leur enfant respirer à l'aide d'une machine, les Conger et leurs médecins décident de débrancher Cliffie. « Et, apparemment, il y avait un ange gardien de permanence, racontera ensuite Brenda au journal local, car, à partir de ce jour, il a respiré tout seul. J'étais vraiment furieuse contre Dieu. Ce n'était pas prévu comme ça. Mais, ce jour-là, j'ai appris que Cliffie menait la barque. Et il l'a menée depuis. »

Les Conger sont ainsi catapultés dans l'existence d'une famille avec un enfant handicapé. Brusquement, le temps et l'argent manquent. « Nous appartenons à la classe moyenne. Je suis enseignante. Et, s'il ne neige pas, mon mari – il a un magasin de skis – n'a pas de revenus. » Leur garçon a déjà trois ans lorsque les médecins établissent un diagnostic. Mais un diagnostic n'explique pas grand-chose : Cliffie est le vingt-deuxième cas de CFC que Brenda déniche dans la littérature médicale.

Le syndrome, ou plutôt un large groupe de symptômes qui semblent associés à un aspect physique particulier, comme celui de Cliff, a été publiquement décrit pour la première fois en 1979 à Vancouver, lors d'une conférence organisée par March of Dimes* et intitulée : « Nouveau syndrome de retard mental avec faciès caractéristique, ichtyose et chevelure anormale. »

Que cette conférence ait lieu est un petit miracle : l'équipe de généticiens cliniciens est disséminée à travers les États-Unis et s'est réunie en grande partie par hasard.

---

* Association caritative, d'origine américaine, axée sur le handicap.

L'un de ses membres est John Opitz, généticien légendaire qui a déjà identifié et étiqueté une demi-douzaine de nouveaux syndromes. Opitz dit avoir vu son premier cas de CFC au milieu des années 60. Il a fallu pourtant attendre 1986 pour que la maladie ait un nom. Brenda Conger n'a trouvé qu'une dizaine d'articles scientifiques mentionnant le syndrome : la plupart ne sont que de brefs comptes rendus sur des cas récemment découverts. Le CFC est un mystère, une sacrée énigme.

Cela n'a pas arrêté Brenda Conger. Cette femme mince, aux cheveux blond vénitien et au regard soucieux, donne perpétuellement l'impression d'avoir mille choses en tête – toutes urgentissimes. L'année où l'on diagnostique la maladie de Cliffie, Carl, le frère de Brenda, se suicide. Les problèmes de son fils l'empêchent de ruminer le drame.

– Le CFC a été une chance, m'explique-t-elle le jour où je fais sa connaissance, onze ans plus tard. Le CFC est ma thérapie.

Vingt-quatre heures après le diagnostic, elle tombe sur une annonce, dans le magazine *Exceptional Parent**, pour le CFC Family Network. En 1999, Brenda, parce qu'elle est Brenda, dirige l'association. Il n'y a encore qu'une cinquantaine de cas de CFC connus. Brenda envoie une lettre d'information à quiconque réagit aux annonces publiées par *Exceptional Parent*.

En 2000, elle organise le tout premier rassemblement de familles CFC, à Salt Lake City pour être proche de John Opitz. Molly Santa Cruz y participe, avec Emily. « Et c'était... oh, mon Dieu ! Ces gamins sont comme ma fille ! » se souvient Molly. « Oui, c'était formidable.

_____

* Magazine pour les parents d'enfants et jeunes adultes handicapés.

134

Rencontrer quelqu'un qui est dans la même galère que vous, c'est formidable. »

Plus tard, Molly devient l'une des collaboratrices de Brenda. Quand elles lisent un article d'une généticienne de San Francisco, Kate Rauen, qui travaille sur le CFC, Molly lui téléphone. Encouragées par le Dr Rauen, Brenda et Molly engagent un bataillon de personnes chargées d'effectuer des prélèvements sanguins lors des rassemblements familiaux, lesquels se déroulent tous les deux ans. En 2005, à partir de l'ADN prélevé sur vingt-trois individus, Rauen identifie les premiers gènes associés au CFC. Elle désigne Brenda et Molly comme coauteurs de cette découverte, c'est seulement la troisième fois que des non-scientifiques sont déclarés codécouvreurs d'un gène. (De ce fait, CFC International touche des royalties sur tout brevet futur résultant de leur identification du gène.)

Actuellement, Brenda Conger dirige la planète CFC depuis les bureaux, semblables à une ruche, de CFC International – le palier du second étage de sa maison, juste derrière l'escalier. Elle supervise également le site Internet où les parents CFC du monde entier abordent tous les sujets, du traitement des crises épileptiques à l'espérance de vie, qui, même avec de la chance, ne dépasse pas la quarantaine.

– Ce qui me rassure, me dit Molly. Je ne veux pas qu'Emily devienne trop vieille et que je ne sois plus là.

Et Cliffie Conger, dont les médecins affirmaient qu'il mourrait avant son premier anniversaire ? Il a dix-sept ans. Il va à l'école, il lit, parle et sait conduire un tracteur.

Même la plus brève rencontre avec un autre enfant CFC est comme la découverte d'un nouvel élément. Kolosia Taliauli et sa fille, Vaasi, habitent un appartement exigu dans un quartier dangereux de Stockton, Californie.

135

Vaasi a deux ans et demi ; elle a passé quatre-vingts pour cent de sa vie à l'hôpital. À sa naissance, Kolosia est célibataire, déjà mère d'un fils de huit ans. Elle est contrainte d'abandonner son travail. L'État de Californie (progressiste, en ce qui concerne le handicap) la rémunère à présent 8,25 dollars de l'heure pour s'occuper de son enfant. Medicaid couvre tout le reste. On lui livre à domicile les poches nutritives. « Quelquefois, avec un enfant gravement malade, me déclare Laurie Kent, son infirmière mandatée par l'État, il vaut mieux être complètement fauché. »

La première chose que fait Daniel Hess, le jour de notre rencontre, c'est de hurler et de balancer ses lunettes à travers le salon. Une réaction compréhensible : j'ai interrompu son petit déjeuner avec ses grands-parents, venus de New York pour le voir. La scène se déroule à Glen Ellyn, bourgade prospère de la banlieue ouest de Chicago, où Daniel vit avec sa mère Amy, son père Steve, et ses deux jeunes sœurs, Sarah et Laura.

Daniel, âgé de six ans, est un miracle CFC. Il parle. Il est scolarisé et lit mieux que la plupart de ses camarades de classe. Il sait même s'habiller seul – il porte, quand je le rencontre, de superbes bottes de pluie Grenouille, pour soulager une cheville douloureuse. Physiquement, Daniel est beaucoup moins chanceux : il souffre d'ulcères intestinaux, de graves allergies et de problèmes immunitaires, d'un reflux sévère et de crises épileptiques à répétition.

Amy, qui aborde la quarantaine, est la blonde incarnation de l'opiniâtreté, peut-être même (selon sa mère) la femme la mieux organisée de Chicago. Elle a grandi à Lake Forest, Illinois, et à Houston. Son père était cadre dans une compagnie d'assurances. Elle a suivi des études d'économie et d'anthropologie à St. Lawrence University.

Diplômée en 1990, elle s'est mariée en 1999, et projette alors de travailler dans la publicité. Steve, son mari, gère plusieurs immeubles dont il a hérité.

En 2001, Daniel naît quatre semaines avant la date prévue. Elle n'arrive pas à le nourrir au sein, mais c'est son premier bébé – qu'y connaît-elle ? Il dort trois heures par nuit, a des problèmes constants de régurgitation ou de fausse-route. On diagnostique chez lui un syndrome de Costello, mutation génétique présentant de nombreux symptômes et caractéristiques communs avec le CFC – si nombreux, en réalité, qu'on confond souvent les deux syndromes, quoique les conséquences soient assez différentes. (Dans le syndrome de Costello, la dysmorphie faciale et le retard mental sont la plupart du temps moins prononcés, mais il y a un risque de cancer, ce qui n'est pas le cas pour le CFC. Kate Rauen et d'autres chercheurs ont également identifié les gènes associés au syndrome de Costello.)

Amy se rappelle clairement le jour où le diagnostic a été posé, en partie parce qu'elle en a été surprise ; selon elle, certaines caractéristiques de Daniel ne correspondaient pas à celles du Costello. Mais un diagnostic est un diagnostic, et elle s'apprêtait déjà, dès l'après-midi, à s'informer plus à fond.

Or en revenant de chez le médecin, avec Daniel qu'elle tient par la main, Amy croise dans la rue une connaissance, bénévole comme elle. Celle-ci regarde Daniel et pâlit.

– J'ai une amie dont le fils ressemble au vôtre trait pour trait.

Dès son arrivée à la maison, Amy faxe la photo de Daniel à l'amie, qui lui téléphone aussitôt.

– Votre fils est atteint du CFC.

Au lieu de chercher des renseignements sur le syndrome de Costello, le jour même Amy a une discussion téléphonique avec Brenda Conger. Dans l'univers du CFC, ce genre d'histoire n'est pas inhabituelle.

Les deux femmes avaient raison : Daniel avait le CFC et les gènes mutés qui le prouvaient. Le diagnostic précis n'allégea pas le fardeau d'Amy, mais savoir que son fils était le fruit d'une mutation génétique spontanée, pratiquement au moment de la conception, l'aida d'une autre manière.

– J'ai été lavée de la culpabilité d'avoir engendré un enfant qui souffre. Vous savez : qu'est-ce que j'ai fait de mal ? Est-ce parce que je me suis fait manucurer pendant ma grossesse, et que les émanations des produits ont provoqué ça ? Ou parce que j'étais parachutiste, et que j'ai sauté plusieurs fois avant d'apprendre que j'étais enceinte, et qu'il a été privé d'oxygène ? Oui, le diagnostic m'a apporté la paix.

Du moins autant de paix qu'un parent de handicapé peut en éprouver – car même un diagnostic définitif ne parvient pas à effacer ce sentiment primitif de culpabilité qui, depuis des milliers d'années, va de pair avec les accidents génétiques ; cette notion tenace, fangeuse, que de pareilles infirmités ne surviennent jamais sans raison, qu'il s'agit d'un châtiment, donc qu'il est mérité. Les médecins européens du seizième siècle les attribuaient à la pauvreté (à l'instar des hommes politiques conservateurs nord-américains de la décennie passée). Hérodote affirmait que la difformité était le résultat de mariages avec des partenaires physiquement désavantagés. Martin Luther, qui s'est souvent conduit comme un idiot, croyait que les simples d'esprit et les infirmes étaient frères du diable, nés au royaume du mal, et qu'il fallait par conséquent les noyer. Amy Hess était instruite, fille éclairée d'une ère de science et de progrès, néanmoins la malédiction de la vieille honte pesait sur elle.

` – J'avais eu une vie remplie de bienfaits, me dit-elle par une belle matinée à Chicago. Des parents merveilleux.

Des amis merveilleux. Des boulots formidables, après des études formidables. Alors j'ai pensé : c'est mon tour.

Amy est une guerrière. Heureusement pour Daniel, elle a tenu le coup en se lançant dans des recherches. Elle a renoncé à son emploi et s'est métamorphosée en détective médical à plein temps. Elle l'a entraîné dans un lourd planning de thérapies – jusqu'à dix par semaine, de l'âge d'un mois à ses trois ans –, en majeure partie financées par le programme d'État destiné aux enfants présentant une invalidité supérieure à trente pour cent.

– Il a besoin de toutes les opportunités possibles. Je refusais qu'il cesse d'apprendre à un moment crucial.

À certaines périodes, Daniel était en kinésithérapie, sous une forme ou une autre, vingt-quatre heures sur vingt-quatre, qu'il soit endormi ou sur son siège d'alimentation.

Un enfant qui risque de ne pas pouvoir parler se verra souvent proposer la langue des signes. Pour s'y initier, il doit être disposé à établir un contact visuel afin de voir les signes formés. Les orthophonistes de Daniel s'adressèrent à lui par signes pendant quatre mois, avant qu'il les regarde – mais cela ne les empêcha pas de s'obstiner. Amy tapait des comptes rendus détaillés de chaque consultation médicale à laquelle son fils se rendait, des rapports sur tous les médicaments qu'il testait. Le CFC réserve bien des surprises, cependant le travail méthodique d'Amy est un modèle : voilà comment il conviendrait d'envisager ce syndrome et d'autres, similaires. Il n'y a pas de mal à être hyperattentif.

Les résultats sont probants. Daniel est capable de regarder la télé et de rire ; on peut vraiment le distraire. Il a les mêmes genoux déformés que mon fils, mais il peut monter dans la voiture avec son père et – armé de ce mystérieux sens spatial qui l'incite à faire ses puzzles à l'envers – dire : « On passe par ton chemin ou celui de maman ? » Steve, qui a vécu toute son existence à Glen Ellyn, prend invariablement des raccourcis, tandis que Amy, implantée dans la région depuis relativement peu de temps, emprunte les grands axes. Daniel l'a remarqué. Et, bien sûr, je transcris ses mots.

Il ne s'adresse jamais directement à moi – je suis un intrus, et en plus il regarde la télé – mais il parle à tout le monde. De tous les dons que je souhaite à mon fils bien-aimé, prononcer quelques mots arrive en tête de liste. J'aime les mains plissées de mon fils, qui me sont d'autant plus chères qu'elles sont de pauvres choses déformées. Mais l'entendre prononcer son nom ? L'entendre appeler *Hayley !* haut et fort, au lieu du *Hehhh* qu'il émet de temps à autre ? L'entendre dire *Man, je t'aime* ? Cette idée me fait battre le cœur. *Merde, papa !* équivaudrait au Gettysburg Address*.

Non pour le sens des paroles. Le langage des enfants CFC capables de parler a quelque chose de légèrement artificiel, pas tout à fait authentique : ils pensent ce qu'ils disent, mais on a parfois l'impression qu'ils utilisent les mots d'un autre, un langage d'emprunt en quelque sorte. Mais au moins, c'est un langage, la preuve qu'ils ont une vie intérieure, qu'ils sont en mesure de percevoir un contexte, qu'ils ont des désirs. Je n'ai pas besoin que Walker me dise *Je t'aime* pour savoir qu'il m'aime. Mais s'il prononçait un mot, cela prouverait qu'il a quelque chose à exprimer et veut l'exprimer, qu'il a une raison de le dire. Le désir est intention. L'intention, c'est de l'espoir.

Un automne, Walker avait dix-huit mois, ma femme et moi, attablés côte à côte dans la cuisine, avions rempli

---

* Très bref et célèbre discours prononcé par le président Abraham Lincoln le 19 novembre 1863, lors de l'inauguration du Cimetière national des soldats, sur le site de la bataille de Gettysburg où tombèrent des milliers d'hommes.

le MacArthur Communicative Development Inventory. Le questionnaire comportait huit pages. D'après cet inventaire, Walker comprenait 115 mots : *tu as faim* et *ouvre la bouche* ; *bisou* et *mouillé* ; *dégoûtant* et *toi, petit déjeuner* et *lune*. *Bien*, mais pas *heureux*. *Sombre*, mais pas *cassé*. Même *ciel*, il comprenait. Ne pas oublier, naturellement, que Johanna et moi étions ceux qui répondions au questionnaire : on voyait partout son intelligence aiguë. Mais, en réalité, il ne disait rien. Johanna et Hayley faisaient des rêves – et cela dure toujours – où Walker avait l'éloquence d'un avocat. Elles se réveillaient exaltées, excitées. Dans mon esprit, nous bavardons sans arrêt. Mais dans la vraie vie, mon fils ne peut pas parler.

Il est donc arrivé, parfois, dans la demeure superbement équipée et merveilleusement organisée des Hess, que je ne puisse pas parler non plus, envahi par la jalousie et la tristesse. Je brûlais de reprendre la voiture, de sauter dans un avion pour rejoindre Walker. Avec de meilleurs protocoles de soins, une intervention plus précoce (nous avons commencé à trois mois), plus d'argent, un père plus énergique et plus dévoué – pensais-je – et s'il n'était pas né cinq ans trop tôt, Walker serait peut-être à présent aussi bien loti que Daniel. Et si l'un de nous avait choisi de ne pas travailler pour rester à la maison, être un parent à plein temps et combattre le handicap ?

N'importe quel parent d'enfant en difficulté connaît cette secrète jalousie, gratte cette épaisse croûte de culpabilité. Il n'est pas plus raisonnable (ou logique) d'affirmer qu'un parent a l'obligation de rester à la maison qu'il le serait de prétendre que Amy Hess avait l'obligation d'aller travailler. Ma femme et moi avons suivi les moindres suggestions des médecins, des expertises médicales, et bien plus encore ; nous avions l'avis de l'Hôpital des enfants malades de Toronto et du Bloorview Kids Rehab, deux des meilleures institutions pédiatriques du monde. Nous avons inscrit Walker dans un programme d'intervention précoce quand il avait trois mois, et il était âgé du double lorsque nous avons eu recours au langage des signes. Rien de tout cela n'a eu le moindre effet. La nature – l'état qui était le sien à la naissance – était la plus forte.

L'identification par Kate Rauen du gène CFC signifie, en pratique, que le diagnostic prénatal est possible, ainsi que l'avortement. Toute cette souffrance pourrait être évitée. (La maladie est cependant si rare que le dépistage généralisé est financièrement irréalisable.) Amy Hess refuse d'y songer. « Je choisirais d'avoir Daniel », dit-elle. Mais, si l'on insiste, elle admet qu'elle ne choisirait pas d'avoir d'autres enfants atteints. Il lui serait néanmoins possible d'adopter un autre enfant handicapé, « parce que, dans ce cas, on ne se sent pas coupable de l'avoir mis au monde ». Elle se culpabilise toujours pour son fils. Elle ne reproche rien à la société.

Daniel, toutefois, est plus libre. Il aborde souvent les inconnus dans la rue.

– Coucou, dit-il. Tu m'aimes ?

C'est la vraie question.


Après avoir rencontré Emily Santa Cruz, Daniel Hess et d'autres par l'intermédiaire du site web CFC de Brenda Conger, j'ai enfin l'occasion de rencontrer Brenda Conger en personne. Lorsque je débarque à Vestal, État de New York, où habitent Brenda et les siens, je suis accueilli par son fils, Cliffie. Une version plus raffinée, moins tourmentée de Walker – avec cheveux frisottés et lunettes, mais plus grand, plus élancé, le Noel Coward du CFC. Les labradors de la famille, Henry et Jackson, se ruent sur la porte lorsque je sonne.

– Ils vont te manger, les chiens, dit Cliffie, et il éclate de rire.

142

C'est ma première conversation avec une personne atteinte du CFC.

Avant tout, Cliffie veut voir les photos de Walker. Puis, d'une démarche chaloupée, il va aider sa mère à attendrir le poulet qu'elle prépare pour le dîner. Fred Rogers, l'animateur de la célèbre, implacable émission pour les enfants, s'agite sur la télé grand écran du salon. Cliffie a quinze ans à l'époque – un ado regardant Mister Rogers. Il y a des petits signes de ce genre, des indices à peine perceptibles. Cliffie inflige dix coups d'attendrisseur au poulet, puis doit s'arrêter, épuisé. Je remarque alors combien ses bras sont menus, et sa concentration à éclipses.

Il me fait visiter la maison ; il paraît avoir une préférence pour l'étage.

– Le *buleau* de maman, dit-il en désignant le recoin de palier où Brenda Conger a transformé le paysage du CFC. Le nouveau, ajoute-t-il à propos de la pièce que son père aménage.

Il me montre la salle de bains, la douche et, surtout, le rideau de douche.

– L'*ouvle* pas, me dit-il.

Nous longeons le couloir.

– La *chamble* de ma fille.

– Ta fille ? Tu veux dire ta sœur.

– Oui.

Il a des difficultés avec les *r*, et sa manière de parler est parfois peu naturelle, comme s'il récitait de mémoire ou choisissait ses phrases sur une liste mentale. Certains aspects de son esprit lui appartiennent en propre ; pour d'autres, on a l'impression qu'il les a achetés en kit, déjà montés, dans un salon d'exposition. Les neurologues ont décrit ce phénomène dans un cerveau normal – l'emprunt social –, mais la lenteur de Cliffie fait qu'on voit le mécanisme fonctionner.

143

Sa chambre, son domaine privé, regorge, sous toutes les formes, de tracteurs John Deere, sa grande obsession : simples, utiles, puissants. Le sol est jonché d'un tapis représentant un tracteur John Deere, le papier peint s'orne de tracteurs, les rideaux et le dessus-de-lit également. Des tracteurs agrémentent l'interrupteur, la boîte à Kleenex, la corbeille à papier ; un tracteur pend au bout de la chaîne du ventilateur de plafond.

Nous sortons dans le jardin. Tandis que Brenda achève de préparer le dîner et que Cliff, le père, me parle de l'époque terrible du CFC, quand on ne savait rien du tout, me raconte comment il a initié Cliffie au ski en descendant à pied la piste pour débutants, des chaussures de ski aux pieds, pendant deux ans avant que Cliffie ait assez confiance pour le faire sur des planches – pendant que les adultes, donc, sont occupés, Cliffie grimpe sur son motoculteur John Deere. Il lance le moteur. Puis il sort l'engin de son appentis et fait le tour du jardin. Après quoi, il rentre le motoculteur et sa remorque, en marche arrière, dans l'appentis. Il le fait à la perfection.

– Moi, je serais incapable de faire ça, dis-je à son père.

J'ai soudain la vision de Walker cueillant des raisins. Peut-être Walker est-il capable de cueillir des raisins !

– Pour les manœuvres, il se défend mieux qu'un jeune de dix-huit ans titulaire du permis, répond Cliff.

Il lui a fallu quatre ans pour apprendre à son fils à conduire le motoculteur. Cliff a commencé par tondre la pelouse avec son garçon dans les bras.

Ce soir-là, à 22 h 47, Brenda arrache Cliffie à la télé.

– Il est l'heure de se coucher, Cliffie.

– M'man, riposte-t-il sur-le-champ. Pourquoi je peux pas veiller ? Je suis un adolescent.

Il a assimilé ce qu'était une vie normale. Entre ce qu'il ressent et ce qu'on lui a appris à ressentir existe le vrai

Clifflie, toujours en formation. Est-ce le don de l'enfant CFC – être toujours en formation, jamais achevé ?

Lorsque je descends pour le petit déjeuner le lendemain matin, Cliff et Cliffie, debout depuis sept heures, confectionnent leurs omelettes du dimanche. Cliffie porte son pyjama Bob l'Éponge. Il s'approche en traînant les pieds. Une lumière pâle et mouillée filtre par la fenêtre.

– Monsieur *Blown*, tu veux champignons dans ton omelette ?

– Ian. Appelle-moi Ian.

– Ian.

Pour la forme. Les prénoms, ce n'est pas le sujet. L'instant présent, voilà tout ce qui compte.

– Tu veux champignons ?

– Toi, tu manges des champignons ?

– Oui.

– Moi aussi !

– Ouais ! s'écrie-t-il – Walker aussi a ces explosions de joie. Il mange les champignons ! lance-t-il à son père.

Puis il marque une pause.

– Et les cornichons ?

– Non, pas de cornichons.

– Ouah !

Il me considère autrement, soudain, avec le respect qu'inspire le gars qui se dresse contre le conformisme de sa génération.

– Toi, tu es du genre cornichons ? je demande.

– Ouais !

L'enthousiasme, de nouveau. Peut-être Walker a-t-il ses accès d'allégresse pour la même raison – quand il sent que nous sommes égaux, ou du moins sur la même longueur d'onde.

Nous n'avons besoin que d'un interprète, un garçon qui parle nos deux langues.

145

De nombreux parents CFC, je l'ai découvert, passent une large part de leur vie sur Internet. Ils lient connaissance par l'intermédiaire de CFC International, le forum en ligne de Brenda Conger. Les parents d'un bébé CFC débarquent dans le groupe de discussion tels des voyageurs titubants apercevant une oasis après des années dans le désert. Ils se déconnectent comme s'ils disaient au revoir à des frères depuis longtemps perdus de vue.

> *Affectueusement*
> *À Malcolm, de la part de sa femme,*
> *À Lewis, 9 ans, James 7 ans, Amy 4 ans,*
> *de la part de leur maman.*
> *CFC confirmé*

Et tous concluent de la même manière. « Confirmé » signifie génétiquement confirmé, le nec plus ultra du statut CFC. Si confirmation il y a – un test génétique de dépistage du CFC est disponible depuis le printemps 2006 –, votre ADN peut être inclus dans un programme de recherche. Les parents désirent ardemment cette confirmation. Pour certains enfants, on a posé le diagnostic clinique de syndrome de Costello ou de Noonan, présentant des caractéristiques très proches, or l'analyse génétique a révélé un CFC. D'autres, pour qui on a conclu au CFC, voient le diagnostic modifié en syndrome de Noonan ou de Costello. (Une frange de généticiens considèrent que les syndromes CFC et Costello ne sont pas des syndromes à part entière, mais de simples variantes du syndrome de Noonan, plus répandu.) Brenda Conger n'a jamais renvoyé de son réseau les enfants qui ne sont pas CFC, mais la nouvelle est souvent dévastatrice pour leurs parents.

Walker avait déjà cinq ans, lors de la mise en ligne de CFC International. Cinq ans plus tard, les parents d'enfants CFC ont créé une communauté virtuelle. Observer les messages sur le forum durant quelques années est comme observer la construction d'une petite cité émergeant d'un trou noir – une lumière clignote, puis une autre et encore une autre, et lentement, très lentement, ces lumières forment un village. Des cas de CFC sont apparus dans d'autres régions du monde – en Australie, au Liban et aux Pays-Bas, un deuxième cas en Colombie-Britannique, et même un deuxième à Toronto.

Les messages du forum se lisent comme un interminable roman épistolaire. Les nouveaux venus déboulent sur scène, débordant de confidences et d'informations ; les vieux de la vieille leur ouvrent des bras rassurants. Nul ne fait cependant remarquer à quel point les histoires se ressemblent, à quel point les sujets de plainte demeurent les mêmes, depuis des années, et sans solution – les troublantes bizarreries de caractère au sujet desquelles les docteurs affirment aux jeunes parents que ça passera, alors que nous autres savons que non, ça ne passera vraisemblablement pas.

Je me souviens d'une certaine Kate qui décrivait avec passion les qualités de son petit garçon, âgé de huit ans, et pour qui le diagnostic de CFC venait de tomber. « Il ne parle pas, et je ne sais pas s'il parlera un jour, mais à sa manière il exprime très bien ce qu'il veut, écrivait-elle. Quelquefois, il est tellement frustré qu'il se mord les mains ou se cogne la tête. C'est un sacré personnage qui a apporté beaucoup de joie dans notre vie. Mais pour être honnête, parfois, je souhaiterais tant être simplement sa maman, ne pas devoir être aussi une infirmière/factotum. Je ferai volontiers tout ce qui sera susceptible de lui faciliter la vie, mais ç'est dur, à certains moments. »

N'importe quel parent de CFC, à la lecture de ce message, sait que, malheureusement, rien ne va vraiment faciliter la vie de son fils.

147

Lire les témoignages conduit, inévitablement, à établir des comparaisons, or les comparaisons ne sont jamais bénéfiques. Sara et Chris, un couple du Massachusetts, ont une fille de deux ans et demi. Elle s'appelle Regan.

*Regan fait des signes et parle. Je crois que, ce soir, elle a dit « glace », pourtant elle refuse mordicus d'en manger. C'est une petite mangeuse, mais peu à peu ses goûts se diversifient. Elle montre nos assiettes en disant « MMMMM », mais refuse presque tout ce que nous lui proposons... Regan a un retard du développement, sa motricité globale est bien inférieure à ses facultés de communication et sa motricité fine. Elle ne peut pas encore marcher ni s'asseoir, mais elle supporte la position verticale, elle se déplace sur les fesses et, très récemment, a réussi à se mettre debout toute seule.*

Valait-il mieux être Regan, qui communique mieux, ou Walker, qui bouge mieux ? Impossible de ne pas se poser cette question, et impossible d'y répondre. Les États-Unis œuvrent pour rendre obligatoires des programmes d'intervention précoce pour tout enfant, dès l'âge de trois mois, qui en présente le besoin. Ces programmes n'existaient pas lorsque Walker était bébé, et ils sont encore rares dans de nombreuses régions du Canada. La Colombie-Britannique est en avance concernant l'aménagement de l'habitat ; l'Ontario excelle sur le plan de l'aide à la personne. Mais, pour les enfants handicapés de naissance, il n'existe pas de programme conséquent, fiable et facilement accessible, d'aide et de soin. Comment ne pas en conclure que le monde des normaux préfère oublier ces enfants, ou du moins ne pas trop y penser ?

Certains parents rejoignent tardivement CFC International, après avoir cru durant des années que leurs enfants souffraient d'autres syndromes. Souvent, ils font partie des cas les plus complexes avec des symptômes associés. Résultat, en consultant le forum, on n'est jamais à l'abri de découvrir un tout nouveau sujet d'inquiétude. Il y a des drames dans les drames. Une femme prénommée Renée a été prise dans un ouragan à La Nouvelle-Orléans, à l'automne 2008, pendant que sa fille Harley, CFC, luttait pour survivre à l'hôpital. Renée nous a tenus informés de l'évolution de la situation, sur le web, comme si Harley était notre enfant à tous :

> *Salut la famille. Aujourd'hui, j'ai quelques minutes pour écrire. Je ne sais pas si je l'ai mentionné, mais les infirmières de l'hôpital ont pu sortir. Le poumon gauche de Harley ne fonctionne plus que grâce à la ventilation BIPAP... Les infirmières ont dit qu'elle pouvait s'en aller ce soir, ou dans quatre ou cinq jours, ou encore comme toutes les autres fois, Harley pourrait s'en sortir, mais elles n'ont pas l'air d'y croire. Harley est dans un état critique. Pensez à elle et à nous, priez pour nous. À la grâce de Dieu !!!*

Harley est morte en mars 2009. Les parents d'autres enfants CFC se sont manifestés sur le site de Brenda Conger pendant des semaines, pour rendre hommage à son combat et à sa mémoire. Comme eux, je n'ai jamais rencontré Harley, pourtant j'en sais énormément sur elle. Elle fait partie de l'autre famille de mon fils.

Et puis il y a le pain quotidien du forum, les habituelles discussions sur les canaux auditifs, le cérumen, les problèmes d'alimentation, de niveau de sodium, les anticonvulsifs, les défis de la puberté, les avantages et les inconvénients de la retarder par une thérapie hormonale, la fréquence du trouble autistique dans le spectre du CFC, les sondes de gastrostomie, tel enfant qui marche et tel autre qui ne marche pas et ce qu'il est possible de faire à ce sujet, qui parle et qui ne parle pas, qui a des cheveux et qui n'en a pas, qui aime être nu et qui déteste ça, comment occuper les gamins, et tous les moyens imaginables pour les endormir. Certaines mères, comme Amy Hess, en savent davantage que les médecins en général, et sont très largement consultées pour des conseils médicaux et techniques. La maladie de Hirschsprung, une malformation congénitale de l'intestin, fait de rares mais épouvantables apparitions : un segment de l'intestin est aganglionnaire (c'est-à-dire que l'intestin est dépourvu des ganglions nerveux permettant son fonctionnement), ce qui se solde par des occlusions, lesquelles provoquent une dilatation permanente de l'intestin, ou mégacôlon. Ça ressemble un peu au grand 8, de quoi donner la chair de poule. Littéralement, les mouvements intestinaux et les problèmes alimentaires sont les sujets les plus souvent abordés, et s'accompagnent des noms des médicaments contre la constipation, MiraLAX, Kristalose et Dulcolax, autant de marques légères et prodigieuses, célèbres comme des sœurs chanteuses.

À l'occasion on trouve de remarquables preuves d'intelligence. Lorsqu'une mère du Colorado, Roseanna, a avoué être désespérée et honteuse de désirer que son enfant fût normal, c'est une autre mère, Stacey, qui lui a répondu avec franchise et compassion :

*Je comprends, comme tous les parents CFC, les défis que nous lancent nos enfants si particuliers. Je crois que le plus dur pour moi fut de renoncer au rêve de la famille ordinaire. Logan avait cinq ans quand le diagnostic fut établi et, pendant ses deux premières années, je n'ai pas arrêté de me dire : « Bon, quand on aura soigné CECI, il sera normal, quand on aura soigné CELA, il sera normal », et je m'accrochais à l'espoir qu'il serait comme les enfants des autres. J'étais bouleversée lorsque j'entendais des jeunes* mamans se plaindre de choses dont je ne pouvais que rêver (manger tout ce qui lui tombait sous la main, être trop grassouillet, commencer à courir partout, etc.). Et j'étais obsédée par le besoin de définir ce qui n'allait pas chez lui. J'avais un enfant qui subissait de multiples interventions chirurgicales, qui ne mangeait pas, qui vomissait absolument tout, jusqu'à cinq fois par jour. Aucun médecin ne m'écoutait vraiment ni ne comprenait ce que je traversais. D'abord, ils avaient l'impression que je ne faisais pas assez d'efforts. Puis un jour, il avait deux ans, je me suis aperçue que je cherchais tellement à découvrir quel était son problème, à livrer cette bataille, que je ne l'appréciais pas... parce que j'étais désespérée que mon rêve de « normalité » soit en miettes. Alors, à partir de là, j'ai accepté que Logan soit Logan, et je n'ai plus considéré ce qu'il devrait ou pourrait faire, mais ce qu'il faisait réellement. Il y a bien sûr de durs moments, des épreuves, cependant, il y a beaucoup de belles journées, et maintenant cette vie pour moi est normale. Je vous promets que ça ira mieux.

Bonne chance, je penserai à vous et à votre famille.

*Stacey*

Des habitués vont et viennent au gré des fluctuations de la santé des enfants – or elle fluctue, dans chaque cas, régulièrement. Certains messages débordent d'agressivité et d'une panique déplacée. On répugne généralement à se plaindre ou à se décourager – les « ô pauvre de moi », ainsi que les mères CFC droites dans leurs bottes surnomment ceux qui ont l'habitude de se lamenter, estimant que se plaindre est futile et égocentrique. Parallèlement, beaucoup de religion entre dans le mélange : il s'écoule rarement vingt-quatre heures sans qu'Untel remercie le Seigneur pour les « bénédictions » bien cachées que représente le fait d'avoir un « ange » CFC, sans que quelqu'un d'autre affirme que Dieu « donne des enfants spéciaux à des parents spéciaux ».

Je comprends cette impulsion : Walker a conféré à mon existence une forme, peut-être même un sens. Mais Walker a aussi fait de notre vie un enfer. Les jours de cauchemar, l'insipide prêchi-prêcha sur les anges et les êtres spéciaux semble n'être qu'une totale illusion, l'œuvre de pom-pom girls angoissées, brûlant de se justifier face à des lycéens cyniques. Le handicap n'est pas différent de la politique ou même du football : il divise et radicalise les gens en fonction de leurs besoins, simplifiant une sombre, insoluble expérience pour en faire une posture solide, rassurante. Or les détails de la vie de Walker excluent toute certitude.

Johanna est en contact avec le réseau CFC de Brenda Conger depuis longtemps, bien avant la création du site Internet. Mais, au début, elle était avide de conseils précis, pour des crèmes dermatologiques et des traitements immédiatement efficaces.

– Il semblait être beaucoup question de Jésus, de petits anges, du fait que ces gamins sont des dons de Dieu, me dit-elle, des années plus tard.

Il est malaisé de considérer Walker comme un don de Dieu, à moins que Dieu ne soit un sadique persécutant un petit garçon. Ensuite, Johanna s'est éloignée du réseau, et nous nous sommes débrouillés seuls.


Lana Phillips est la mère de Jaime Phillips, l'une des cinq premières personnes chez qui, en 1986, on identifia le CFC. À l'époque, Jaime avait dix ans. Lana s'est occupée de son enfant difforme et épuisé pendant vingt-cinq ans, bien avant Internet, ou un quelconque réseau CFC digne de ce nom – et cela près de Wendell, Idaho, qui n'est pas exactement le centre de l'univers médical.

J'ai fait la connaissance de Lana par téléphone : elle a une voix pure, claire, qui évoque la nature par une journée frisquette. Lana s'est dite réjouie que Jaime soit simplement en vie. Dès sa naissance, les médecins se sont aperçus que quelque chose ne tournait pas rond, mais aucun ne savait quoi. Elle ne s'alimentait pas. Une voisine lui conseilla le lait de chèvre et les ignames – que digéraient facilement les gamins chipoteurs, selon l'expression de la voisine. Lana acheta donc une chèvre pour la traire et fit cuire des ignames en quantité. À son étonnement, ce régime fonctionna, et Jaime prit des forces. Elle eut moins de succès pour la faire parler. Lana et son mari Mike, propriétaire d'une compagnie d'assurances, se rendirent en voiture à Los Angeles pour que Jaime soit examinée dans l'un des centres médicaux d'UCLA* ; là, on leur suggéra de la montrer au Dr John Opitz, le célèbre généticien du Wisconsin. Quand il examina Jaime quelques mois plus tard, il déclara aux autres médecins présents que, vraisemblablement, ils ne verraient pas, de toute leur carrière, un autre cas semblable.

Deux années s'écoulèrent avant que Opitz et son équipe publient leur article scientifique fondateur, nommant le CFC et le définissant comme un nouveau syndrome à part entière. Quand Lana lut cet article, c'était la première fois qu'elle avait sous les yeux la photo d'un autre enfant atteint du CFC. Lana s'imaginait que la publication de cet article scientifique provoquerait une avalanche de cas de CFC non répertoriés, que les médecins la mettraient en relation avec d'autres parents CFC, et vice versa. Elle accepta même par écrit qu'ils divulguent son nom et son

---

* University of California, Los Angeles.

adresse. Mais rien ne se produisit. Les généticiens gardaient pour eux leurs informations, sous prétexte de respecter le secret médical. Quand on a un enfant atteint d'une maladie aussi rare et méconnue que le CFC, on se fiche du secret médical. On veut tout le soutien possible. Mais voilà, comment vivre avec un syndrome rare qui vous isole.

Durant quatre ans, Lana n'eut aucune nouvelle. Comme si le syndrome avait été identifié puis jeté au fond de quelque puits de mine. Alors elle fit la seule chose qu'elle pouvait faire : des heures durant, elle lut et relut l'article, examina inlassablement la photo. Sa propre fille semblait avoir les symptômes les plus graves, et Lana se tourmentait : personne ne se manifestait parce que personne ne voulait connaître Jaime.

Lorsque Jaime fêta ses quatorze ans, Lana travaillait pour Head Start, un programme national d'éducation pour les enfants issus de familles défavorisées et instables. Elle était employée à l'école publique locale. Un jour, on lui annonça qu'une nouvelle élève allait intégrer sa classe. Elle n'avait marché qu'à quatre ans, comme Jaime.

Quelques jours plus tard, Lana rencontra la nouvelle élève.

– Quand cette petite entra dans la salle, je n'en crus pas mes yeux, me dit Lana. J'ai aussitôt pensé : si j'étais généticien, je dirais que cette enfant est atteinte du syndrome de Jaime, le CFC.

Dès qu'elle le put, Lana contacta la mère de la fillette, chez qui effectivement on avait diagnostiqué le CFC – le même pédiatre qui avait posé le diagnostic pour Jaime. Il n'avait tout bonnement pas eu l'idée de transmettre l'information à Lana. Hasard phénoménal (statistiquement, il n'y a pas de zone géographique de prévalence du CFC), dans un lieu reculé des États-Unis, une enfant

CFC entra dans la classe d'une femme qui avait la seule enfant CFC à des milliers de kilomètres à la ronde. Lana en déduisit que ce devait être une sorte de miracle, statistique ou autre.

Pour Lana, cette rencontre fut un énorme soulagement.

– Il est profondément satisfaisant de savoir pourquoi nos enfants sont tels qu'ils sont et d'être en relation avec d'autres familles qui ont un enfant comme le nôtre, expliqua-t-elle.

Néanmoins, la petite nouvelle était beaucoup plus avancée sur le plan développemental que Jaime, et Lana craignait que la mère soit bouleversée en rencontrant Jaime, plus âgée et plus lourdement handicapée, sinistre présage pour l'avenir.

En réalité, l'autre mère CFC n'eut pas le désir de rester en contact, d'ailleurs la famille ne tarda pas à quitter la région.

– Mais il me fallut travailler avec l'enfant, me raconta Lana. Et je me suis dit : oui, c'est un sacré syndrome.

À onze ans, Jaime devint une charge trop lourde à assumer pour Lana et son mari (d'autant qu'ils avaient trois autres enfants), aussi partit-elle vivre dans l'un des meilleurs centres des États-Unis, dans l'Idaho.

– Ce fut la chose la plus tragique, la plus difficile que j'aie jamais dû faire, dit Lana. J'avais ce trou dans le cœur. Le mal que j'ai eu à renouer avec la communauté CFC venait en partie de là, je crois.

Cela lui rappelait constamment que d'autres parents cohabitaient avec leurs enfants CFC, étaient capables de gérer leurs particularités CFC.

Jaime passa dix-neuf années au centre, jusqu'à ses trente ans. Elle voyait ses parents tous les week-ends, malgré les trois heures de route. Un an avant que j'aie cette conversation téléphonique avec Lana, Jaime tomba malade – une pneumonie compliquée de choc septique, associée à un lymphœdème qui la laissa entre la vie et la mort durant quatre mois, dans une unité de soins intensifs. Lorsqu'elle se rétablit enfin, Lana et Mike – alors âgés de soixante et un et soixante-deux ans – la retirèrent du centre pour la ramener chez eux, avec l'aide de deux auxiliaires de vie rémunérés par l'État et des fonds provenant de la compagnie d'assurances de Mike.

– Aux soins intensifs, j'avais presque l'impression de regarder une inconnue, je crois que je n'ai pas aimé cette sensation, m'expliqua Lana.

Elle voulait protéger sa fille. À l'hôpital, on administrait à Jaime des doses de morphine qui aurait assommé un homme de cent kilos pendant un jour entier – sauf que, pour Jaime, l'effet ne durait que deux heures, après quoi elle arrachait ses perfusions. Elle ne mesurait pas tout à fait un mètre quarante-quatre pour un poids de quarante-huit kilos. Elle ne parlait pas, n'était pas tout à fait propre, mais elle possédait une volonté de fer.

Le retour de Jaime, après quasiment deux décennies dans un centre, ouvrit à Lana une nouvelle perspective.

– Maintenant, je vis moins dans la peur, me dit-elle.

À présent que, nuit et jour, Jaime est à la maison, Mike et Lana se sont rendu compte qu'elle comprend beaucoup plus de choses qu'ils ne le supposaient. Elle a ses signes préférés pour ses mots préférés, *chaussures* et *encore*. Personne ne sait pourquoi : ce sont apparemment les concepts les plus gratifiants dans son existence hors du commun, quelque chose qu'elle met chaque jour, quelque chose qu'elle désire.

– Ce signe *encore* est pour elle tellement productif ! plaisante Lana.

Jaime – qui a la mentalité, pour reprendre le terme de Lana, d'un enfant entre dix-huit mois et deux ans – adore les hommes.

– À l'église, si elle voit un jeune homme séduisant qu'elle aime, ou un vieux monsieur, elle se précipite, lui agrippe le bras et pouffe de rire.

Jaime a trente-trois ans, lorsque sa mère, que cela ne dérange pas, me raconte cette histoire :

– Il me semble simplement que je deviens la personne que j'ai toujours voulu être en ce monde. Je travaille avec des tout-petits, j'ai appris la patience et l'empathie, à aller au-devant des gens quelle que soit leur apparence. Tout cela grâce à Jaime.

Elle s'interrompt alors, réfléchit. Elle est mormone, très pieuse, et m'a parlé de l'éternité, du paradis et de la justice divine. Elle poursuit :

– Un jour elle aura un corps et un esprit parfaits.

Qui refuserait d'y croire ? Jaime, femme adulte dotée de l'esprit d'un très jeune enfant, a changé la vie de Lana, alors qu'elle-même vivait allègrement la sienne. Et ce changement a commencé, se souvient Lana, le jour où une autre fillette CFC est entrée dans sa classe.

– Pour moi, affirme-t-elle, cette rencontre a comblé un vide.

En tant qu'athée plutôt classique, je suis gêné par l'idée d'éternité et des mots tels que « miracle ». Pourtant, ils paraissent jouer un rôle important dans l'existence de nombreuses personnes s'occupant d'enfants handicapés. L'éventualité que leur vie a été touchée par la grâce de Dieu est une manière de donner du sens à leur fardeau, lequel, sans cela, n'en aurait aucun.

# 9

Je préfère téléphoner aux parents d'enfants CFC l'après-midi : j'ai besoin de me préparer à mesure que la journée avance, de m'armer de courage. Je redoute ce que je vais apprendre – que tel enfant est plus chanceux que Walker ; que tels parents ont montré plus de dévouement. Pourtant, cela ne se produit jamais. Personne n'a davantage de chance. Si quelqu'un possède un atout dans l'étrange univers des êtres lourdement handicapés, il a perdu quelque chose ailleurs. Les illusions sont rares : la situation de ces parents est rude, mais sans ambiguïté, et cette clarté est extraordinairement attirante.

Je leur téléphone donc, ou parfois je voyage afin de les rencontrer, et ils me racontent l'histoire de leur vie. Ils me disent des choses tout à fait remarquables.

Shelly Greenhaw habite Oklahoma City et a un accent à couper au couteau. Elle est la mère d'une fillette de cinq ans atteinte du CFC, Kinley, et d'une autre de quatre ans, Kamden, qui semble souffrir, selon Shelly, d'un trouble autistique. L'idée d'avoir deux enfants handicapés me renverse, mais Shelly, de bien des façons, est étonnante. Elle a fait partie d'une équipe universitaire de softball

(« Au début, j'étais défenseur du champ gauche, mais en deuxième année, j'étais receveur »), et a également été élue Miss Savoir-vivre lors du concours Miss Teen America 1995, auquel elle a participé pour s'amuser. Après l'université, elle a été embauchée par une entreprise pharmaceutique, où elle travaille encore comme commerciale. Elle n'a pas, du moins je le pense, le profil d'une mère d'enfant handicapé.

– Comment faites-vous ? je lui demande. Avec deux filles comme ça ?

– Parfois, il me semble que je n'ai pas le choix.

Elle a vu des gamins en moins bon état et s'estime heureuse d'avoir « une marcheuse et une parleuse ». Elle est chrétienne, ce qui l'aide. Mais elle reconnaît qu'elle a aussi ses mauvais jours et qu'ils sont inséparables des bons.

– Je sais qu'elles ont apporté beaucoup de joie dans notre vie. Je sais qu'au fond d'elles, ce sont des petits êtres complets. Je crois sincèrement qu'elles ne sont pas une erreur génétique. Peut-être sont-elles parfois des erreurs de la nature pour nous, dans notre esprit, à cause des frontières artificielles que créent les hommes. Mais je pense que nous avons tous des mutations génétiques, simplement elles n'apparaissent pas dans notre fiche clinique. Avoir les filles a changé ma façon de vivre, de communiquer, de traiter les gens.

Elle apprécie ces changements.

– La vie ne m'effraie plus. Je n'ai plus peur de l'inconnu.

Elle m'explique qu'à présent, quand elle croise quelqu'un en fauteuil roulant dans un centre commercial, elle a envie de courir l'embrasser.

– Je sais que je suis partie pour une longue route. C'est réellement une valeur que beaucoup de gens ne parviennent pas à apprécier.

Elle s'interrompt, puis me dit ne pas savoir véritablement pourquoi elle a encore des moments de désespoir.

— Mes petites filles sont les meilleurs exemples de bonté et de bonne humeur que je connaisse. Et pourtant, parallèlement, j'éprouve un profond sentiment de perte en ce qui les concerne. Je ne peux le distinguer du sentiment de perte qui me concerne, moi. Parce que certains de leurs espoirs risquent d'être anéantis. Parce qu'elles ne connaîtront pas la même acceptation que moi.

La lumière dont ses enfants inondent sa vie, et les ténèbres qui pèsent sur elles et leur avenir, sont inextricablement liées, dit-elle ; la lumière n'existe pas sans les ténèbres. Le plus dur à accepter n'est pas seulement les épreuves que subissent ses filles, mais la découverte qu'elle-même, avant d'avoir un enfant handicapé, avait ignoré à quel point la vie est complexe, si aride et riche à la fois. La seule existence de Kinley (et de Walker, je le comprends soudain) est un genre de leçon pour nous rappeler de regarder au fond des choses, ou au moins de garder l'esprit en éveil.

— Je regarde les filles et je réfléchis. Qui peut dire qu'elles ne sont pas plus heureuses dans leur univers que je le suis dans le mien ? Or voilà que je les plains, parce que je tente de les juger d'après les critères d'un monde dont elles ne font pas partie.

La nuit précédente, elle a pleuré, et parlé à son mari d'avoir un autre enfant.

— J'ai eu une de mes crises de larmes. Ça ne m'arrive pas souvent, mais quand ça arrive, attention. Parfois, je me dis non, surtout pas, tu es dingue, quand je pense à la possibilité d'avoir un autre enfant handicapé. Et puis je me dis, avoir ces deux filles m'a grandie, peut-être qu'un autre enfant comme elle serait encore plus extraordinaire. Peut-être suis-je appelée à une vocation plus exigeante. Et il y a des jours où je me dis, mon Dieu, c'est comme jouer à la roulette.

« Dans l'immédiat, je pense que Kinley m'a sans le chercher enseigné à vivre dans la joie, malgré les circonstances. Et à être sage dans ma manière d'appréhender le temps. Ne pas trop m'inquiéter du lendemain, savourer le présent. Elle m'a appris à me moquer de ce qui n'a pas d'importance. Elle m'a aidée à me forger une idée de la vie. Oui, elle m'a permis de voir que chaque être a un rôle à jouer, quelque chose à apprendre des autres, le plus possible. Quelles que soient leurs capacités, leurs origines, leur religion. Elle m'a appris à me détourner de mon miroir, car la vie est plus grande que moi. Je crois avoir appris aussi que nous sommes interdépendants. J'ai besoin de mes filles autant qu'elles ont besoin de moi.


Diana Zeunen est installée à Wilmington en Caroline du Nord. Son fils, Ronnie, treize ans, est l'un des enfants les plus attardés du réseau CFC : son objectif, à ce moment-là, est de manger seul. L'existence de Ronnie a pris la forme d'une hallucinante quête, mais cela – être capable de se nourrir – semble si élémentaire. Le mari de Diana, mécanicien, avait déjà deux enfants d'un premier lit lorsque Diana l'a épousé ; Ronnie est leur fils. « Le fruit d'une vasovasostomie*, m'a expliqué Diana, par conséquent, il était vraiment désiré. »

Elle a eu une grossesse normale, mais dès sa naissance, les membres de Ronnie sont alternativement rigides et inertes, ou pareils à de la gélatine. Les médecins ont diagnostiqué une paralysie cérébrale. Diana n'a jamais été convaincue.

---

* Opération de microchirurgie consistant à relier les canaux sectionnés lors d'une vasectomie.

– D'accord, il ne roulait pas sur lui-même et n'établissait pas de contact visuel, comme les autres enfants atteints de paralysie cérébrale, mais il n'était pas pareil. Et, bien sûr, il n'y avait pas de test génétique.

En attendant, il avait d'innombrables problèmes médicaux.

– Pourquoi hurlait-il ? Pourquoi pleurait-il ? Nous avons consulté des gastro-entérologues, des dermatologues.

Il se donnait des coups sans arrêt, comme un autiste. Ronnie avait quatre ans, lorsque Diana lut un article scientifique comportant des photos d'enfants qui ressemblaient à Ronnie : voilà comment elle détermina, de son propre chef, que son fils souffrait de CFC.

– On le nourrit encore à la petite cuillère, me dit-elle – et je sais ce que cela implique. Il se donne toujours des coups. Pour moi, c'est une façon de communiquer. Les gens disent qu'il a un rire communicatif. Ils me disent : il vous reconnaît, mais je ne sais pas. Penser qu'il ne me reconnaît pas me rend triste. On a toujours envie d'entendre ce mot : « maman ».


Discuter avec les parents d'autres enfants CFC est réconfortant – il y a quelqu'un, quelque part, qui sait ce que c'est – mais retrouver sa propre angoisse, point par point, chez son interlocuteur a aussi de quoi décourager. Nous sommes tous prisonniers d'un étouffant carcan de solitude et d'isolement.

Fergus et Bernice McCann vivent à Burnaby, en Colombie-Britannique, à la lisière de Vancouver, avec leur fille Melissa, née en 1985, avant la publication du premier article scientifique sur le syndrome. Dans la communauté CFC, du haut de ses vingt-deux ans, elle fait partie des doyens. Elle a passé quarante-sept jours en service de néonatologie avant qu'on la laisse rentrer à la maison ; quarante-sept jours pour prouver qu'elle pouvait survivre, avant que l'hôpital la rende à ses parents, désormais chargés de démêler ce douloureux mystère : comment la garder en vie ? Il n'existait pas de précédent dans le système médical hyperbureaucratisé de la province, Melissa était la première, résultat : elle n'avait accès ni à la kinésithérapie ni à l'ergothérapie.

— On nous a refusé beaucoup de soins médicaux, déclare Fergus. À l'époque, le CFC n'était qu'un descriptif.

Melissa est une adulte fonctionnant avec le mental d'une fillette de deux ans : elle est capable de sortir le lait du réfrigérateur et de s'en servir un verre, mais incapable de s'habiller seule, et elle se mord les mains quand elle est frustrée. Elle peut indiquer à sa mère où se cache le téléphone portable que l'on cherche, mais ne peut absolument pas survivre par ses propres moyens. Les gens ont souvent peur de Melissa : elle est presque chauve et a des hémangiomes – des tumeurs bénignes vasculaires rouge foncé – entre les yeux. (Certains médecins conseillent aux parents de les faire enlever, d'autres recommandent de ne pas y toucher.)

Nous discutons par téléphone ; Bernice se trouve dans ce qui semble être la cuisine avec Melissa, elle tient le combiné, tandis que Fergus intervient depuis un second poste dans une autre pièce.

— Nous aurions de quoi critiquer sévèrement les soins médicaux qu'on offrait à quelqu'un comme Melissa, me dit Bernice d'une voix étouffée. Notre pédiatre ne s'impliquait pas, pour lui, c'était inutile. Il posait toujours la même question : y avait-il du changement dans la vie de Melissa, à court terme, à long terme ? Non. Mais il était intéressé, curieux. Nous avions l'impression que les membres du corps médical satisfaisaient leur curiosité.

163

Melissa est un spécimen. Pourtant elle a une personnalité, une présence incontournable et une mémoire étonnante : elle utilise encore les trente signes qu'on lui a appris dans son enfance. Elle est capable de faire des choix, elle a des préférences et des dégoûts marqués, surtout concernant ses vêtements.

– Elle a l'air de n'avoir même pas regardé, commente sa mère, mais elle ne le mettra pas.

Dans ce domaine, elle ressemble à de nombreuses adolescentes.

– Melissa a énormément d'empathie pour les gens, les chiens, les animaux, dit alors Fergus.

J'en suis de nouveau ébranlé, d'une façon qui m'est devenue familière : c'est déchirant d'entendre un homme parler ainsi de sa fille, chercher des choses gentilles à dire et trouver ça, son empathie pour les animaux, comme un pêcheur sortant, tout surpris, un poisson d'un torrent. Je comprends, croyez-moi, je comprends, mais cela ne m'en déprime pas moins. Toutes mes conversations avec d'autres parents CFC se ressemblent.

À cause de Melissa, Fergus n'a pas le droit – et ça le rend dingue – d'éprouver les mêmes élans, les mêmes désirs que le reste du monde. Car avoir des ambitions normales pour soi-même signifie qu'on se fait passer, fût-ce momentanément, avant son enfant phagocyteur.

– Quel a été le prix à payer pour vous deux ? je demande.

– Vas-y, chéri, dit Bernice – à l'évidence, le sujet n'est pas nouveau.

– Je pense qu'il y a eu un prix à payer sur le plan professionnel, répond Fergus. Nous n'avons pas pu changer de métier, suivre des formations. J'ai cherché à grimper les échelons, mais je n'avais pas la possibilité de travailler sans compter mes heures.

– Et puis, on ne rit pas beaucoup dans cette maison, renchérit Bernice. Nos garçons s'amusent, mais ils ne sont pas insouciants. Ils ont vingt et vingt-deux ans. À dix-huit ans, ils changeaient Melissa quand elle avait ses règles. Un garçon de dix-huit ans devrait-il avoir à faire ça ?

L'un des deux frères a décrété qu'il n'aurait pas d'enfants : il a déjà donné, avec sa sœur.

J'entends Melissa pousser un petit gémissement. Est-elle gênée ?

– Oui, tes frères ne sont pas là, dit Bernice à sa fille. Ils ne viendront pas aujourd'hui.

– Notre administration provinciale considère que, quand on a un enfant handicapé, la famille doit s'en charger, enchaîne Fergus. On donne les allocations au compte-gouttes. Les parents de handicapés réclament toujours ceci ou cela, et l'administration répond : on ne peut pas donner tout à tout le monde. À mon avis, le dispositif d'aide est entravé par la sécurité sociale.

Le handicap de Melissa est dû à une chaîne de gènes défaillants. Cependant Fergus est convaincu que les gens rechignent à payer pour les handicapés de même qu'ils renâclent à fournir une couverture sociale aux chômeurs et aux indigents. Comme si certains, y compris le gouvernement (d'où la difficulté d'obtenir des allocations), pensaient que Fergus a l'intention et le temps, dans l'enfer où il est, d'utiliser le handicap de son enfant pour escroquer l'État et les contribuables.

La solution du gouvernement provincial – compter sur les familles élargies pour s'occuper d'un enfant handicapé – ne fonctionne pas. Le clan McCann comporte quarante-quatre personnes du côté de Bernice, et huit du côté de Fergus. Aucune n'a jamais proposé de prendre Melissa pour un week-end. Indépendamment de ce que l'on peut penser de cette attitude (Bernice, quant à elle, semble un peu blessée : « Ils ne se sont pas beaucoup foulés, en vingt et un ans »), ce n'est de toute façon pas une base valable pour une politique publique.

– Le gouvernement devrait donner à une famille ce dont elle a besoin, dit Fergus. La justice, ce n'est pas l'égalité. Chaque individu a ses propres besoins.

Néanmoins, l'épineux équilibre entre ce qu'on peut réclamer et ce à quoi on a droit, et à combien on a droit, vient toujours en tête des préoccupations des McCann. Fergus et Bernice ont quémandé, argumenté pendant des années, avant que les autorités de Colombie-Britannique acceptent de rémunérer deux auxiliaires de vie pour les soutenir. Les McCann ont tenté l'expérience. Un jour, Bernice en arrivant chez elle a découvert qu'on avait déplacé tous les meubles. Un autre jour, elle a retrouvé Melissa avec la tête rasée : on avait tondu son duvet frisotté pour qu'elle attire moins l'attention. Lorsque Bernice me raconte ces anecdotes, je suis le premier à me demander si elle n'est pas trop exigeante. Elle a une enfant lourdement handicapée, et le gouvernement paye quelqu'un pour vivre chez elle et l'aider à s'occuper de sa fille : c'est mieux que rien. Ne faut-il pas plutôt dire merci ? Mais, plus j'y réfléchis, plus cet argument me paraît irrecevable. Au nom de quoi faudrait-il considérer comme une faveur le fait qu'un étranger tyrannique s'installe dans votre maison, aux frais du gouvernement ?

Melissa est une anomalie, dérangeante de surcroît, or la bureaucratie n'est vraiment pas à l'aise avec les anomalies dérangeantes. Les handicapés bousculent notre sens de l'ordre établi : ils nous effraient, sinon par leur apparence, du moins par leur vulnérabilité. Ils nous obligent à nous dépasser. Le handicap de Melissa est en soi un problème incurable, une tare et une impasse : il n'existe pas de remède universel, permanent, quelle que soit la générosité, la bonne volonté de l'administration. Auxiliaires de vie ! Financement d'institutions ! Centres spécialisés ! D'excellentes idées, toutes condamnées à l'échec pour X ou Y. Et, naturellement, nous voulons tous des solutions, l'administration comme les parents. Nous voulons tous ne pas avoir à regarder en face la sinistre vérité : chaque handicap est un cas particulier, unique et, éventuellement, insoluble.

Walker est une réalité. Il sera tel qu'il est toute sa vie. Il représente beaucoup de choses pour moi, notamment il me rappelle ma propre fragilité, ma peur. Des failles que je peux admettre, dans le secret de mon esprit, mais qu'aucune administration ne peut tolérer. Et donc la solution administrative devient la « panacée », appliquée sans discrimination. C'est l'inéluctable histoire du retard mental, mais aussi de la maladie mentale. En 1801, Philippe Pinel publiait son *Traité médico-philosophique sur l'aliénation mentale*, inaugurant ainsi l'ère des asiles psychiatriques ; cinquante ans plus tard, un Parisien sur dix y avait fait un séjour. Les asiles étaient le remède universel de l'époque.

Cependant, Fergus et Bernice McCann manquent avant tout d'intimité, plus que d'argent ou d'aide. Melissa les a propulsés dans le système de l'assistance publique, les a contraints à se bagarrer pour obtenir tout ce dont elle a besoin. Melissa est handicapée, mais veiller sur elle a eu pour conséquence de handicaper Bernice et Fergus.

– Quand on a un gamin handicapé, dit Fergus, on ne peut pas rester spectateur, comme on le fait quand on a un enfant normal. On se bat, on se met dans des situations embarrassantes, et on renonce à beaucoup de choses. Nous, on a perdu le droit d'avoir tout simplement une famille à qui on fiche la paix.

Inévitablement, Fergus et Bernice se demandent ce qu'il adviendra de leur fille après leur mort. Ils ont fait en sorte que Melissa vive sous son propre toit avec trois jeunes femmes pour l'assister. Ils lui ont donc acheté une jolie maison, presque deux fois plus grande que la leur, qui coûte 573 000 dollars (« Vingt-cinq ans de mes fichues économies », maugrée Fergus.) Le gouvernement contribuera à rémunérer les trois auxiliaires ; le bon fonctionnement de la maison sera supervisé par un conseil comprenant les frères de Melissa.

Lorsque je fais la connaissance de Bernice et Fergus, ils sont en pleine « transition », ils installent Melissa dans sa nouvelle maison, dans sa nouvelle vie. Elle paraît contente. Leurs fils quittent également le cocon familial, et Bernice et Fergus se retrouvent brusquement confrontés à la perspective d'un nid vide.

— Si nous avions eu le choix, dit Fergus, nos enfants ne seraient pas partis si tôt, mais ils ont décidé de faire ça en bloc.

Après des années à rêver d'une solitude impossible, il sera bientôt seul ; étonnamment, il en est dévasté.

Une part de moi a envie de répondre à Fergus : *eh bien, tu as ce que tu voulais.* Je ne dirais pas ça à un père d'enfant normal, désireux depuis des lustres d'avoir du temps pour lui et qui, quand ses enfants commencent à quitter le nid, regrette leur présence. Mais Fergus et Bernice McCann ont résolu d'obliger le monde à se pencher sur le malheur de leur fille. Même moi, qui sais de quoi il retourne, j'ai envie qu'ils payent pour m'obliger à partager leurs souffrances.


Il y a toujours une histoire pire que la précédente. Aussi dure que puisse être la vie de quelqu'un, il y a toujours pire.

Angie Lydicksen n'a jamais quitté sa ville natale, dans le Connecticut. Âgée de quarante-deux ans, elle dirige un cabinet dentaire. Elle a deux garçons, Eric dix ans, et Luke, huit ans, CFC. Avant de mettre au monde son premier fils, elle désespérait de fonder un jour une famille ; elle avait fait trois fausses couches, puis suivi un traitement hormonal. Mais, pour Luke, elle est tombée enceinte rapidement, au moment où elle le souhaitait.

– Je ne voulais pas trop d'écart entre mes enfants, me dit-elle.

Sa seconde grossesse a été « plus que parfaite ». Les contractions ont commencé deux semaines avant la date prévue, mais les médecins ont considéré que l'enfant naissait à terme.

– Mon problème, c'était de mener une grossesse jusqu'au bout, par conséquent pour Luke, je n'ai même pas imaginé qu'une tout autre vie débutait.

Étrange récompense pour sa persévérance. Son existence a été bouleversée en un instant.

– Dès l'expulsion, le ciel nous est tombé sur la tête. À la seconde où on me l'a mis dans les bras, mon mari et moi avons su que quelque chose n'allait pas. Il n'établissait pas de contact avec nous.

On l'emporta rapidement au service de soins intensifs pédiatriques. Pendant ce temps, sa mère fit une hémorragie dans sa chambre d'hôpital et perdit connaissance. L'infirmière qui la découvrit tomba dans les pommes. Bref, une journée particulière.

Face à Luke, les médecins étaient désemparés, aucun ne savait mettre un nom sur sa maladie. Durant trois ans, Angie le trimbala à Boston, à l'Hôpital des enfants, et dans d'innombrables établissements du Connecticut, avant que quelqu'un suggère le syndrome de Costello. Ce diagnostic ne la convainquit pas – elle estimait que Luke ne ressemblait pas totalement aux autres enfants Costello. Là-dessus, elle lut un article dans le magazine *Rosie*. Un article de ma femme, qui décrivait Walker. Le magazine sous le bras, Angie amena illico Luke chez son pédiatre.

Ne serait-il pas plutôt atteint du CFC ? Le pédiatre s'en fichait éperdument.

— Il m'a dit de le ramener à la maison et de l'aimer. « À chacun son lot », a-t-il ajouté. Je me suis débarrassée de ce docteur.

Et elle entama une longue et pénible quête d'un diagnostic plus précis. Elle essaya de consulter John Opitz, lequel était débordé et ne put recevoir Luke avant un an. *Un an.* Elle finit malgré tout par rencontrer le généticien à Salt Lake City, mais Opitz estima que Luke n'était pas un CFC : les traits du petit garçon étaient plus « fins » que ceux d'un CFC typique (ce que Angie avait remarqué toute seule), et le fait que Luke ait des sourcils ne lui plaisait pas : 95 % des enfants présentant des symptômes du CFC mais qui avaient des sourcils s'avéraient être des enfants Costello. Pour Lydicksen, un tel jugement ressemblait fort à une simple hypothèse.

Elle emmena son petit garçon à la conférence annuelle des enfants Costello, mais jugea qu'il n'y était pas à sa place. Lors d'une deuxième visite, en 2005, elle rencontra un chercheur du Comprehensive Cancer Lab de San Francisco. Il tentait d'isoler les gènes responsables des deux syndromes, CFC et Costello. Luke passa le test génétique pour le syndrome Costello : négatif. Lydicksen en fut anéantie.

— Nous voulions tellement qu'il entre dans une catégorie quelconque. Au lieu de quoi, nous étions rejetés dans l'inconnu.

Quelques mois plus tard, la généticienne californienne Kate Rauen confirma que Luke avait le CFC. Malheureusement, il était plus sévèrement touché que la plupart de ses congénères. Il ne parlait pas, quoique, d'après sa mère, il entendît très bien. En revanche, pour la vue, elle ne savait pas trop (il regardait des émissions pour les tout-petits, à quelques centimètres de l'écran) ; aujourd'hui encore, il a besoin d'un déambulateur mais préfère se déplacer à quatre pattes ; à l'âge de trois ans, il eut une brusque poussée de croissance et présenta des signes de puberté précoce (un symptôme rare mais répertorié du CFC ; comme si les caractéristiques habituelles du syndrome n'étaient pas suffisamment éprouvantes, Luke dut subir une injection toutes les trois semaines, afin de tenir ses hormones sous contrôle en attendant qu'il soit plus âgé). Contrairement à la plupart des CFC, Luke est grand : à neuf ans, il mesure plus d'un mètre soixante. Ses problèmes cardiaques se sont atténués (comme Walker), mais (comme Walker) il est devenu épileptique.

Luke reconnaît sa mère et son père, ses frères, sa grand-mère ; il est très affectueux, mais (comme Walker) il n'a manifesté son affection qu'au bout de cinq années. Avant (comme Walker), il préférait rester en tête à tête avec lui-même.

– Pour moi, il a entre quinze et dix-huit mois d'âge mental, me déclare Angie. Moins de deux ans, en tout cas. Pas de communication verbale. Il rit, il joue – mais il ne lui faut pas trop de jouets.

Comme Walker, il adore retirer son chapeau, inlassablement, pour embêter quiconque tente de l'en coiffer.

– Grosso modo, Luke est heureux, me dit Angie. Quand il pleure, il y a une raison. Je crois qu'il a une bonne qualité de vie, grosso modo, je crois qu'il est heureux dans son petit univers à lui. Et moi, grosso modo, je suis heureuse qu'il soit heureux. Quelquefois, ça me brise le cœur qu'il soit prisonnier de son petit univers. Mais, quelquefois, je me demande si ça ne vaut pas mieux. Il va se coucher en souriant, il se réveille en souriant, alors je me plais à penser qu'il est heureux en permanence. Oui, je me plais à le penser.

Un sentiment partagé par beaucoup de parents d'enfants CFC. Mais chez Angie Lydicksen, c'était d'autant plus frappant que, six mois avant de me dire ces mots en mai 2007, elle avait découvert qu'elle souffrait d'un cancer du poumon. Cependant, elle songeait moins à sa santé qu'à la valeur de son fils en ce monde.

– Seigneur, il nous a tant donné, me déclara-t-elle, ce jour-là, alors que, déjà, elle se savait condamnée. Il nous a enseigné à accepter la vie telle qu'elle est. Soit on reste au fond du trou, soit on se relève et on continue. On a tout de suite (après la naissance de Luke) changé nos habitudes. On a fait du camping, parce qu'il aime ça. Luke nous a surtout appris à accepter la différence, à ne pas avoir peur de lui. Ce n'était pas du tout comme ça, quand on était mômes. On ne s'approchait pas des handicapés. Maintenant, tout le monde joue avec eux. J'ai pensé sans arrêt : s'il peut faire ce qu'il a fait, alors je peux aussi y arriver.

Une allusion à son cancer. Luke mettait les choses en perspective. Quand d'autres mamans se plaignaient d'un enfant qui n'avait pas dormi toute la nuit, elle essayait de ne pas s'esclaffer.

– Dormir toute la nuit ! Seigneur Dieu ! Je n'ai pas eu une vraie nuit de sommeil depuis neuf ans.

Elle voulait être toujours là pour lui, et lorsqu'elle tomba malade, elle craignit que personne ne puisse la remplacer dans la vie de Luke. Mais ensuite, elle changea de point de vue. « Sur le long terme, il a une grande capacité d'adaptation. » La terrible maladie d'Angie ne faisait que souligner davantage ce que le handicap de Luke avait déjà révélé.

– Sans lui, j'aurais été beaucoup plus matérialiste. J'aurais eu des trucs et des machins. Maintenant, vous voyez, je m'en passe très bien. Je n'en ai pas besoin. Il suffit d'avoir la santé, les gens qu'on aime et une famille solide...

Angie Lydicksen ressemblait à n'importe quel parent qui a élevé un enfant, avec ce que cela comporte de hauts et de bas – la sourde et constante anxiété, ponctuée d'explosions de peur, la fierté et la frustration, l'épuisement et le plaisir. À cette nuance près : elle n'avait pas la possibilité de se laisser submerger par ce sentiment d'isolement qui peut conduire un père ou une mère à croire qu'ils sont les seuls sur terre à traverser telle ou telle épreuve.

– Je ne comprends pas qu'on se lamente sur son sort, me dit Angie ce jour-là, au téléphone.

Au printemps, elle mourut de son cancer. Elle avait quarante-deux ans. Luke vit toujours avec son père.

Je cherchais toujours un contexte pour éclairer Walker, un contexte qui conférerait à sa vie chaotique (et mon inéluctable dévouement à cette existence) un sens, un but plus évidents. Je pensais les trouver dans le quotidien d'autres enfants CFC, et dans l'exemple de leurs parents. À ma surprise, même s'il était plutôt rassurant de savoir qu'il appartenait à une communauté, et que je n'étais pas seul, la nature de cette communauté – une centaine d'enfants et leurs parents, invisibles dans le vaste monde, acharnés à dompter leur douleur et recouvrer un semblant de vie normale dans des circonstances absolument anormales – était plus complexe qu'il n'y paraissait et, parfois, aussi dérangeante que réconfortante. Je savais désormais que « Walker et ses manières de faire », comme disait Johanna, n'étaient pas uniques. Il me restait encore à découvrir pourquoi il était comme ça.

Je me tournai donc vers la science, au cas où la recherche pourrait expliquer mon petit Walker.

# 10

Il existe tout un lexique pour « comprendre le syndrome cardio-facio-cutané », disponible sur le site Genetics Home Reference référencé par la United States National Library of Medicine :

*Apoptose ; atriale ; autosomique ; autosomique dominant ; cancer ; cardio ; cardio-myopathie ; cellule ; crise épileptique ; cutané ; défaut septal ; différenciation ; fente palpébrale ; gène ; hypertélorisme ; hypertélorisme orbital ; hypertrophique ; hypotonie ; ichtyose ; incidence ; kératose ; macrocéphalie ; malformation ; mutation ; mutation de novo ; noyau ; prolifération ; protéine ; protéine Ras ; ptôse ; retard mental ; retard staturo-pondéral ; sténose ; sténose pulmonaire ; signe ; stature ; stature courte ; symptôme ; syndrome ; tissu, tonicité musculaire.*

Le vocabulaire de l'étrangeté de Walker m'hyptonisait. On avait inventé pour une créature nouvelle des mots nouveaux, imprégnés de la prétendue exactitude propre à la terminologie scientifique, comme si toutes ces étiquettes disaient quelque chose d'utile, ce qui, bien sûr, comparativement, était le cas. La séduisante complexité multisyllabique nécessaire à la description d'un arriéré mental, pour reprendre l'ancien terme, jadis scientifique, appliqué à un petit garçon de ce genre. Tout ce qui concernait

Walker était embrouillé. Souvent cela me convenait, car cela lui donnait de la profondeur et, à moi, matière à réflexion. Parfois, il n'y avait pas à chercher plus loin.

Mardi 30 avril 2007. Je suis assis à ma table, au *Globe and Mail,* le grand quotidien qui m'emploie, le matin où je lis l'article scientifique annonçant qu'une certaine Kate Rauen, généticienne, a découvert une mutation dans trois gènes associés au CFC. Nous travaillons dans des bureaux paysagers ; un lieu agréable pour écrire, dans son genre. Mais, ce matin-là, je dois quitter ma table et sortir. Je ne peux plus respirer.

Un gène responsable du CFC : après onze années de vie avec le mystère de Walker, cette idée est excitante et terrifiante. Ma relation avec Walker a été personnelle, intime ; nous fonctionnons selon nos propres critères, selon ce qui marche entre nous. Je lui « parle » et il me « parle », nous échangeons des clics pour signifier que nous sommes attentifs, conscients que l'autre est là, à l'écoute. Voilà que maintenant il y a un gène, une impersonnelle cause scientifique, à l'origine de sa maladie. Qu'est-ce que cela m'apprend ? Et cela m'empêchera-t-il de croire en ce qui constitue, je m'en persuade, les facultés secrètes de mon fils ? Pourrai-je encore puiser du réconfort dans notre langue à clics – pour ne prendre que cet exemple – si le gène décrète que c'est inutile, qu'une telle communication dépasse les capacités de mon petit garçon ? Jusqu'ici, j'ai déjà dû partager mon fils avec sa deuxième maison. Me faudra-t-il à présent le partager avec la science ?

Certes, cette découverte est un immense espoir. Si je savais quelle erreur génétique a provoqué les problèmes de Walker, j'aurais un tiroir où les ranger. Peut-être aurais-je même un traitement. Il y aurait une cause irréfutable, quelque chose à accuser et quelque chose à réparer

175

— une miette de fait concret dans l'océan de conjectures et d'approximations qu'était sa vie, ainsi que la nôtre.

Deux semaines plus tard, je débarque à San Francisco pour interviewer le Dr Rauen. À l'aéroport, je loue une voiture munie d'un GPS. Une découverte pour moi qui ai toujours utilisé des cartes. J'aime les cartes routières, j'aime me familiariser sur un plan avec des lieux inconnus.

Grâce au GPS, je peux atterrir après la tombée de la nuit dans une grande ville dédaléenne, louer un véhicule et enregistrer l'adresse où je suis censé arriver. Le GPS me commande de tourner à gauche à la sortie du parking et me lance aussitôt sur un réseau d'autoroutes, une coulée de lumières qui, défilant à toute allure, aboutit à un parking d'hôtel. Le GPS me donne l'impression de parvenir très vite à destination. Revers de la médaille, à aucun instant, je ne suis capable de me situer dans l'espace. Le GPS vous emmène où vous avez décidé d'aller, et élimine les itinéraires moins directs. Exactement comme un gène CFC.

Le laboratoire de recherche génétique, au Comprehensive Cancer Center de San Francisco, où travaille Kate Rauen, est éclairé comme l'intérieur d'un réfrigérateur et encombré de manuels, éprouvettes, lames de verre et scanners de biopuces. Les articles scientifiques qu'écrivent les généticiens – et qui s'adressent essentiellement à leurs pairs – ont des titres incompréhensibles pour le profane, du style : « Kératose pilaire/ulérythème ophriogène et monosomie 18p : le gène LAMA1 possiblement impliqué ? »

Les généticiens, quant à eux, arborent la mine un rien ahurie de soldats émergeant de la jungle pour apprendre que la guerre qu'ils mènent est terminée depuis vingt ans. Ils ont une prédilection pour les économiseurs d'écran insolites, ne représentant surtout pas des êtres humains : mettons un chat endormi dans une petite cabane en bois.

Le matin où je me présente au laboratoire de Rauen, sa collègue, Anne Estep, dose du liquide nutritionnel dans des boîtes de Petri. Ces boîtes renferment les clones de vingt-neuf mutations différentes d'un gène isolé par Estep et Rauen dans l'ADN de sujets CFC. Rauen n'étant pas encore là, Estep – une belle femme blonde, trentenaire, visiblement passionnée par son métier – relève le défi de m'expliquer les bases génétiques, complexes, du CFC.

Elle considère le processus dans son ensemble d'un point de vue scientifique, comme une preuve de l'élégance de la biologie humaine.

– Tant de choses peuvent déraper au moment de la conception. Dans la majorité des cas, il se produit un avortement spontané, à un stade extrêmement précoce de la grossesse – une sélection naturelle, en quelque sorte. Seule une infime minorité d'embryons réunira les facteurs nécessaires pour aboutir à une naissance.

C'est un nouvel éclairage sur Walker – il n'est pas fracassé, juste légèrement défectueux, telle une paire de chaussures tout à fait mettable quoique soldée. Il représente, selon Estep, une « configuration génétique compatible avec la vie ».

Chacun de ces enfants est un être humain qui vit, respire. L'éventail est donc large. Tous ont deux bras, deux jambes. La plupart ont toute une gamme d'émotions. Ils sont humains.

Deux semaines avant notre discussion, on a présenté Emily Santa Cruz à Estep – sa première rencontre avec l'incarnation des gènes CFC qu'elle a étudiés durant huit mois au labo. Elle a trouvé cette rencontre « très touchante ». Elle a néanmoins été surprise, déclare-t-elle tranquillement, par la sévérité des retards que présente Emily. Même pour une scientifique aussi passionnée qu'Estep, un gouffre sépare la vie qu'elle analyse au labo de la vraie vie.

Kate Rauen a une quarantaine d'années, elle est blonde,

petite, extraordinairement énergique. Elle exerce à l'Hôpital des enfants de l'université de Californie, où elle dirige un service, ainsi qu'au Comprehensive Cancer Center. Elle a le don de rendre accessibles les arcanes de la génétique.

– Voilà notre chromosome, m'explique-t-elle plus tard ce jour-là, et voilà notre ADN. Les gènes sont là, sur l'ADN, côte à côte, pour ainsi dire. Le gène synthétise l'ARN, lequel fabrique une protéine. Ce sont les protéines qui flottent dans la cellule et font le travail.

On compte, à la louche, 25 000 gènes codant des protéines dans le génome humain, et quelque 35 000 gènes régulateurs. Certaines protéines se replient sur elles-mêmes en structures complexes (toujours en fonction du code génétique) et forment des cellules, qui à leur tour forment le tissu humain. D'autres protéines sont régulatrices, elles contrôlent d'autres enzymes (la bureaucratie est partout). Les protéines et enzymes de la famille RAS sont régulatrices – précisément, ce sont des commutateurs moléculaires pour un groupe de voies de signalisation communiquant entre la membrane d'une cellule et son noyau, pour contrôler la prolifération cellulaire.

– Le noyau est le cerveau de la cellule, son seul recours pour obtenir des ordres provenant de l'extérieur, résume Rauen. Ces instructions sont transmises sous forme de signaux, un réseau de transduction, autrement dit les molécules communiquent les unes avec les autres, et donc indiquent au noyau ce qu'il doit faire.

Le processus fonctionne comme le téléphone arabe. Une enzyme ou protéine se colle au feuillet externe de la membrane plasmique et fournit une information ; sur le feuillet interne, une enzyme transmet l'information par l'intermédiaire de divers réseaux à l'intérieur de la cellule jusqu'à ce que le message atteigne le noyau – lequel exécute alors l'ordre tel qu'il l'a compris.

RAS active à son tour d'autres voies de signalisation,

comme la voie MAPK, contrôlant des fonctions cellulaires encore plus spécifiques. La voie RAS est bien connue des chercheurs : 30 % des tumeurs cancéreuses correspondent à une forme ou une autre de dérégulation de RAS, se traduisant par une prolifération cellulaire ou blocage de l'apoptose, consécutifs à un message erroné.

— Je ne suis qu'un médecin généticien à l'ancienne, me déclare Rauen. Je vois des patients et j'essaie de poser un diagnostic. Mais je suis entourée de tous ces biochimistes géniaux qui ont potassé la transduction de signaux. J'examine ces voies de signalisation et je me dis : bon sang, un de ces jours, ils trouveront des syndromes génétiques associés à ces systèmes de transduction, ils trouveront l'aiguille dans la botte de foin.

On a déjà découvert qu'un des gènes associés au syndrome de Noonan joue un rôle dans la voie RAS. De même qu'un gène de la neurofibromatose. Les caractéristiques physiques des deux syndromes, à quelques détails près, sont remarquablement semblables à la symptomatique des syndromes Costello et CFC. Que des gènes responsables de la mutation CFC se nichent également dans la voie RAS ne semble pas absurde.

Cependant, financer l'étude d'un syndrome susceptible de toucher trois cents personnes dans le monde est une autre paire de manches. Heureusement – du moins pour Rauen –, il est de notoriété publique que la voie RAS joue un rôle dans l'apparition de cellules cancéreuses, résultant elles-mêmes d'une incontrôlable prolifération cellulaire. Costello, Noonan et la neurofibromatose provoquent des tumeurs, mais pas le CFC. Pour Rauen, il y a là une piste de recherche. Trois des quatre syndromes liés à la même voie cellulaire provoquent le cancer, pas le quatrième. En quoi diffèrent-ils génétiquement ? Leur étude fournira-t-elle des indices sur les causes de la formation des tumeurs ? En raisonnant par analogie, imaginons 100 enfants élevés dans la même rue ; 75 d'entre eux seulement développent le même type de cancer. Si l'on parvient à définir ce qui diffère chez les 25 qui n'ont pas le cancer, on peut éventuellement se forger une idée sur les causes de la maladie et son traitement.

Voilà ce qui a motivé la subvention du National Institute of Health. Rauen n'étudie plus une mutation touchant à peine trois cents gamins malchanceux. Elle étudie une potentielle cause de cancer, par l'intermédiaire des marqueurs ADN, bien commodes, de ces gamins.

– Nous allons beaucoup apprendre de ces enfants, me dit-elle. Nous apprendrons comment mieux les soigner... Nous en saurons tellement plus sur le traitement du cancer, grâce à eux, que c'est une découverte majeure à plusieurs niveaux.

Théoriquement, en tout cas. La pratique est une autre histoire. Rauen travaille simultanément sur Costello et CFC, pour tenter de découvrir les gènes responsables. Elle a besoin de trente sujets pour chaque syndrome, il lui faut leur consentement et leur ADN. Réunir trente sujets Costello a pris cinq ans. Lorsqu'elle a achevé son étude – or le gène Costello se trouvait bien là où elle le pressentait, dans la voie RAS –, elle s'est fait coiffer au poteau, un mois auparavant, par une équipe de chercheurs japonais de l'université de Tohoku, à Sendai, dirigée par Yoko Aoki.

Elle a eu plus de chance avec le CFC, grâce aux échantillons sanguins rassemblés par Brenda Conger et Molly Santa Cruz depuis 2000 lors de leurs conférences. Cinq ans ont été nécessaires pour lancer le programme Costello, quelques semaines suffirent pour le CFC.

– En quelques jours, on m'a adressé un bataillon de sujets CFC. J'ai eu l'ADN dans la même semaine. Ahurissant.

En janvier 2006, trente ans après la première description du syndrome cardio-facio-cutané, Kate Rauen publie ses conclusions. Les mutations associées au CFC concernent au moins trois gènes : BRAF, MEK1, MEK2. Une étude indépendante, au Japon, a isolé un gène supplémentaire. Le syndrome de Costello présente des mutations du gène HRAS, mutations associées au gène PTPN11 pour le syndrome de Noonan. Tous sont liés à la voie RAS et tous jouent un rôle dans la prolifération ou le suicide cellulaires.

Les gènes et leurs acronymes alambiqués (pour la plupart en rapport avec leur composition chimique) me semblent aussi déconcertants que des planètes découvertes depuis peu. Je n'ai toutefois pas de mal à suivre Rauen lorsqu'elle m'expose ce qui, selon elle, s'est détraqué chez Walker. L'heure du dîner approche, et par les fenêtres de son bureau, on voit San Francisco baignée dans son incroyable lumière dorée de fin de journée.

La séquence des quatre nucléotides, combinés et recombinés, constitue le génome humain, lequel comporte environ trois milliards de paires de bases. Chaque nucléotide est représenté par une lettre.

– Cette mutation, me dit Rauen, faisant allusion à celle responsable du CFC, représente un changement de lettre dans tout le gène. Eh oui ! Une seule lettre dans tout le gène, qui modifie un acide aminé, un seul acide aminé, un seul minuscule élément constitutif de la protéine. Voilà la cause du CFC.

– Sait-on pourquoi cette lettre change ?

– L'ADN se duplique, n'est-ce pas ? Il se duplique, mais pas avec une extrême fidélité. S'il n'y avait jamais d'erreur dans la duplication, nous serions tous identiques, n'est-ce pas ? Heureusement, et malheureusement, cela ne se produit qu'une fois sur un million. Une paire de bases sur un million contient une erreur. Toutes les catégories de protéines, enzymes et autres se mettent en branle pour essayer de la repérer et la rectifier. Par conséquent, beaucoup de ces erreurs passent à la trappe. Mais, parfois, l'erreur n'est

181

pas corrigée. Et, dans ce cas, cela provoque une modification de la protéine. Cette protéine modifiée peut améliorer notre système immunitaire. Ou renforcer nos muscles. Elle peut avoir des effets bénéfiques, c'est ce qu'on appelle l'évolution. La survie des mieux adaptés, vous voyez. Mais on peut également obtenir une modification génétique qui produit un effet délétère – une malformation cardiaque, un affaiblissement du système immunitaire.

Je remercie Kate Rauen, je quitte son bureau, traverse la rue pour m'asseoir sur un banc et réfléchir à tout ce qu'elle m'a dit. Pour la science, un succès évolutionniste – le succès d'une mutation due au hasard – est celui qui permet à un organisme de survivre et se reproduire. La nature seule n'aurait pas autorisé mon fils à survivre.

Si j'en crois la généticienne, Walker est un *effet délétère* de la nature.

Cependant, il n'est pas le fruit de la seule nature. Il a survécu, et sa survie est aussi le résultat de la technologie médicale et de la sollicitude humaine – le résultat d'une sonde de gastrostomie, de médicaments, de l'attention constante d'équipes convaincues que ça en vaut la peine, même si les progrès sont difficiles à évaluer. Walker n'est pas un sujet d'orgueil, intellectuellement et physiquement. Mais, à l'instar de nombreux enfants CFC, il a changé des vies, à commencer par la mienne ; grâce à lui, j'ai l'esprit plus ouvert, plus profond, je suis plus tolérant et plus résistant, plus fiable moralement. Je vois plus loin. N'est-ce pas également une forme d'évolution, éthiquement positive, quoique n'entrant pas dans le cadre de ce que mesure la génomique moderne ?

En levant les yeux, je m'aperçois que je suis assis près d'une sculpture, *Regardless of History** de l'Anglais Bill

---

* Littéralement : « Indifférent à l'Histoire. »

182

Woodrow. Un bronze de deux mètres de haut : un arbre frêle, noueux et sans feuilles, rabougri, enraciné dans un roc – mais vivant.


Je regagne Toronto. L'été fait place à l'automne. Notre quête pour comprendre l'état de Walker reprend.

Un mercredi matin d'octobre, je rejoins Tyna Kasapakis, la directrice de l'autre maison de Walker, au Service de génétique de l'Hôpital des enfants malades. Walker est là aussi. Le Service de génétique occupe une partie du quatrième étage d'un immeuble qui, de face, ressemble à un tube de rouge à lèvres géant. Le bâtiment a naguère abrité le siège social d'une banque suisse.

Le vigile me salue d'un hochement de tête. Il doit en avoir vu de belles, cet homme. L'ascenseur me dépose au quatrième, je me dirige vers le Service de génétique et m'installe dans la même salle d'attente immaculée où j'ai poireauté près de douze ans plus tôt, lorsqu'on a diagnostiqué le CFC chez Walker.

Je suis en avance, Tyna et Walker ne sont pas encore là, et je dois attendre, comme à l'époque, que quelqu'un apparaisse. Cela ne me dérange pas. Le calme optimiste régnant dans les bureaux avant neuf heures du matin me plaît. Je pousse un soupir, hume une fois de plus l'atmosphère figée et inodore des couloirs déserts, en proie à l'habituelle et fugace illusion que nous sommes les seuls humains à avoir jamais mis les pieds ici, spécimens triés sur le volet, égarés dans un univers tout neuf où l'on ne risque pas de croiser de mutants. (Les rendez-vous dans le Service de génétique sont très espacés, afin d'éviter au maximum que les aberrations se côtoient.)

Après avoir vécu onze ans avec un diagnostic clinique de CFC, Walker va maintenant subir un test génétique. Dans le système canadien, où la médecine dépend de fonds publics, un test génétique pour le CFC entraîne six mois d'attente : trois mois pour que l'administration provinciale de la sécurité sociale approuve le coût du test, et trois autres mois pour prélever un échantillon de l'ADN de Walker, remplir les formulaires, envoyer le prélèvement au laboratoire et obtenir les résultats.

S'ensuit la procédure habituelle. Pendant que Walker envoie valser des jouets à travers la salle, grimpe sur mes genoux pour en redescendre aussitôt, un conseiller en génétique (et parfois deux) passe en revue toutes les clauses de non-responsabilité d'usage. Ils ne garantissent pas qu'ils découvriront une anomalie dans ses gènes, mais cela ne signifie pas qu'il n'a pas le CFC. Si l'analyse de trois gènes se solde par un résultat négatif, on élargira la recherche à des gènes plus rares (et donc plus onéreux à tester). Nonobstant, un diagnostic n'est pas un traitement. La recherche génétique progresse à grands pas, toutefois la technologie est nettement en avance sur la compréhension scientifique des révélations technologiques. Un diagnostic génétique confirmera ou non que Walker souffre du CFC, mais même en cas de résultat négatif, il sera toujours Walker, le même petit garçon. Avons-nous des questions... ?

Je peux quasiment réciter par cœur tout ce baratin, tel un monologue de Shakespeare. Tester ou ne pas tester ? telle est la question. Y a-t-il plus de tranquillité d'âme à ignorer les paris et les rêves de la recherche génétique, ou bien à étudier chaque gène défectueux et à croire avoir ainsi une réponse ? Tester... tester et tester encore... et prétendre que par ce test nous mettons fin aux maux du cœur et aux mille tortures naturelles qui sont le legs de sa chair. C'est là un dénouement qu'on doit souhaiter avec ferveur*.

---

* Parodie du monologue de Hamlet.

184

Ensuite, la partie difficile : la collecte du matériel génétique. L'ADN de Walker a été prélevé pour un test chromosomique lorsqu'il était bébé (aussi incroyable que cela puisse paraître, il ne montrait aucune anomalie), et il est toujours disponible. Mais, ce matin, les généticiens prélèveront un nouvel échantillon, au cas où.

Je connais mon rôle. Même les médecins redoutent les réactions de Walker ; ils ne parviennent pas à faire la différence entre ce qui est douloureux pour lui et ce qui le perturbe simplement parce que ça n'entre pas dans ses habitudes. Je le serre dans mes bras, ma main gauche sur sa poitrine pour contrôler sa tête, la maintenir tournée du même côté et lui ouvrir la bouche, tandis que le grand daktari blanc s'apprête à tirer sur le fauve. Je sais le tenir solidement, parce que c'est la seule solution ; malgré tout cette façon de l'agripper surprend la plupart des médecins, même s'ils apprécient. Moi, cela me donne l'impression d'être utile, et plus proche de mon petit garçon. Je suis celui qui le manipule, en qui il a confiance, un homme à poigne qui, pourtant, jamais ne lui ferait de mal. Et puis le feu vert – *maintenant !* – et le docteur lui écouvillonne l'intérieur de la bouche avec une espèce de très long coton-tige, lequel est sur-le-champ enfermé dans un tube en plastique. Terminé.

L'hiver fut froid, la neige tomba en abondance. Walker prit l'habitude de chantonner avec moi *What Kind of Man Are You ?* et *I Had a Dream** de Ray Charles quand j'allais le chercher ou le ramenais au centre. Parfois, il y avait de la condensation sur les vitres ; j'entendais crisser les doigts de Walker sur le verre pour dissiper la buée, alors que nous chantions du blues, j'entendais Olga rire avec lui sur la banquette arrière.

---

* Littéralement : « Quel d'homme es-tu ? » et : « J'ai fait un rêve. »

Certains jours, pour accorder un répit à Olga, je le reconduisais tout seul, mais c'était délicat : trôner sur le siège avant, baisser les vitres pour balancer au vent mes cartes et plans l'emballait. Sur le siège avant, il n'était plus qu'allégresse gigotante, mais il aimait papoter – ou plutôt que je papote pour lui – tandis que nous roulions à vive allure sur l'autoroute. Mon Dieu, cela me fait mal de me remémorer à quel point je l'ai adoré lors de ces amusants trajets. Un père et son fils, en voiture – que faut-il de plus ? Toutefois, je me sentais un peu démuni, souvent un rien effrayé même lorsque Johanna ne nous accompagnait pas. Mais, bien entendu, nous étions efficaces : nous le ramenions à tour de rôle, inutile que deux personnes perdent deux heures en voiture, avec tout ce que nous avions à faire.

Le printemps arrive. Les trilles blancs que j'ai plantés poussent dans le jardin devant la maison. Là-dessus, une jeune conseillère en génétique, Jessica Hartley, téléphone pour annoncer une nouvelle peu banale. Aucun des gènes en principe associés au CFC – BRAF, MEK1 et MEK2 – ne présente de mutations dans l'ADN de Walker.

Je prends un autre rendez-vous, Walker, Tyna et moi nous retrouvons dans l'immeuble en forme de tube de rouge à lèvres. Ce test génétique, c'est mon idée, par conséquent c'est aussi mon devoir, pas celui de Johanna.

Hartley paraît bien trop jeune pour être aussi savante. Elle a les cheveux noirs, un style vaguement gothique. L'un de ses supérieurs se joint à nous. Mince, la cinquantaine, David Chitayat est chercheur en génétique à l'Hôpital des enfants malades. Qu'on n'ait pas repéré de mutations dans les trois gènes, nous déclarent-ils, ne signifie pas grand-chose.

– Si on ne trouve rien, ça ne veut pas obligatoirement dire qu'il n'a pas le CFC, ajoute Hartley d'un ton d'excuse. Si les résultats sont négatifs, on peut recommencer. Le CFC est assurément l'hypothèse la plus plausible.

Elle suggère de refaire le test, cette fois en cherchant également d'autres mutations, notamment celles liées aux syndromes de Noonan et de Costello.

À mesure que leurs connaissances sur le CFC et les syndromes cousins évoluent, de plus en plus de chercheurs pensent de nouveau que ces maladies sont apparentées – « anomalies de la voie RAS » ou « anomalies de type Noonan ». Le génome livre lentement ses secrets, et les chercheurs attribuent un éventail de plus en plus large de retards mentaux – surtout accompagnés de dysmorphie faciale et de troubles cardiaques – à des dérégulations des voies de signalisation intracellulaires. L'organisme de ces enfants semble ne plus savoir quand former des cellules et quand s'interrompre.

Chitayat est un généticien très respecté, doté d'une longue expérience dans ce domaine. La mutation se serait produite, nous dit-il, durant les deux premières semaines de la vie de Walker in utero. Chacun des différents gènes associés au CFC est censé accomplir son travail à une étape différente de la « cascade » d'événements s'opérant dans une cellule : le gène BRAF muté entre en jeu (« phosphorylation ») plus tôt, et donc dégrade le message de la cellule à un stade plus fondamental que ne le font les gènes MEK. Les enfants CFC avec mutation MEK semblent physiquement plus fragiles, mais ont des problèmes cognitifs moins sévères. C'est une théorie, en tout cas – tout n'est que théorique. Les généticiens ont découvert un vaste domaine de la physiologie humaine, mais on a souvent le sentiment que, plus ils élargissent ce domaine, moins ils comprennent comment s'agencent les détails.

Jessica Hartley, David Chitayat et Kate Rauen travaillent aux frontières de la science et fondent leurs hypothèses sur des interactions connues, analysables, pourtant, quelquefois, leurs spéculations ne me paraissent pas si différentes des médecines rituelles purificatrices des dix-septième et dix-huitième siècles français, quand on administrait café et suie de cheminée pour traiter la folie et qu'on pratiquait la saignée et une transfusion de sang de veau pour soigner la mélancolie.

Quoi qu'il en soit, déclare Chitayat :

– L'important pour nous est de diagnostiquer ce qu'il a. Mais déterminer la cause de ce qu'il a n'est pas si simple.

Au bout d'une heure de discussion, les étapes ultérieures sont plus claires. Nous recommencerons le test CFC, afin d'éliminer la possibilité d'un résultat faussé. Nous rechercherons également les mutations Noonan et Costello, ainsi que plusieurs autres syndromes apparentés touchant la voie RAS. Si ces tests sont eux aussi négatifs, on analysera l'ADN chromosomique de Walker par scanner de biopuces, infiniment plus précis que l'analyse chromosomique pratiquée quand mon fils était bébé. Le scanner cherche des mots manquants dans la phrase génétique de sa vie, tandis que le test génétique cherche également des fautes d'orthographe. Si Walker présente une mutation d'un gène encore à découvrir provoquant une anomalie chromosomique, le scanner révélera peut-être à quel endroit du génome se situe l'anomalie. En gros, nous savons que j'ai garé ma voiture dans l'Ontario, mais j'ai oublié dans quelle ville.

Quelques-uns des nouveaux tests (le scanner de biopuces, notamment) peuvent être pratiqués au Canada, pour les autres il faudra passer par certains laboratoires agréés aux États-Unis. Si l'on veut que l'ADN de Walker – si le résultat s'avère positif concernant le CFC – soit disponible pour des études scientifques, le laboratoire doit être agréé. Les tests coûtent respectivement 1 500 et 2 000 dollars ; l'accord de l'administration provinciale est nécessaire pour qu'ils soient pris en charge. Les tests américains sont plus onéreux et, pour être financés par notre système de sécurité sociale, réclament un examen approfondi du dossier. Les médecins appuient leur argumentation sur la nécessité d'établir un diagnostic génétique pour la maladie dont souffre Walker – une requête raisonnable, étant donné qu'un diagnostic précis peut permettre une meilleure compréhension de ses besoins et des traitements plus appropriés. Cette fois, nous n'aurons pas les résultats avant sept à neuf mois.

D'ici là, nous n'avons qu'à attendre. Comme si un fragment du corps de Walker avait été expédié quelque part dans le monde et tentait de retrouver le chemin de la maison. Encore que nul n'est pressé. Quel que soit le diagnostic, cela ne changera pas Walker.


Les résultats arrivent finalement, à l'automne 2008. Je retourne dans l'immeuble en forme de tube de rouge à lèvres. Jessica est là, cette fois en compagnie du Dr Grace Yoon, une neurogénéticienne de Toronto dont le travail sur les effets neurologiques du CFC a abouti à une collaboration avec l'équipe de recherche de Kate Rauen. Âgée d'une trentaine d'années, c'est une belle femme, mariée depuis peu, qui s'exprime de façon précise, en pesant soigneusement ses mots.

La dernière fournée de tests génétiques n'a hélas servi qu'à épaissir encore le mystère de Walker. Toujours négatif concernant le BRAF, MEK1 et MEK2, les gènes standard du CFC. Négatif pour le KRAS, gène responsable des syndromes de Costello ou de Noonan. Le PTPN11, associé à la neurofibromatose, ne présente pas de mutation, pas plus que le SOS1 et le BRAF1, deux gènes nouvellement étudiés et qui, pensait-on, avaient un lien avec le CFC.

– Cela ne signifie pas que Walker n'a pas le CFC. Il y a toujours des gènes que nous ne connaissons pas, m'explique le Dr Yoon, dans l'une des petites salles de consultation du service. Pour moi, il a indiscutablement une maladie génétique. Mais, pour le moment, j'ignore laquelle. D'autres médecins ont précédemment conclu au CFC, diagnostic qui reste, selon moi, le plus plausible.

Seulement soixante-cinq pour cent des sujets présumés porteurs du syndrome de Noonan, par exemple, présentent le gène « conforme ».

Yoon ajoute que, tout récemment, aux États-Unis et au Japon, des chercheurs ont établi un lien entre le gène SPRED1 et la neurofibromatose.

— Mais, en toute franchise, les patients souffrant de ce type de trouble génétique sont beaucoup moins atteints. Je le répète, il est parfaitement raisonnable de conclure au CFC.

Walker peut avoir une forme plus sévère et, par conséquent, une variation mutationnelle plus rare du CFC. Cependant, Yoon souhaite consulter ses collègues. Elle photographie le visage de Walker, ses pieds et ses mains, mesure l'espace entre ses yeux (plus écartés que ceux de la plupart des enfants CFC), note le pli épicanthal et la peau épaisse au-dessus des oreilles. La familière litanie des symptômes. Elle enverra par courriel les clichés et les informations à son équipe internationale et recoupera les divers avis.

Entre-temps, nous allons devoir encore attendre. J'éprouve la même sensation qu'au sortir d'un rêve dont, au réveil, on ne souvient pas : il s'est produit quelque chose, mais je n'en conserve qu'un impalpable, perturbant, résidu.

— Notre savoir est à la traîne, par rapport aux capacités de la technologie génétique, dit Yoon, devinant que je suis désorienté.

Les effets de la mutation génétique sur la cognition, tel est son champ d'expertise – une exploratrice à la limite extrême, non pas d'un secteur de la recherche médicale, mais de deux : les gènes encore mal connus et le cerveau, toujours méconnu. Dans son domaine, les chercheurs découvrent surtout qu'ils ne comprennent pas grand-chose.

– En médecine, il n'y a que trois éléments qui aient vraiment amélioré la qualité de la vie humaine, déclare Yoon avant de nous séparer. L'eau potable, la vaccination et les antibiotiques.

Les gènes ne figurent pas encore sur cette liste.


Les souvenirs de mes nombreux rendez-vous dans ces locaux aseptisés ne s'effacent pas. Je n'en veux pas aux généticiens : ils sont les premiers à admettre qu'ils ne savent presque rien et, en même temps, ils représentent, à l'évidence, l'avenir. Kate Rauen a isolé les principaux gènes mutés du CFC, apportant ainsi une contribution substantielle au bien-être des enfants atteints du syndrome, puisque leur maladie est plus facile à diagnostiquer. Un diagnostic précoce permet de recourir très tôt à un ensemble de thérapies destinées à atténuer les conséquences du syndrome. L'identification de la voie RAS comme principal responsable d'un large éventail de retards développementaux, sans parler d'une vaste catégorie de retards mentaux, est une découverte majeure.

Beaucoup de pistes de recherche prometteuses me remontent le moral – jusqu'à ce qu'on aboutisse à une impasse, auquel cas je retombe dans la déprime. Deux ans après la publication des travaux de Rauen, par exemple, des chercheurs de Rotterdam ont découvert que la simvastatine – un médicament courant utilisé pour abaisser le taux de cholestérol – agit chez les rats sur les déficits cognitifs causés par la neurofibromatose, déficits de l'apprentissage spatial et troubles de l'attention. (Je suis informé de cette étude un beau jour par le Dr Paul Wang, le pédiatre de Philadephie qui a évalué Walker – quand il avait deux ans –, ce médecin qui m'a dit que Walker

191

était la quintessence du vivant, très en avance sur nous tous dans ce domaine.

Malheureusement, les résultats étonnants obtenus chez les rats ne sont pas reproductibles chez les humains. Les progrès de la recherche génétique ne sont pas linéaires, il n'y a pas là de quoi se décourager. Une chose, en revanche, est décourageante : pour un chercheur qui étudie le CFC en tant que désordre génétique, le syndrome demeure seulement ça – un désordre, une faute impossible à rectifier dans la syntaxe de la condition humaine. Je comprends cette posture, mais en même temps je la déteste. Ne voir Walker que comme un désordre génétique m'amène immanquablement à penser qu'il existe bel et bien un ordre génétique ; pour chaque Walker, on compte des millions d'enfants génétiquement parfaits. Dans un laboratoire de recherche génétique, Walker sera éternellement un effet délétère de la nature et de l'évolution, et pas beaucoup plus que ça.


Lorsque les résultats des tests, après leur long périple, arrivent à l'automne 2008, l'industrie de l'analyse génétique est au bord d'un énorme boom. En décembre, Sequenom Inc., une société de biotechnologie de San Diego annonce un test non invasif de diagnostic prénatal, qui sera en vente dès juin 2009. Le test applique des méthodes brevetées élaborées par les universités d'Oxford et de Stanford.

Avant Sequenom, une femme enceinte craignant de donner naissance à un enfant porteur d'un syndrome ou d'une malformation n'avait qu'une seule solution médicale : une analyse de sang, réputée peu fiable, car donnant lieu à des résultats positifs erronés ; dans une étude, 136 femmes sur 199 étaient prétendument positives pour la trisomie 21, or six seulement ont eu un bébé trisomique. En gros, à ce stade, 2 % des femmes recourent à l'avortement, le reste passe à l'amniocentèse, une procédure beaucoup plus précise, mais invasive, avec d'éventuelles complications.

Le nouveau test de Sequenom mesure les cellules fœtales dans le sang maternel – un test sérologique non invasif aussi précis que l'amniocentèse et qui peut être pratiqué à dix semaines de grossesse. Jusqu'ici le test permet de déterminer le sexe de l'enfant et de dépister la trisomie 21 ainsi que la trisomie 13 (ou syndrome de Patau, dû à un chromosome 13 supplémentaire, provoquant division labio-palatine, polydactylie, cryptorchidie, retard mental sévère, anomalies cardiaques) et la trisomie 18 (hypotrophie, poings fermés, anomalies cardiaques et de l'appareil digestif, retard mental, cryptorchidie, sternum court*.) L'entreprise projette d'élargir la gamme de tests pour dépister d'autres maladies comme la fibrose kystique, la drépanocytose et la maladie de Tay-

---

* Vous remarquerez que de nombreux symptômes sont présents dans les syndromes CFC, Costello et Noonan (pour n'en citer que quelques-uns) bien que dus à des causes chromosomiques et génétiques radicalement différentes. Penser à ces similarités me donnait souvent le tournis. D'après le modèle le plus répandu proposé par les généticiens, chaque gène produit un effet différent – voilà comment les généticiens sont en mesure d'associer des maladies diverses à des gènes divers. Mais toutes sortes de syndromes partagent certaines caractéristiques, les problèmes cardiaques, le retard mental et la dysmorphie faciale étant communs à nombre d'entre eux. Comment des loci distants dans le génome peuvent-ils produire des effets semblables ? (Et je suis de plus en plus stupéfait de la ressemblance des enfants présentant des anomalies génétiques, surtout lorsque le retard mental compte parmi les symptômes.) Manifestement, le modèle utilisé par la génétique pour annoncer ses découvertes – le gène A provoque la maladie B ! – est beaucoup trop simple pour expliquer l'incroyable complexité des interactions génétiques. D'où ma préoccupation : un modèle excessivement simplifié de la formation d'un être vivant aboutit-il à un modèle excessivement simplifié de ce qu'est un être humain ? (*Note de l'auteur*)

193

Sachs. Grâce à cela, les femmes enceintes pourront s'épargner des angoisses, surtout les plus âgées (ou celles qui ont des maris âgés) qui courent plus de risques d'avoir un enfant atteint d'une anomalie génétique.

Le test n'est en aucune façon exhaustif ou subtil : il ne repère pas des affections plus rares comme celle de Walker, dont l'état est bien pire que celui des enfants trisomiques, dont beaucoup mènent une vie normale, raisonnablement féconde. Il ne peut pas non plus mesurer la gravité d'un syndrome. Car même dans le groupe des enfants CFC, par exemple, les différences sont de taille. Walker est incapable de parler ou de communiquer, alors que Cliffie Conger en est capable et aura vraisemblablement une existence quasi normale. Pourtant, si Sequenom produisait un test CFC, c'est chez Cliffie que l'on repérerait la mutation lors du test prénatal, pas chez Walker. C'est Cliffie, l'enfant le plus autonome, le plus proche de la norme, qui serait candidat à l'exécution. Voilà une subtilité sur laquelle les sociétés de dépistage génétique ne s'appesantissent pas dans leurs brochures publicitaires.

Néanmoins, on peut à présent prendre la décision d'éliminer une vie de ce genre dès la dixième semaine de grossesse*. D'ores et déjà, aux États-Unis, entre 80 et 95 % des femmes à qui on annonce que leur bébé est atteint de trisomie 21 optent pour l'avortement. Le nouveau test sérologique, plus précis, accroîtra indubitablement ce

---

* Le 29 avril 2009, Sequenom annonçait que la mise sur le marché de son test de dépistage Down serait retardée pour cause de « mauvaise interprétation des données et des résultats imputables à des membres du personnel ». La valeur des actions de l'entreprise chuta, passant de 14,91 à 4,69 dollars. Cinq jours plus tard, le 4 mai 2009, une plainte fut déposée devant un tribunal californien contre l'entreprise et ses dirigeants pour « déclarations mensongères ». D'autres sociétés, cependant, mettraient actuellement au point des tests similaires. (*Note de l'auteur*)

pourcentage. Résultat ? Les enfants atteints de trisomie 21 sont en voie de devenir une espèce en danger. Parallèlement, on dénombre dans le monde soixante-dix mille personnes atteintes de fibrose kystique, et quelqu'un souffrant de drépanocytose – un tiers de l'Afrique subsaharienne a le gène – peut vivre jusqu'à environ cinquante ans. Sequenom a ces deux maladies dans son collimateur. Les tests génétiques sont un moyen d'éliminer l'imparfait, et la souffrance, le chagrin, qui accompagnent l'imperfection.

Lorsque Walker était nourrisson, avant qu'il s'enracine dans mon cœur, mon esprit et ma mémoire, chaque jour je regrettais amèrement qu'on n'ait pas disposé d'un test, qu'on n'ait pas pu choisir qu'il vive ou non, pour son bien et le nôtre. Maintenant que je connais Walker, je me réjouis que ce test n'ait pas été disponible, je me réjouis de n'avoir pas à eu à affronter le dilemme éthique qui pourrait se poser bientôt. Car, dans ses bons jours, Walker est la preuve de ce que l'imparfait et le fragile ont à offrir ; la preuve qu'il existe bien des manières d'être humain ; une concentration de joie ; une incitation têtue à prêter attention aux fugaces détails du quotidien qui, sinon, passeraient inaperçus.

Un test empêche tout cela, pour le meilleur et pour le pire.

Toutefois s'il existait un système de prise en charge des handicapés plus adéquat, si nous avions moins peur d'eux, si la perspective d'élever un enfant handicapé ne détruisait pas les vies de ceux qui s'y collent – si nous avions des solutions, aurions-nous besoin d'un test ?


J'achève la lecture de l'article sur le nouveau test et me lève pour faire la vaisselle. Johanna prépare une salade composée.

— Qu'est-ce que tu penses d'un test de ce genre ? Je lui demande.

Elle réfléchit un long moment avant de répondre.

— Si, quand j'étais enceinte, il y avait eu un test susceptible de révéler ce que serait la vie de Walker, j'aurais avorté.

Je garde le silence. J'ai confectionné un gâteau au chocolat dans la matinée, et je m'acharne à présent à gratter le chocolat durci collé sur le batteur.

— On était jeunes, je serais vite retombée enceinte. On avait toutes les chances d'avoir un autre enfant normal.

Un frère normal pour Hayley, un allié lorsque notre fille en aurait eu besoin.

— Mais, dans ce cas, tu n'aurais pas eu Walker, je fais remarquer.

Johanna se met à s'agiter dans la cuisine. Elle cherche à gagner du temps, à l'évidence.

— Tu ne peux pas dire : connaissant Walker, me serais-je débarrassée de lui ? Avorter d'un fœtus anonyme, c'est une chose. Tuer Walker, c'en est une autre. Un fœtus n'aurait pas été Walker.

— À ton avis, à quoi ressemblerait le monde sans des gens comme Walker — sans gamins comme lui, des gamins qui ont de vrais problèmes ?

Une possibilité pas si invraisemblable, vu la sophistication du diagnostic prénatal.

— Un monde où il n'y aurait que des maîtres de l'univers ressemblerait à Sparte. Ce serait un monde hostile, cruel.

— Walker t'a donc appris quelque chose.

— Il m'a fait comprendre à quel point nous sommes gâtés, la plupart d'entre nous, la plupart du temps — nous croyons avoir des problèmes, mais nous n'en avons pas vraiment, par rapport à lui.

Elle coupe les légumes, les lave.

— Mais ce n'est pas à moi qu'il faut poser la question, reprend-elle. Je ne pense pas être quelqu'un de bien.

196

– Qu'est-ce que tu racontes ? Tu es une femme très bien.

– Je ne supportais pas d'être avec lui. J'ai toujours une opinion mitigée sur tout ce que j'ai fait et tout ce que je n'ai pas fait.

Elle est sa mère, n'est-ce pas ? pourtant elle ne l'a pas sauvé. Elle n'est pas non plus devenue l'une de ces mères de handicapés, mères à plein temps qui jamais ne cessent de faire des recherches et de défendre leurs rejetons déficients. Est-elle obligée de rester à la maison avec son enfant retardé, plus obligée que ne l'est une mère au foyer de travailler et faire partie de la société « normale » ?

Je ne le pense pas. Johanna a été une mère magnifique, elle a fait tout qu'il y avait à faire, et elle l'a bien fait, pourtant elle a la conviction que cela ne suffit pas. Le monde a assurément fermé les yeux sur sa triste situation, mais ne l'a jamais non plus accusée d'être coupable. Beaucoup de mères CFC éprouvent les mêmes sentiments – par exemple Amy Hess et Molly Santa Cruz, or elles sont restées à la maison et devenues les supermamans de handicapés les plus actives de ma connaissance. Pourtant elles n'échappent pas à la culpabilité : celle-ci palpite au plus profond d'elles, au plus profond de leurs cellules.

Johanna est la mère de Walker, celle qui a accouché du corps défectueux et douloureux de notre petit garçon. Elle ne peut pas songer à son infirmité, cela éveille en elle une trop accablante tristesse et, néanmoins, elle ne peut pas non plus ignorer Walker. La meilleure solution pour elle est de rester calme, occupée, en mouvement, de continuer à l'entourer sans se poser trop de questions. Une tâche délicate – autant essayer de franchir sur des talons aiguilles une grille d'égout, à ceci près qu'au-dessous ronflent l'enfer et la damnation éternelle.

Après un long silence, elle poursuit :

– Je ne sais pas ce qu'est la valeur de Walker pour le monde. Je ne suis pas sûre d'accepter l'idée que sa plus grande valeur, c'est d'avoir touché les gens. Que sa vie entière doive être ce machin à la Gandhi, faire que les gens se sentent mieux. Que sa vie n'ait de sens que parce qu'il permet aux autres d'être plus satisfaits de leur propre existence... ça ne me va pas. Sa vie devrait avoir sa propre valeur.

– Je ne prétends pas ça, dis-je en protestant. Il incite peut-être certaines personnes à penser de cette façon, mais sa vie est une vie. Malgré tout.

– Je n'ai aucun problème avec les centres spécialisés ni avec la vie qu'il mène, réplique Johanna, qui parle de plus en plus vite. Le seul problème que j'ai jamais eu avec sa vie, c'est quand il souffre. Je ne le supporte pas, c'est into-lérable. Une douleur insoutenable, et jamais de repos.

– Tu sais, il n'y avait aucun moyen d'y arriver tout seuls.

– Émotionnellement, je pense toujours que, si j'étais une mère, il serait encore à la maison.

Elle s'interrompt et c'est là qu'elle craque, comme je m'y attendais.

– J'ai l'impression de ne plus être sa maman. Mainte-nant je ne suis plus la personne vers qui il se tourne.

Elle pleure, je le sais sans même la regarder. Je la sens perdre pied, comme si le sol de notre maison se dérobait.

– Il se tourne vers d'autres.

Je ne trouve pas mieux à répondre. Elle hoche la tête. Oui, oui, c'est bien ça.

– Du moment qu'il y a quelqu'un pour l'aimer chaque jour, je me fiche de savoir qui c'est.

Elle sanglote à présent – ses sanglots brefs, efficaces.

Il est un vide, un trou dans notre vie qui y demeure toujours. Il était avec nous et, désormais, il ne l'est plus. Endurer chaque jour cette blessure fait-il de nous de meilleures personnes ? Non. Avions-nous le choix ? Non. Cela nous force-t-il à songer à cette blessure ? Oui. Cela change-t-il quoi que ce soit ? Je n'en sais rien.

# 11

*Du moment qu'il y a quelqu'un pour l'aimer chaque jour.*
Qui sera ce quelqu'un ? Voilà la question.

Comme Molly et Eddie Santa Cruz lorsqu'ils ont envisagé l'effrayante idée d'un centre spécialisé, comme Brenda et Cliff Conger quand ils ont parlementé avec la belle-mère de Brenda pour que la maison paternelle soit réservée à Cliffie, comme Fergus et Bernice McCann contemplant la vaste demeure achetée pour leur Melissa et se demandant s'ils trouveraient quelqu'un pour y habiter avec elle – comme tous, quand je pense à la vie jour après jour avec Walker, je pense surtout à l'avenir. Qui s'occupera de Walker après notre mort ?

Johanna et moi n'avons jamais imaginé que Hayley « hériterait » de Walker. Il ne s'agit pas d'un jugement négatif sur Hayley. Je ne doute pas qu'elle se souciera toujours de son frère. Son affection pour lui le prouve, et elle n'est pas du genre à se soustraire à son devoir. En réalité, elle est trop dévouée, une personne sérieuse rendue plus grave encore par des années dans l'ombre, souvent déserte, de la maladie de Walker. (À quinze ans, elle souhaitait travailler en Afrique, y construire des maisons pour les orphelins.)

Mais je sais ce que Walker représente de labeur, et à quel point il est impossible pour une, ou deux ou trois, voire quatre personnes de veiller convenablement sur lui, faire tout ce qu'il faut faire et mener, malgré tout, une existence féconde, avec d'autres occupations. La vie de Hayley lui appartient ; voilà au moins un cadeau que nous pouvons lui offrir. Je refuse de faire peser sur elle la chape épaisse et moite de la culpabilité que revêtent de nombreuses familles de handicapés – un marécage d'irrationalité qui a perverti durant des siècles la pensée sociale sur le handicap. Ma femme et moi avons souvent discuté de l'éventualité d'avoir d'autres enfants (un en tout cas, parfois deux) – des frères et sœurs pour Hayley et Walker – des alliés pour les préserver du monde, mais aussi pour dissiper notre culpabilité. Certains courants politiques, et même des gouvernements, exploitent cette culpabilité et prétendent que la famille est l'unique véritable solution au problème de la prise en charge des handicapés.

Mais les familles, à l'instar des handicaps, ne sont ni uniformes ni cohérentes. Elles ne sont surtout pas parfaites. Nul ne propose de s'intégrer dans ces familles qui, plus de la moitié du temps, éclatent. En conséquence – c'est mon point de vue – la famille nucléaire ne constitue pas un modèle pour assumer les porteurs de handicaps lourds. Même si je décidais de faire en sorte que Walker soit pris en charge jusqu'au bout par l'intermédiaire d'une famille élargie – or il me faudrait au moins, pour s'occuper de lui correctement, six enfants habitant toute leur vie au même endroit – est-ce un choix raisonnable (ne disons pas réaliste), dans un monde surpeuplé ? Ces idées tournaient dans ma tête telle une Jeep circulant sur un champ de mines.

En vérité, toutes les solutions possibles me plongeaient dans le doute. L'institution où vivait Walker était et reste la meilleure dans son genre. Mais si le budget manquait ? D'ailleurs, était-ce vraiment le meilleur refuge pour Walker ? Que mon fils ait une deuxième maison, où l'on s'occupait de lui d'une manière dont nous n'étions pas capables, ne m'empêchait pas de vouloir améliorer ça (je ne le mentionne qu'à contrecœur, de crainte qu'on lui retire ce qu'il a – une angoisse singulière qui ronge tout parent d'enfant handicapé.) L'institution de Walker est dirigée par une organisation qui offre une assistance de vie de niveau professionnel. Mais comment faire d'un établissement professionnel un vrai foyer – ce lieu de compassion où les gens sont inlassablement pardonnés, pour reprendre la définition de Mère Teresa ? Walker avait un refuge où l'on s'occupait de lui, mais cet endroit serait-il, après notre disparition, *sa* maison, abritant un groupe d'amis, une communauté créée par ses résidents ?

Voilà la maison que je souhaitais pour Walker. En Colombie-Britannique, il existe un groupe de personnes tournées vers le futur, le Planned Lifetime Advocacy Initiative, qui constituent des réseaux de contacts et d'amis autour d'individus handicapés. Cependant, c'est un nouveau concept, idéaliste et qui nécessite, d'après ce que je constate, de livrer bataille pour amasser de l'argent, or je ne savais pas comment y parvenir.

Pour être plus précis, je devais combattre mon propre scepticisme. J'avais du mal à croire qu'existait un lieu qui permettrait à mon fils de vivre sa vie comme il le pouvait et où on le considérerait avec bienveillance.

Au printemps 2008, pourtant, après la publication d'un article sur Walker, je reçois une lettre d'un dénommé Jean-Louis Munn. Il est directeur de la communication de la branche canadienne de L'Arche, une organisation basée en France qui gère quelque cent trente-cinq communautés de déficients intellectuels, de Toronto au Koweit. Ce n'est pas une possibilité pour Walker : vingt ans d'attente pour avoir une place et seuls les adultes sont acceptés. Mais Munn désire que je lui rende visite à Montréal. Là, dans une ancienne église de l'arrondissement de Verdun, un quartier ouvrier au sud de la ville, j'ai pour la première fois un aperçu de l'inimaginable communauté que je cherche. Dans cette communauté, c'était *moi* l'étranger.

L'église abrite le centre administratif de L'Arche de Verdun. L'Arche a été fondée en 1964 dans une maison, en France, par Jean Vanier, fils de Georges Vanier, diplomate canadien renommé. Éternel étudiant en philosophie et théologie catholique, Jean Vanier habite toujours le petit village de Trosly-Breuil, où il déjeune très souvent avec ses compagnons handicapés.

Ça, c'est en France. À Montréal, à mon arrivée, on célèbre une messe dans le sous-sol du bâtiment. L'Arche a été fondée sur des préceptes catholiques (autre raison pour laquelle je l'avais écartée en ce qui concerne Walker, quoique l'organisation ait depuis élargi son socle spirituel.)

Néanmoins, cette messe, dans le sous-sol de l'église, ne ressemble à rien de ce que j'ai vu jusque-là – cela évoque plutôt une réunion villageoise, dans un pub, lors d'un repas bruyant, avec pour distraction une parodie d'office religieux.

L'autel est installé dans un coin, près de l'escalier ; la « sacristie » consiste en un espace simplement délimité par des cloisons mobiles de bureau. Un grand prêtre noir en chasuble blanche et étole colorée donne la communion selon un cérémonial approximatif. Il s'exprime alternativement en français et en anglais, parle de Jésus et de ses ouailles. Régulièrement, il pose une question, et quelqu'un lance une réponse.

– Pourquoi dit-on que Jésus est un berger ?

– Jésus, il a des gens qui le suivent, comme des moutons, hein ?

La réponse vient d'un homme d'une trentaine d'années, debout au milieu des autres. Il porte un maillot de hockey noir, orné dans le dos de l'inscription *Canada* en lettres rouges.

Suivent des plaisanteries sur les moutons.

Il y a vingt et une personnes dans ce coin du sous-sol, toutes adultes et, pour la plupart, très visiblement handicapées. Trois pivotent pour me détailler lorsque j'entre ; deux s'approchent aussitôt pour me secouer ou me prendre la main. Je ne sais pas ce qu'elles attendent de moi.

– Où est-ce qu'on a aussi entendu ces mots : Jésus est notre berger ? demande le prêtre.

– Au ba-ba-baptême ? bégaye quelqu'un.

– Oui ! dit le prêtre.

Applaudissements, puis on applaudit ceux qui applaudissent.

Un orchestre – deux guitaristes et un batteur – se met à jouer, accompagné par un chœur de toussotements et de raclements de gorge : la messe aurait aussi bien pu se dérouler dans un sanatorium. Une femme devant moi – petite, voûtée, sexagénaire, la bouche perpétuellement grande ouverte – étudie ma cravate et pousse un glapissement. Un autre homme revient vers moi et me déclare : « Je prie pour toi. » J'avoue que son aide ne me paraît pas inutile. « Comment tu t'appelles ? » ajoute-t-il en français, après réflexion. Nous sommes bons pour l'expulsion, et la femme à qui ma cravate a arraché des cris reprend ma main ; elle ne veut plus la lâcher. Je crains un instant la contamination microbienne. Ils désirent se montrer amicaux.

L'homme au maillot de hockey (j'apprends plus tard son nom, Ricky) passe son bras autour de Richard, un homme plus âgé, plus déplumé, qui se tient à côté de lui. Richard est vêtu d'un pull noir et d'une chemise à carreaux, un large élastique noir maintient ses lunettes. Ricky étreint son copain et lui murmure quelque chose à l'oreille. L'autre soupire : « Oooh ! Je t'aime aussi. »

Il y a sept assistants de vie de L'Arche dans le groupe,

et cela semble suffisant. L'une d'entre eux, une Amérindienne d'une vingtaine d'années, appuie sa tête contre la tête de l'homme trisomique à côté d'elle, puis du doigt lui touche le front. Jean-Louis Munn, mon hôte, ne cesse de me désigner telle ou telle personne de l'assemblée, me donnant chaque fois un coup de coude et un bref résumé.

– Quand il est arrivé voici vingt ans, me dit-il, montrant un homme grand, immobile, à la chemise verte, il était si nerveux qu'il crispait en permanence les poings.

Maintenant, pour surmonter ses angoisses, cet homme semble se contenter de s'humecter les lèvres du bout de la langue.

Soudain, la messe est terminée. Les fidèles entreprennent de mettre leurs chapeaux, une étonnante collection de couvre-chefs hivernaux canadiens, casquettes à visières surdimensionnées et pourvus de rabats pareils à des garde-boue, cagoules qui leur rapetissent le crâne.

Ricky s'avance vers moi, au bras de Richard ; celui-ci fait un bruit de pet avec sa bouche.

– C'est Richard, me dit Ricky. Il est dans mon *foyer**. On dort ensemble.

Il veut dire dans la même chambre de leur résidence de L'Arche. J'ai l'impression d'être dans un roman de Balzac, ou même de Hugo, grouillant de personnages bizarres, inoubliables. Entouré pour la première fois de ma vie de handicapés mentaux adultes dont je viens tout juste de faire la connaissance, je me rends brusquement compte que je n'éprouve pas une once d'inquiétude.


Mon anxiété refait surface alors que Jean-Louis Munn me véhicule à travers Verdun : nous sommes invités à dîner

---

* En français dans le texte.

dans l'une des cinq maisons que L'Arche entretient pour les handicapés dans ce secteur de Montréal. Un violent blizzard a, la veille, assailli la ville ; les rues, à la tombée du soir, sont pleines de gens qui déblayent trottoirs et allées.

J'ignore complètement où nous allons, ce qu'il me faut en attendre, ce qu'on attend de moi. Finalement, nous nous garons devant une pimpante maison à un étage. Jimmy Davidson nous accueille sur le perron – un type trapu aux cheveux carotte et trisomique. Il est en pyjama de flanelle Power Rangers et chaussons.

– Je suis très décontracté, dit-il, puis il me serre la main. Il a quarante-six ans.

Une gravure représentant la Cène est accrochée au mur, le genre d'image qui me met toujours sur mes gardes. Il y a aussi un tableau d'affichage, des placards jaunes, des plantes – c'est un lieu de vie. Outre les trois assistants, et Jimmy, quatre autres résidents (le terme désignant les handicapés dans les foyers de L'Arche) dînent avec nous autour de la table en pin de la cuisine : Marc, un homme d'âge mûr, qui sourit beaucoup mais ne prononce pas un mot ; Sylvie, qui ne parle pas non plus ; Jadwega, une sexagénaire qui a préparé le repas et possède la mémoire des chiffres mais pas des visages ; et Isabelle, une calme jeune femme en fauteuil roulant, manifestement atteinte d'une forme de paralysie cérébrale. Isabelle est installée au bout de la table. Elle ne peut bouger ses bras et ses jambes, ni tourner la tête ou parler – pourtant elle suit tout des yeux, y compris les conversations, et sourit souvent, avec douceur.

La gêne déferle autour de moi, mais je n'ai pas le loisir d'y songer, car Jimmy, qui est assis tout près – j'occupe la place d'honneur – me bombarde de questions sur les Power Rangers, quels sont ceux que j'aime et ceux que je n'aime pas. Moi aussi je lui pose des questions. Je lui demande depuis combien de temps il vit dans cette maison.

– Deux ans dans la maison.

– Et avant, tu habitais où ?

Jimmy ne se souvient plus.

– Avec, euh…

Puis, tout à coup :

– Avec ma mère.

Sa mère lui rend visite chaque semaine. Il devient très sérieux quand il parle d'elle.

Nous passons en revue les divers détails de sa vie – Jimmy est fan des Maple Leafs de Toronto, l'équipe de hockey sur glace, ce qui à Montréal est aussi considéré comme un handicap – lorsque Natalie fait son entrée. Grande, la trentaine, elle a un sourire éblouissant et une élégante écharpe entortillée autour du cou à la mode montréalaise. Responsable du foyer, elle est allée voir Madeleine, une autre résidente, hospitalisée pour une fracture de la jambe.

Jimmy saute sur ses pieds pour avancer une chaise à Natalie. Il a dû m'arriver de me trouver dans des maisons où le retour de quelqu'un, à la fin de la journée, est accueilli avec une telle joie, mais pas souvent.

– Madeleine vous salue tous, surtout Jimmy, dit Natalie en français.

Isabelle, la jeune femme en fauteuil, a un large sourire. Jimmy fait allusion à Daffy Duck.

Puis, en nous tenant les mains, nous disons le bénédicité et attaquons une délicieuse bouillabaisse, quoique certains des résidents aient un menu particulier.

Trois autres invités se trouvent autour de la table – Alain, un psychologue français qui travaille là pour quelques mois ; Katie, une assistante venue de Palestine, et Ségolène, une religieuse de France qui, elle aussi, travaille là tout en réfléchissant à son avenir.

– Cette maison a été mon premier foyer, dit Natalie. Ma première famille.

Elle a débuté comme enseignante dans le système éducatif public, mais son expérience à L'Arche l'a transformée. Elle est là depuis onze ans.

— Lorsque j'ai commencé à travailler avec des personnes handicapées, je me suis sentie bien dans ma peau pour la première fois.

Ces paroles me surprennent : elle est séduisante, extravertie, elle s'exprime clairement, avec assurance.

— J'étais timide. Mais avec eux, j'étais leader. Je me suis épanouie.

Son travail a une dimension religieuse : il lui offre la possibilité de « reconnaître la présence de Dieu dans [s]a vie. Et dans la vie des autres. Et [de] la nommer. » Cependant, la religion est pour elle une affaire intime, elle ne l'impose à personne.

— Être avec des gens qui ne sont *pas* handicapés, voilà le plus difficile pour moi. J'ai davantage de mal à les accepter. Avec Isabelle, c'est plus facile. Lorsque Isabelle ou Jimmy ou Madeleine font des choses bizarres, je me dis dans ma tête : oh, c'est juste parce qu'ils ont un handicap. Mais cette excuse n'est pas valable pour les gens normaux, sans handicap, qui font des choses bizarres.

— Des gens qui font des choses bizarres ? Tu parles de ce type ? demande Jean-Louis, montrant Jimmy.

— Peut-être bien que oui, peut-être bien que non, plaisante-t-elle. Tu sais, Jimmy, Jean-Louis connaît la maman d'Isabelle.

— Isabelle le sait pas, réplique Jimmy.

— Non. Mais toi, tu le sais.

— Oui.

— Mmm… fait Natalie.

Isabelle, immobile au bout de la table, lumineuse, observe. Pour communiquer, elle n'a que deux moyens : lever les yeux pour dire oui, les baisser pour dire non ; parfois elle fait oui des yeux alors qu'elle pense non — une des rares blagues dont elle est capable, et elle ne s'en prive pas.

207

Elle est épinglée à son fauteuil comme un papillon, dont elle a la grâce. Ségolène, la religieuse de passage, m'explique que s'occuper d'Isabelle, l'habiller, la laver, lui tenir compagnie lui a permis de comprendre à quel point elle l'aime. Brune, déterminée, âgée d'une petite trentaine d'années, Ségolène est religieuse à Paris. Travailler avec Isabelle à L'Arche l'a obligée à se demander si elle désirait retrouver son couvent, si elle ne serait pas plus utile ailleurs.

– Quelquefois quand je vois Isabelle, je veux l'entourer, l'aimer. Et je veux le faire pour elle, Isabelle, car le faire pour une autre raison est presque contre-productif. Mais ma foi me dit que je devrais le faire pour le Christ. Or je ne veux pas aimer Isabelle derrière l'image du Christ.

Isabelle a ébranlé la foi de Ségolène et ce qu'elle considère comme important. Ségolène a quitté les eaux calmes de l'Église pour s'impliquer dans le monde à cause d'une jeune femme incapable de bouger et de parler.

– La première fois que j'ai rencontré une personne handicapée, poursuit-elle, c'était dans un hôpital psychiatrique. Cette personne était si fragile… Cela a éveillé en moi une tendresse qui m'a stupéfiée, qui m'a envahie par l'intermédiaire de cet être. Et selon moi, cette tendresse, immense, venait de quelque chose de plus grand que moi. Voilà ce qui me pousse à rester ici, ce moment, cette tendresse. Isabelle en a besoin. C'est pour cela qu'elle est ici. C'est elle qui m'a montré la différence entre nous qui choisissons et une personne qui n'a pas le choix. Pour moi, elle est déjà une sainte. Isabelle nous enseigne à être nous-mêmes parce que Isabelle est juste elle-même. Et elle est en paix avec ça.

En tant que journaliste de presse écrite, je passe la majeure partie de mon existence à parler à des gens qui réclament que je leur prête attention. De temps à autre, cela s'avère justifié ; alors tout s'arrête autour de nous, je ne désire rien d'autre qu'être là où je suis, en compagnie de la personne avec laquelle je converse. Dans cette maison de Verdun, une sérénité remarquable m'enveloppe à plusieurs reprises durant la soirée. Je n'ai aucune envie de partir.

Mais il faut nous séparer, Jean-Louis et moi prenons congé. Il neige de nouveau dans les rues, gâchant le travail de déblaiement accompli en fin de journée. Je ne peux chasser de mon esprit les paroles de Ségolène. Je pense : Walker pourrait-il être l'Isabelle de quelqu'un ? Pourrait-il être mon Isabelle ? Walker est lui-même ; il n'a pas le choix. Si je pouvais le laisser être le garçon qu'il est, si je pouvais renoncer au garçon qu'il aurait pu être – peut-être pourrais-je aussi être moi-même.

Drôles de réflexions, la nuit, sous la neige.


Six semaines plus tard, dans le village de Cuise-la-Motte à quatre-vingt-dix kilomètres au nord-est de Paris, je découvre une version encore plus précise d'un possible avenir pour Walker.

Cuise-la-Motte est l'une des quatre communautés de L'Arche groupées en Picardie, avec celle de Pierrefonds, Trosly-Breuil et Compiègne. À proximité s'étend, sur plus de 14 000 hectares, une forêt où les rois de France aimaient à chasser. Jeanne d'Arc s'y cacha avant sa capture à Compiègne en 1430. Le 11 novembre 1918, le maréchal Foch y signa l'armistice et, vingt-deux ans plus tard, ce fut dans cette même clairière que Adolf Hitler contraignit la France à capituler. Mais aucun panneau de signalisation d'intérêt culturel et touristique n'indique les communautés de L'Arche dont les résidents se baladent pourtant dans les environs à l'instar des citoyens ordinaires.

Les résidents les plus sévèrement handicapés, intellectuellement et physiquement, vivent dans une maison d'accueil spécialisé, La Forestière, à Trosly-Breuil. La

Semence, où je loge, abrite des gens qui ne parlent pas, mais sont mobiles jusqu'à un certain point : conscients et capables de manifester cet état de conscience, mais incapables de le faire seuls. Walker aurait eu sa place ici, parmi les moins favorisés.

J'occupe la chambre d'amis, assez grande pour quatre personnes. Devant ma fenêtre, un magnolia embaume. Le romarin et la lavande sont en fleurs. On est au mois d'avril.

Mon avion a atterri le matin à Paris, je suis arrivé à Cuise-la-Motte juste avant le déjeuner. J'ai prévu d'y rester quelques jours, de voir comment L'Arche fonctionne, de m'entretenir avec Jean Vanier. C'est l'un des penseurs les plus importants du monde sur la question de la déficience, et je veux savoir ce que sera, selon lui, une vie décente, satisfaisante, une vraie vie pour Walker.

J'ai lu certains ouvrages de Jean Vanier, je les ai jugés radicaux. Il considère que les handicapés méritent d'avoir un endroit à eux, que souvent ils désirent être séparés de leur famille, de leurs parents à condition de trouver un environnement où ils soient suffisamment soutenus. Une idée que, me semble-t-il, je peux défendre. Il affirme également que les handicapés ont la faculté d'enseigner aux valides plus que les valides ne pourront jamais leur enseigner. Si Vanier a raison, je ne dois pas me culpabiliser de laisser Walker vivre sa vie, du moins à sa manière. Au fond, je suis là pour découvrir si j'abandonne ou non mon fils.

Je range mes affaires et m'assieds à la table de la kitchenette, dans ma chambre, pour revoir les questions que je compte poser à Jean Vanier l'après-midi. J'ai noirci une ou deux pages de notes lorsqu'on frappe à ma porte. Un grand barbu en sweater rouge se tient sur le seuil. Il m'offre aussitôt de l'eau. J'accepte, l'invite à entrer et à s'asseoir avec moi dans la kitchenette.

À soixante-quatre ans, il en paraît cinquante. Il s'appelle Garry Webb et, quoique sans handicap, vit lui aussi à La

Semence. Webb est responsable des ateliers artistiques de L'Arche, il revient d'un voyage au Portugal où il a emmené quinze résidents. Élevé à Vancouver, il a quitté sa famille à dix-huit ans. « Ce n'était pas ma culture », me dit-il sobrement. Je lui demande comment il en est arrivé à travailler à L'Arche, mais il refuse de considérer ce qu'il fait comme un travail.

– Il s'agit de vivre. D'être. Travailler n'est qu'une partie de cela. Quiconque vient ici en est transformé. L'échange est notre priorité. Et, ensuite, nous en parlons simplement en étant ce que nous sommes.

Tout cela est intéressant, libre, spirituel et me rend extrêmement nerveux. Mais c'est souvent de cette manière que commencent les conversations avec les gens de L'Arche. Ils ne paraissent pas sujets à cet embarras qui nous entrave : handicapés ou pas, ils s'engagent sur-le-champ dans cet « échange » avec tous ceux qu'ils rencontrent, quel que soit le moment de cette rencontre. Je trouve leur enthousiasme alarmant. Sont-ils défoncés ? Camés à la gentillesse ? Qu'est-ce qu'ils mijotent, à la fin ? ! J'admire leur candeur, mais le citadin que je suis n'a aucune envie de les imiter en cela ; j'apprécie leur générosité, mais en bon rejeton du capitalisme du vingt et unième siècle, je doute qu'elle soit sincère. Si Walker vit un jour dans un lieu de ce genre, sera-t-il entouré de gens qui tiennent à lui, pour son bien à lui ou parce qu'ils appartiennent à une secte ? Je ne veux pas que Walker soit dans une secte.

Après sept années dans un monastère trappiste, Webb, jésuite de formation, a souhaité donner une autre direction à son existence. De nombreuses possibilités s'offraient à lui. Il avait étudié la philosophie, la théologie et la psychologie à l'université ; ses parents avaient été des artistes, lui-même était sculpteur et parfois comédien. Ses exigences pour sa nouvelle voie étaient strictes. Son chemin devait passer par une nouvelle communauté, un travail impliquant des responsabilités, auprès des pauvres ou de leur équivalent ; cela ne devait pas être exclusif, coupé de la vie (il ne voulait plus être enfermé dans un monastère) ; cela devait être un engagement à long terme ; avoir une dimension holistique ; et, par-dessus tout, s'enraciner dans une communauté qui respectait « la spiritualité de chacun ».

– Lors de ma première visite à L'Arche, j'ai demandé à rester trois jours. Puis j'ai demandé à rester trois semaines, puis trois mois, puis un an.

Je m'apprête à lui demander si vivre à L'Arche n'est pas parfois ennuyeux, quand Webb m'explique qu'il s'est juste arrêté pour me saluer. Il se rend au village voisin de Trosly-Breuil, pour voir Jean Vanier chez lui. Ils se rencontrent régulièrement.

– De quoi discutez-vous ?

– De nous, me répond Webb.

– Pas des affaires de L'Arche ?

– Oh ! Seigneur, non. De nous. De mes histoires. Pourquoi j'ai tellement la trouille dans mon rapport au monde. Pourquoi il court toujours dans tous les sens, comme un poulet décapité.

Alors qu'il prend congé, je lui avoue que la perspective de parler à des gens qui ne peuvent pas parler m'angoisse un peu. Webb se met à rire, balaie l'air de la main.

– Je pense que les résidents de L'Arche sont nos maîtres. Et si vous communiquez avec eux, tout ira bien. On déjeune à midi trente.

Sur quoi, il s'en va.


Une heure après, dans la salle à manger, je fais la connaissance de ceux avec qui je vais passer trois jours.

Gérard a la cinquantaine. Il peut parler, pas très bien et en émettant des bruits proches du hennissement. Il adore raconter des histoires, et tout le monde sait qu'il va souvent au village boire une bière. Laurent (que l'on appelle aussi Lorenzo, car il est né en Italie) est coquet, élégant ; il mange en poussant de petits gémissements et se plaît à entrer dans une pièce pour demeurer planté comme une souche, longuement. Lydie, une jeune femme du sud de la France qui est son assistante de vie, me déclare :

– Laurent adore les trains. Il a des tas de livres sur les trains.

– *Train** ! s'exclame Laurent – c'est le seul mot que je l'ai entendu prononcer.

– *C'est ça*, réplique Lydie.

Plusieurs résidents ont au cou de grands foulards en triangle, genre bavoir, en prévision du déjeuner. Francine est dans son fauteuil roulant ; atteinte de paralysie cérébrale, elle ne parle pas, cependant elle émet des sons et s'intéresse énormément à ceux qui l'entourent. Un autre résident, Jean-Claude, se déplace seul dans son fauteuil électrique, il aime le cognac, entend ce qu'on lui dit mais ne peut pas répondre, et trimbale partout un raton laveur en peluche. Il a mon âge. Sabina, elle, est manifestement atteinte d'une forme sévère de trisomie 21 ; muette, elle ne bouge pas de son fauteuil roulant.

Je suis surtout fasciné par un petit homme voûté et attentif, que l'on appelle Gégé. Il a quarante-six ans et me fait penser à Walker. Leur ressemblance est un choc pour moi : je vois l'incessante curiosité de Gégé et sa solitude permanente. Il ne parle pas, mais observe ce qui se passe autour de lui avec une attention soutenue et avec malice, la tête penchée. Il sourit quand quelqu'un chante. Il clappe de la langue et marche en crabe, courbé en deux. Il contemple ses mains comme si elles appartenaient à quelqu'un d'autre, exactement comme Walker.

---

* En français dans le texte.

Personne à L'Arche ne parle d'intégration, ainsi que le font parfois les membres du personnel des institutions conventionnelles pour les handicapés : cette communauté existe pour les handicapés, on n'y prétend pas que les résidents finiront par faire partie du monde des « normaux ». Ici, les gens dans mon style sont les outsiders. Il y a des habitudes, une structure, une communauté d'individus, et leurs vies comptent pour ce qu'elles sont, sans nécessité de valeur ajoutée.

Le couvert est mis, on entonne le bénédicité. Des piluliers en cuir rouge sont soigneusement disposés sur la table, ainsi que des poudres digestives – une petite collection de médicaments à côté de chaque verre d'eau. Certains résidents peuvent manger seuls, d'autres ont besoin qu'on leur donne la becquée. Tandis que nous nous restaurons, les assistants parlent à leurs protégés, lesquels répondent par des grognements, des rires, des gémissements ou des regards. Gérard est le seul résident autour de la table capable d'entamer ce que quelqu'un du monde extérieur appellerait « conversation », mais cela n'empêche pas les autres d'intervenir. C'est une forme d'expression, il faut se laisser guider.

Après le déjeuner, les résidents qui travaillent dans les ateliers de L'Arche, où ils fabriquent des colifichets et des bijoux, retournent à leurs occupations ; les autres sortent en promenade. C'est une communauté pour les handicapés, indiscutablement, cependant parce que les handicapés sont placés, et se placent eux-mêmes, sur un pied d'égalité, cela n'a nullement l'air d'une organisation « spéciale ». C'est leur univers, pas le nôtre ; leurs normes, pas les nôtres. Le rythme de vie y est plus lent, la vie en soi plus simple ; il y a des complications et des problèmes, mais personne ne les prend au tragique. On s'y sent bien, on n'y a nullement l'impression qu'on devrait vivre autrement.

Deux mois environ après ma visite à L'Arche, lors d'une fête à Toronto, un ami ironise sur la sainteté de Jean Vanier.

– Difficile d'admettre qu'un type de cette intelligence, à qui toutes les portes sont ouvertes, ait envie de vivre avec ces gens-là. À moins qu'il ait toujours voulu être le plus futé de la bande.

Il s'empresse d'admettre que sa blague est horrible, comme Jean Vanier se serait empressé d'en rire.

Néanmoins, la plaisanterie n'est pas totalement absurde. Jean Vanier jouit d'une brillante réputation, résultat d'une existence vouée à la réalisation d'une œuvre. Il a fondé L'Arche. Il figure régulièrement sur la liste des candidats au prix Nobel de la Paix, et a écrit des dizaines d'ouvrages, dont le best-seller international : *Accueillir notre humanité*.

En chair et en os, pourtant, Jean Vanier n'est nullement intimidant. Sa maison – celle où il vit quand il ne sillonne pas la planète pour L'Arche – est une petite bâtisse en pierre adossée à la rue principale de Trosly-Breuil. Dans un bureau encombré, attenant à une modeste cuisine, je découvre un homme aux cheveux blancs, grand, timide, simple, en pull bleu ciel.

Jean Vanier est né en Suisse le 10 septembre 1929, à Genève où son père, Georges Philias Vanier, ancien général de l'armée canadienne, était en mission diplomatique. Il fut scolarisé en Angleterre, mais au début de la Seconde Guerre mondiale, comme beaucoup d'enfants anglais, il partit avec ses frères au Canada pour des raisons de sécurité.

En 1941, il demanda à s'entretenir avec son père. Celui-ci était alors le dix-neuvième gouverneur général du Canada, et il fallait prendre rendez-vous pour le voir. Jean souhaitait intégrer la Royal Navy britannique par le biais du Royal Naval College. Il devait pour cela traverser l'Atlantique, affronter ses périls, idée à laquelle sa mère

215

s'opposait farouchement. Mais son père était d'un autre avis. « Si c'est ce que tu veux vraiment faire, dit Georges Vanier à son fils, alors va. J'ai confiance en toi. » Vanier considère cette conversation comme l'un des moments fondateurs de son existence.

Trop jeune pour être soldat, il fut cependant témoin de la libération de Paris et, dans les années qui suivirent, participa à l'organisation du retour des survivants des camps de concentration, notamment de Dachau. En 1950, il fut affecté sur le plus grand porte-avions du Canada.

En mer, Jean Vanier commença à se demander s'il désirait vraiment faire carrière dans la marine. D'ores et déjà, il s'était plongé dans la prière. Il écrivit plus tard dans *Toute personne est une histoire sacrée*, que ce fut son appel aux armes spirituel, qu'il se sentait « appelé à œuvrer d'une façon différente pour la paix et la liberté ». Il attachait plus d'importance à prier qu'à prendre le quart de nuit. Persuadé d'être appelé par Dieu, il quitta la marine et entra à l'Institut catholique de Paris pour étudier la philosophie et la théologie. Il rejoignit également L'Eau Vive, une petite communauté d'étudiants vouée à la prière et à la métaphysique sous la houlette d'un dominicain français, le père Thomas Philippe. Peu après l'arrivée de Vanier, le père Thomas tomba malade. On suggéra à Vanier de diriger la communauté, ce qu'il fit pendant six ans.

– J'avais beaucoup bourlingué, me déclara Jean Vanier tandis que nous buvions le thé. J'avais été officier de marine, j'avais quitté la marine, je m'étais retrouvé dans une communauté près de Paris. Je me cherchais. Je ne savais pas trop que faire. Ensuite j'ai reçu une lettre du St. Michael's College de Toronto : accepteriez-vous un poste d'enseignant chez nous ? C'était intéressant.

En 1963, à trente-quatre ans, Vanier a soutenu sa thèse de doctorat à l'université de Toronto (*Le Bonheur : principes et objectifs de l'éthique aristotélicienne*). Il était un maître-assistant populaire, qui s'intéressait à l'éthique de l'amitié.

— Mais je savais qu'enseigner n'était pas mon truc. Quelque chose en moi aspirait à m'engager auprès des gens, plutôt qu'à défendre des idées.

Il consacra beaucoup de temps à explorer les marges de la société – particulièrement les prisons dans les environs d'Ottawa, où il priait avec les détenus, les gardiens, les membres de la direction et les psychologues.

« Au bout d'un moment, personne ne savait plus (pendant les séances de prière) qui était prisonnier et qui était gardien », écrivit-il plus tard. Ce fut sa première expérience d'une vie sans hiérarchie – l'ébauche de ce que deviendrait ensuite L'Arche, avec ses résidents et ses assistants vivant côte à côte, d'égal à égal. Pour lui qui avait été élevé dans le milieu très protocolaire de la diplomatie et dans une académie militaire, une société sans castes était une révélation.

L'été 1963, après l'année universitaire à Toronto, Jean Vanier rendit visite à son ancien mentor, le père Thomas. Celui-ci avait quitté l'enseignement à cause d'un différend avec le Vatican et était aumônier au Val-Fleuri, une petite institution accueillant des hommes handicapés mentaux, dans le village de Trosly-Breuil.

— J'étais un peu effrayé, dit Vanier à propos de cette première visite, car... comment partager avec des êtres qui ne parlent pas, ou parlent très mal ?

Toutefois sa rencontre avec les hommes intellectuellement fragiles de Trosly n'eut rien d'effrayant, bien au contraire.

— Ce qui me toucha, c'est que chacun, d'une façon ou d'une autre, disait : « Est-ce que tu m'aimes ? Et tu seras mon ami ? » Ils me parurent si différents de mes étudiants de l'université. Mes étudiants voulaient ce que j'avais dans la tête, et ensuite partir, avoir une situation, de l'argent, fonder une famille. Ici, c'était autre chose. Je crois que leur cri – « Tu seras mon ami ? » – déclencha des choses en moi. Je pense que j'étais en quête d'un lieu où m'engager. C'était l'époque de Martin Luther King. Il ambitionnait de libérer les opprimés. Il me sembla que les handicapés faisaient partie des êtres les plus opprimés de ce monde. Je crois qu'à la racine de L'Arche, il y avait un désir de libération, le désir de les libérer. Cela semblait évident. À l'époque au Canada, on comptait vingt institutions pour les handicapés dans l'Ontario ; ici, en France, on en était à peu près au même point. J'avais visité des institutions où s'entassaient un millier de handicapés. Et je me disais : à quoi cela rime-t-il ? J'avais une intuition : pourquoi ne pas acheter une maison ? pourquoi ne pas y accueillir deux personnes ? Et voir ce qui se passe ? En un sens, j'étais assez naïf. Et je pense que j'aime le risque. Mettez ensemble naïveté et goût du risque, et vous fondez L'Arche*.

---

\* Je suis toujours surpris par le nombre de gens que je rencontre et qui connaissent l'énergie des handicapés, aussi pénible voire embarrassante que puisse être cette énergie. Récemment, par exemple, lors d'une fête de Noël, je me suis retrouvé, devant le buffet des fromages, à côté de John Ralston Saul, intellectuel et écrivain, et de son épouse, Adrienne Clarkson, ancienne gouverneure générale du Canada. Je venais juste d'apprendre que Saul avait écrit sur le handicap. Je lui demandai donc ce qui l'avait amené à ce sujet. Saul – personnage assez intimidant – me révéla qu'il avait un frère handicapé mental. « Il a assurément été la personne qui m'a le plus influencé dans ma vie », me dit-il en se servant une part de havarti. Je lui demandai pourquoi. Mais il se contenta de me regarder, méditatif. Ce fut Adrienne Clarkson qui répondit pour lui. « Parce que John et ses frères essayaient toujours de communiquer avec lui. Ils voulaient l'inclure. Et ils ne le pouvaient pas. Par conséquent, ils avaient en permanence ce désir de l'atteindre. Tout le reste, dans la vie de John, a découlé de ça. » Le processus marche parfois en sens inverse. Le dramaturge Arthur Miller abandonna son fils trisomique, et même nia son existence ; certains critiques affirment que c'est à partir de là que son talent déclina. (*Note de l'auteur*)

Une petite maison était disponible au centre de Trosly-Breuil. Jean Vanier l'acheta. Elle était si rudimentaire qu'il n'y avait pas de toilettes à l'intérieur. Le 6 août 1964, il y emménagea avec trois hommes handicapés mentaux (pour l'un d'eux, cela dépassa ses capacités ; il ne resta pas). Les deux autres, Raphaël et Philippe, ne parlaient pas. Vanier ne possédait qu'un autre bien, une Renault capricieuse, à bord de laquelle lui et ses compagnons sillonnaient la campagne.

– Dès le début, je suis devenu un enfant. Je pouvais rire, nous pouvions nous amuser. On s'installait autour de la table et on se distrayait. Jusque-là, j'avais été plutôt sérieux. Un officier de marine, c'est sérieux. On sait comment commander des gens. Ensuite, quand je me suis lancé dans l'enseignement, j'étais sérieux : quand on est professeur, il s'agit de donner l'impression qu'on a des connaissances. Mais ici, c'est autre chose. On peut se distraire. Car le langage des handicapés est le langage de la joie. Mais vous savez ça, avec Walker. Ne soyez pas trop sérieux. Célébrez la vie, amusez-vous.

Un rituel d'acceptation s'instaura, sur trois plans : Vanier acceptait ses deux nouveaux compagnons handicapés, eux l'acceptaient aussi, et peut-être surtout Vanier s'acceptait lui-même dans son nouveau rôle contre-culturel, moins ambitieux.

Il appela la maison L'Arche, en référence à l'arche de Noé. À son grand étonnement, l'aventure attira l'attention durant les années qui suivirent, puis des dons et des fonds publics qui lui permirent de s'étendre.

– Au début, Jean était encore dans une tradition de charité à l'égard des pauvres, m'a dit Jean-Louis Munn au moment de notre rencontre. Mais cela bascula : il se rendit compte que c'était à lui qu'on faisait du bien. Alors, Jean voulut être une voix pour les sans-voix. Il découvrit rapidement que cette vie simple, auprès de Raphaël et Philippe, était satisfaisante.

Peu à peu, attirés par Vanier et le bouche à oreille, des jeunes gens du monde entier débarquèrent à L'Arche pour y passer un an ou deux, ou plus, en tant que volontaires. (Jean-Louis Munn et Garry Webb étaient de ceux-là, comme de nombreuses personnes qui, trente ans après, travaillent toujours pour l'organisation.)

En 1971, L'Arche ayant pris une dimension internationale, elle était submergée de demandes émanant, notamment, de parents qui n'étaient plus en mesure de s'occuper de leurs enfants adultes. L'Arche ne pouvait construire des maisons, fonder des communautés pour répondre à tous, mais en 1971, avec Marie-Hélène Mathieu, Vanier créa Foi et Lumière, un réseau de groupes de soutien pour ceux qui ne bénéficiaient pas d'une résidence à plein temps à L'Arche. Aujourd'hui, Foi et Lumière regroupe plus de mille six cents communautés dans quatre-vingt-un pays, qui soutiennent les parents de handicapés comme les handicapés eux-mêmes – une évolution qui ne convainquit pas tout de suite Vanier.

– Au début, je ne me souciais pas d'eux : il m'a fallu longtemps pour être vraiment à l'écoute des parents, me dit-il en s'adossant à son fauteuil, dans son bureau. D'abord, parce que la plupart des gens qui venaient chez nous n'avaient plus de parents – ils étaient morts ou avaient abandonné très tôt leurs enfants. Par conséquent, tout au fond de moi, j'étais un peu fâché contre les parents.

Je le comprenais : j'avais été un peu fâché contre moi-même d'avoir laissé Walker vivre ailleurs, même si c'était nécessaire. Néanmoins, à mesure que Jean Vanier rencontrait des parents qui n'avaient pas abandonné leurs enfants, mais n'en étaient pas moins dans l'impossibilité de veiller sur eux, son jugement se tempéra. Il était de plus en plus sidéré par l'océan infini de chagrin et de culpabilité dans lequel beaucoup de parents d'enfants handicapés tentaient de surnager.

– La culpabilité. Cette culpabilité. Les parents de handicapés font partie des êtres les plus affligés, car beaucoup d'entre eux se sentent coupables. Ils se posent cette question terrible : pourquoi cela m'est-il arrivé à moi ? Dans l'Évangile de Jean, Jésus et ses disciples rencontrent un aveugle de naissance. Aussitôt ils s'interrogent : pourquoi ? Qui est responsable ? Cet homme a-t-il péché, ou bien ses parents ont-ils péché ? Pourquoi ai-je un fils comme ça et pourquoi Untel n'a pas de fils comme ça ? Ils se torturent les méninges avec ces pensées – on peut passer des lustres à se poser les mauvaises questions. Comment puis-je aider mon fils à être plus heureux ? Voilà la bonne question. Est-ce ma faute ? Ça, c'est une mauvaise question.

– Il y a toujours une forte réprobation sociale. Les gens n'aiment pas qu'on les oblige à penser aux handicapés. Pourquoi ?

– À mon avis, ils ont peur de regarder les handicapés, rétorque Vanier. Comme si on leur disait ainsi : un jour, tu pourrais avoir un accident, et alors tu seras handicapé. Nous redoutons la mort, vous savez. Or les handicapés sont un signe de la mort.

Il évoque alors la première personne décédée dans un foyer de L'Arche, à Trosly, un assistant nommé François. La nouvelle circula parmi les résidents, et deux d'entre eux décidèrent qu'ils voulaient voir François. Un autre assistant les mena dans la pièce où l'on pouvait se recueillir devant le cercueil ouvert. L'un des deux hommes, Jean-Louis, demanda à l'assistant s'il pouvait embrasser François pour lui dire adieu. Bien sûr, répondit l'assistant. Et donc Jean-Louis embrassa le défunt. « Oh merde ! s'écria-t-il. Il est tout froid ! » Puis il tourna les talons. L'assistant l'entendit dire, en sortant : « Ils vont tous être étonnés que j'aie fait la bise à un mort ! »

Vanier s'interrompt, me regarde et hausse les épaules.

– Que se passe-t-il là ?

À mon grand soulagement, je ne suis pas censé connaître la réponse : Vanier m'explique.

– Je crois qu'il embrasse son propre handicap. Ainsi, accepter les personnes handicapées est une manière d'accepter sa propre mort.

Brusquement, je me surprends à lui parler du bain de Walker – comment quand je me sentais mal, que rien ne marchait, donner un bain à Walker m'apaisait parce que cela l'apaisait également.

– Vous voyez ? dit Vanier. Vous baignez votre propre handicap.

C'est un point de vue totalement nouveau pour moi, je dois l'admettre.

– Qu'est-ce qui fait que nous ouvrons notre cœur à autrui ? interroge Vanier.

Je le dévisage. Je n'ai pas de réponse.

– Une personne fragile, déclare Vanier. Quelqu'un qui dit : « J'ai besoin de toi. »

Si les besoins sont trop impérieux pour être satisfaits, situation qui est souvent celle des parents d'enfants lourdement handicapés, on aboutit à la culpabilité et au désastre.

– Mais si l'on est dans un village où se trouvent des jeunes gens qui vont venir s'asseoir près de Walker, l'emmener se promener, ainsi de suite… alors, la vie change. Si on est seul, c'est la mort. C'est quand même fou. Nous savons tous que nous mourrons un jour. Certains d'entre nous à l'âge de dix ans. D'autres à quatre-vingt-cinq ans. Nous commençons notre vie dans la fragilité, nous grandissons, nous sommes à la fois fragiles et forts, puis nous redevenons peu à peu fragiles. Comment intégrer force et faiblesse ? Toute la question est là. Vous parlez de votre vulnérabilité avec Walker. Il vous est arrivé quelque chose, que les gens qui n'ont pas vécu ce que vous avez vécu ne seront jamais capables de comprendre totalement – vous avez réussi à devenir humain en acceptant votre propre vulnérabilité. Parce que vous étiez capable de dire : je ne sais pas quoi faire. Dans notre société, nous devons en permanence savoir quoi faire. Mais si, au lieu de cela, nous partons de notre faiblesse, que se passe-t-il ? Nous disons aux autres, j'ai besoin de toi. Et alors nous créons une communauté. Voilà ce qui s'est passé ici.

Notre discussion se prolonge durant une heure et demie. Nous sommes au milieu de l'après-midi, dehors, la lumière est d'un jaune éclatant.

– Si nous n'évoluons pas, d'une société basée sur la compétition vers une société fondée sur l'accueil des enfants de retour au bercail, nous ne nous délivrerons jamais de notre obsesssion de la force. D'une certaine façon, cela résume ce qu'est L'Arche : un village où on se rencontre. Nous célébrons la vie. Voilà ce que font ces gens. Ils communient autour des faibles. Quand on est fort, on boit du whisky en guise de célébration.

Jean Vanier s'interrompt de nouveau, nouant ses mains sur sa nuque.

– En 1960, une grande question agitait la France : quel type de société voulons-nous ? Celle de Mao Zedong ? Une société sur le modèle russe ? Une forme légèrement différente de communisme ? De nos jours, on ne se demande plus à quel genre de société on aspire. On se pose simplement une question : comment réussir dans cette société ? C'est le chacun pour soi. Fais de ton mieux, gagne le maximum d'argent possible. Alors quelle vision avons-nous ? À L'Arche, il y a un désir d'être un symbole – le symbole qu'une autre vision est possible. Nous ne sommes pas les seuls à agir dans ce sens, naturellement. Il existe beaucoup de petites communautés.

Une communauté de handicapés comme modèle d'un monde où la coexistence pourrait être plus tangible : cela me paraît, je l'avoue, une idée radicale et même splendide. Cela me paraît aussi désespérément irréaliste.

– C'est une belle idée, dis-je, mais le monde ne fonctionne pas de cette façon. Les gens ne fonctionnent pas de cette façon. Il faut huit cent mille morts au Rwanda, avant que nous tentions d'arrêter le massacre. Nous ne levons pas le petit doigt pour empêcher les tragédies les plus évidentes – alors les petits drames individuels... Comment espérer convaincre le monde que Walker devrait être considéré comme un être humain – pas seulement comme un être handicapé, parce qu'il est effectivement handicapé, mais il est aussi un humain qui a peut-être des talents – simplement pas ceux que nous attendons ?

Je veux exprimer mon désir que le monde ne voie pas seulement Walker comme un garçon dénué de nombreuses qualités qui nous sont communes, mais comme un garçon qui possède également des qualités hors du commun. Penser que ce soit possible... non, c'est trop.

– À dire vrai, j'ajoute, le monde n'est pas le lieu pour ça.

– Il y a un superbe texte de Martin Luther King, rétorque Vanier sans une ombre d'hésitation. Quelqu'un lui disait : est-ce que ce sera toujours comme ça, est-ce que chacun méprisera toujours les autres et voudra s'en débarrasser ? Et King répondit : oui, jusqu'à ce que nous ayons tous appris à reconnaître, accepter et aimer ce qu'il y a de méprisable en nous tous. Et quelle est cette dimension méprisable ? Eh bien, nous sommes nés pour mourir. Nous n'avons pas le contrôle total de notre vie. Cela nous constitue en partie. Mais nous devons découvrir que nous sommes constitués d'autre chose, la solidarité, et qu'il nous faut essayer d'éteindre en nous ce besoin d'être les meilleurs. Nous n'avons que ce moyen pour réussir à construire un monde où les événements du Rwanda et d'ailleurs seront de plus en plus rares.

Je quitte Jean Vanier peu après. Nous en avons terminé pour la journée et il prépare son prochain départ pour le Kenya. Je sors de la maison encombrée de Trosly, descends la rue, monte un chemin pentu et marche dans un champ. Impossible de déterminer si je suis désemparé ou subjugué. Les idées de Vanier séduisent mes contemporains : deux de ses livres ont été des best-sellers, et plusieurs ont été traduits dans près de trente langues. En France, il a reçu la Légion d'honneur, et il a été élevé au rang de compagnon de l'Ordre du Canada.

Il a des idées radicales : la fragilité est une force, la paix ne réside plus dans la tolérance de la différence mais dans le dépassement de la différence par la reconnaissance de nos faiblesses mutuelles.

Je me demande quel effet ça ferait au Moyen-Orient si Israël, mettons, avouait ses peurs et ses faiblesses au Hezbollah et demandait l'aide des Palestiniens, au lieu de chercher à éliminer la source de menace pour la sécurité du pays.

Dans le monde de Vanier, Walker n'est pas un maillon faible, mais un maillon ultrafort.

Je vais vous dire : je veux y croire. Je sais viscéralement que mon étrange petit garçon peut apprendre à chacun de nous quelque chose sur lui. Cela arrivera-t-il un jour ? C'est une autre histoire.

# 12

Dans ma chambre, avant le dîner, brusquement Walker est là. Il surgit souvent dans mon esprit, comme un ami que je n'ai pas vu depuis longtemps et auquel je pense soudain, il ouvre les portes de ma mémoire. Je me demande ce qu'il fait, si loin là-bas, de l'autre côté de l'océan.

Pour son douzième Noël, je lui ai offert une boule magique qui réagit au contact, à la voix et à la musique. On la branche et, quand on la touche, de petits éclairs blancs semblent fulgurer de l'endroit où l'on pose les doigts, zigzaguent et se mêlent aux zébrures roses et violettes émanant du centre de la boule. Je savais que Walker l'aimerait, et ce fut le cas, dès qu'il se désintéressa des poissons aux écailles métalliques vert et rouge qu'il décrocha du sapin de Noël et pétrit entre ses mains durant deux jours.

Lorsque Hayley réussit à diriger son attention sur la boule magique, il ne s'en détourna plus pendant un très long moment. (Je craignis même que cela ne lui déclenche une crise.) Il abattait ses mains sur la boule, penché par-dessus les gaines de ses bras. Puis il ne bougeait plus pendant cinq minutes. Il considérait ces éclats de lumière avec gravité, tel un petit Zeus qui aurait tenté, d'un seul trait de foudre, d'anéantir la Terre au-dessous de lui.

Johanna, lors de ce Noël, préféra choisir un assortiment

de petits bidules : une balle remplie d'un liquide scintillant ; un chapeau de bonhomme de neige en bois, rond et rayé, qu'un jour il tripoterait inlassablement. Le dernier cadeau était vraiment bizarre. En feutrine, il mesurait quinze centimètres de haut : un triangle orange pourvu d'un pompon vert à un angle, et de quatre tiges turquoise disposées le long de la base en guise de pattes. Une figure rudimentaire, abstraite et qui ne souriait pas, était dessinée avec des brins de laine cousus sur un petit triangle vert lui-même cousu sur son homologue orange. L'ensemble, manifestement, était un porte-clés monumental, mâtiné de carotte, de peigne et d'extraterrestre.

– Qu'est-ce que c'est ? m'étonnai-je, car elle l'avait sorti de son sac sitôt rentrée à la maison, pour me le montrer.

– Je ne sais pas. Franchement, je n'en ai pas la moindre idée. J'ai dit au marchand : « Je ne sais pas du tout pourquoi j'achète ce truc », et il m'a répondu que tout le monde lui répétait la même chose. Je lui ai demandé s'il en avait vendu beaucoup. « Je ne vends que ça ! » il m'a dit.

Elle était enchantée de son emplette.

– C'est fascinant, mais complètement zarbi, commentai-je en examinant de plus près la chose.

– Ceux qui l'ont fabriqué ont dû penser que c'était ça, justement, qui pousserait les gens à l'acheter.

Son visage changea d'expression ; je lus dans son regard comme une absence, je connaissais bien ce regard-là.

– Je l'ai acheté, sans doute, parce que ça m'a rappelé Walker. Fascinant, mais indéfinissable.


À La Semence, le dîner représente le point culminant de la journée. Mon français est lamentable, cependant dans cette maison cela n'a pas d'importance. Je suis un semi-muet supplémentaire, souvent incapable de me faire comprendre.

Pour tous à La Semence, le dîner compte énormément. Il y a des fleurs sur la table. Les assistants de vie, en bons Français, considèrent la nourriture comme une affaire sérieuse. Ragoûts, soupes et salades, tous succulents, sont présentés dans de jolis plats. On sert toujours du vin, même aux résidents, si leur traitement médical le permet : on accueille souvent des invités (comme moi) et on trinque chaleureusement avec eux.

Les repas commencent par l'immuable rituel : on se tient les mains et on chante le bénédicité. Cet acte en soi, se prendre mutuellement les mains me met mal à l'aise – je me sens gêné de tenir la main de quelqu'un que je ne connais pas, et ridicule d'éprouver de la gêne.

Ces mains ! Raides ou crochues, sèches, moites, molles, creuses ou charnues, elles vous agrippent. Sans le moindre embarras. Chaque main est un monde en soi.

Celle de Gégé est étroite : mes doigts peinent à s'y introduire. Jean-Claude a la sienne grande ouverte, il prend la mienne en riant, mais sans la serrer – ce qui pose problème – comme s'il avait oublié qu'elle était attachée à son bras. Je m'efforce de ne pas y prêter attention. Quelquefois, il oublie au contraire de vous lâcher.

Après le bénédicité, les assistants servent une bouillie verte à ceux qui ont des difficultés pour s'alimenter, leur ration du soir de fibres et de vitamines. Les autres convives ont droit à des légumes plus consistants.

Tous sont en pyjama : rayé pour Jean-Claude, sous un peignoir en éponge également rayé ; Francine, dans son fauteuil roulant, est en robe de chambre rose ; Gégé porte une grenouillère en lainage bleu et, recouvrant son corps plié en deux, un peignoir à rayures dont la ceinture traîne derrière lui comme une tâche négligée. Quant à Lorenzo, l'Italien muet, l'amoureux des trains, il porte une magnifique robe de chambre agrémentée de liserés en soie et de galons sur les manches, un cadeau d'un luxe époustouflant pour un pauvre diable planté au milieu de la pièce, immobile, les bras tendus, qui comme toujours attend. Mais qu'attend-il ? L'inconnaissable. Comme nous tous, je présume.

Les résidents transforment la vie dans la maison en théâtre. Il suffit, pour apprécier la portée du spectacle, d'observer avec attention et de réfléchir à ce que l'on observe.

La conversation va bon train autour de la table : quand Jean-Claude rote, ce qui lui arrive souvent, Garry Webb fait une grimace et lance une boutade, ou au minimum émet un bruit équivalent. Jean-Claude semble apprécier. Garry improvise, peaufinant ainsi ses talents pour la comédie.

Au dessert – glace nappée de chocolat – Gégé se retrouve avec une moustache en chocolat. Garry embraye illico.

– Ah, vous avez une moustache ! Bonjour, monsieur. Vous êtes quoi – un corbeau ? Vous êtes Corneille (allusion au dramaturge français du dix-septième siècle qui portait la moustache et la mouche). Peut-être êtes-vous un bandit mexicain ! Oui... Sancho ! Feu !

Garry pointe deux doigts vers Gégé et fait semblant de lui tirer dessus. Tous les convives rigolent, et regardent Gégé, cible de la plaisanterie. Lui regarde Garry, le visage figé. Et puis, tout doucement, il laisse échapper un bruit évoquant un ballon qui se dégonfle. Il rit.

La façon dont Garry taquine Gégé ressemble fort à ce que pourraient faire deux copains parfaitement normaux, si l'un d'eux rotait ou se barbouillait de chocolat. Garry est très lié à Gégé : il lui noue son bavoir, lui fait avaler ses médicaments et son dîner, plaisante, s'assied toujours à côté de lui, l'aide à se laver et à se mettre au lit. Certains assistants s'inquiètent, trouvent que se moquer gentiment des manies des résidents n'est pas bien, mais les résidents adorent ça. Ils aiment être un objet d'attention, d'amusement : ils n'ont aucune illusion sur leur apparence, sur leurs capacités et leurs incapacités. « Je me donne à fond », dit Garry.

Jean-Claude, mon voisin de table, a soixante et un ans. Assis près de lui, je me mets à imaginer cette vie-là pour Walker, après ma disparition. Il y a bien pire. Mais pour entrer dans un foyer de L'Arche au Canada – où ils sont beaucoup moins nombreux qu'en France – il faut parfois attendre vingt ans.

Je dessine Jean-Claude dans mon carnet ; il s'en aperçoit, aussi, je lui montre mon croquis. Il en est enchanté. Il me semble que j'ai trouvé un moyen de gagner sa confiance, sa compagnie – d'accéder à son monde. Avec les résidents, c'est plus facile que je ne l'aurais cru. Il n'y a pas de règles, d'usages : on fait avec ce qui est à prendre, avec ce que l'on peut comprendre de plus humain*. Et voilà le plus extraordinaire : durant mon bref séjour de trois jours et demi à Trosly-Breuil, ces hommes et ces femmes brisés m'ont appris des choses.

Un exemple. Il y a au village, à cinq minutes de l'endroit

---

\* Il y a même des couples à L'Arche, pas seulement parmi les jeunes assistants, qui vont souvent danser en ville après une longue journée de travail, mais aussi parmi les résidents. Certains sont même mariés. En Hollande, il existe des communautés de handicapés particulièrement progressistes : les foyers engagent régulièrement des masseuses sexuelles professionnelles. Ce n'est pas l'habitude à L'Arche, en France. « Ici, dit Garry, si tu es physiquement handicapé, tu n'as pas de besoins physiques et sexuels. Tu es un ange. » Il aimerait que le système français soit plus souple. J'avoue qu'au début j'ai été choqué, mais, à vrai dire, je le suis souvent : la première fois qu'on a suggéré devant moi que Walker pourrait éventuellement se marier un jour, cela m'a ébranlé. Pourtant pourquoi ne se marierait-il pas ? Son état le prive déjà de tant de plaisirs ; pourquoi devrait-il être privé du bonheur d'avoir une fidèle compagne, s'il existe quelque part une fidèle compagne désireuse de vivre avec lui ? (*Note de l'auteur*) où je loge, une boulangerie. Deux matins d'affilée, je suis parti acheter une baguette et boire un café, mais j'ai tourné casaque avant de pénétrer dans le magasin. Je ne peux décrire les affres où m'a plongé ce fiasco. Mon français était lamentable, on allait se moquer de moi : je n'osais pas. Je me suis rendu compte que j'avais peur de tout : peur de prendre une douche, de réveiller la maisonnée, peur de descendre pour le petit déjeuner. (Vers neuf heures du matin, le foyer s'emplit de bruits – longs ululements aigus, sifflets de train, onomatopées, tapements divers.)

Cependant, la simplicité de la vie au foyer a résolu mon problème. Lors de mon troisième jour à La Semence, je me suis réveillé de bonne heure et suis allé me doucher au bout du couloir. Ma première douche en trois jours – dans une cabine pas plus grande qu'un placard, sous un mince filet d'eau, et cela m'a paru le comble du luxe. J'ai compris alors tout ce qu'une douche, ou un bain, devait représenter pour Jean-Claude et Gérard, Laurent et Gégé, et pour Walker – une bonne dose de plaisir, la sensation, dans leur corps en vrac, d'avoir momentanément un contour précis.

Après la douche, je me suis habillé et me suis rendu au village, en passant par un chantier : L'Arche construisait deux nouveaux foyers, transformant de vieux bâtiments en résidences flambant neuves. (L'administration française a récemment modifié les normes de construction pour l'accueil des handicapés et les travaux de réaménagement sont d'ores et déjà un sérieux défi financier.) C'était le début du printemps, les arbres se couvraient de gros bourgeons. Une chouette chuintait. Le mieux, m'avait expliqué Garry, était d'acheter quelque chose à manger à la boulangerie et de le déguster avec un café, juste à côté, à l'hôtel. Il n'y avait qu'une chose à ne surtout pas oublier.

– En entrant, vous dites « messieurs-dames » – comme ça, au moins, on ne vous prendra pas pour un touriste malotru.

Je me suis assis dans le square, rassemblant mon courage. Des ados traînaient à l'arrêt de bus, tout près, en fumant. Comment en étais-je arrivé à avoir tellement peur de tout ? De prendre une douche, de demander du pain en français, d'entrer dans un modeste hôtel de campagne. Peur d'*exister*. Arriéré, incapable de m'exprimer, redoutant ce que les autres allaient penser de moi.

Walker n'a jamais ces inquiétudes-là.

J'ai franchi le seuil de la boulangerie. L'une des résidentes de L'Arche se trouvait dans la boutique, une jeune fille mince à la voix haut perchée, au débit très lent – elle bégayait, comme si son corps était toujours à la traîne par rapport à son esprit. Elle a réussi néanmoins à acheter le nécessaire pour le petit déjeuner de tout le foyer. Je me suis lancé dans son sillage. À cause de mon mauvais français, je me suis retrouvé avec deux fois trop de pain – la boulangère a cru que je voulais deux baguettes et je n'ai pas su comment la détromper. Mais, victoire, j'avais mes provisions.

Chargé de mes emplettes, je me suis dirigé vers l'hôtel. *Bonjour messieurs-dames*, ai-je chantonné en entrant. Deux Français baraqués, en blouson de cuir, étaient au bar. Ils m'ont regardé comme si j'étais un dingue en vadrouille.

Moi, j'avais surmonté l'épreuve, et ce n'était pas rien.

Je me doute que cela paraît bien insignifiant, mineur : un homme commande un café en français ! Pourtant ce sont Gégé, Jean-Claude et mon petit Walker qui m'ont montré comment accomplir cette chose si simple. Ils m'ont montré comment ne pas avoir honte. Il n'y a pas de petite victoire. L'écrivain Wendell Berry a même écrit un poème* sur ce thème :

---

* *Do not be ashamed* (N'aie pas honte).

Un soir tu flâneras
Dans la douce pénombre de ton jardin
Et soudain une lumière crue s'allumera
Tout autour de toi, et dans ton dos
Se dressera un mur que tu n'avais jamais vu.
Soudain il t'apparaîtra
Que tu allais t'enfuir
Et que tu es coupable : tu as mal lu
Les complexes instructions, tu n'es pas membre du club,
Tu as perdu ta carte ou tu ne l'as jamais eue.
Et tu sauras
Que depuis le début ils étaient là,
Leurs yeux sur tes lettres et tes livres,
Leurs mains dans tes poches,
Leurs oreilles collées à ton lit.
Tu n'as rien fait de mal,
Pourtant on te voudra honteux.
On te voudra à genoux, en pleurs,
On voudra t'entendre dire que tu aurais dû être comme eux.
Et quand tu auras dit que tu as honte
Quand tu auras lu la page qu'on te tend,
Cette lumière qui émanait de toi et éclairait ton histoire
Te quittera.
On n'aura plus à te poursuivre.
Tu leur courras après en implorant leur pardon.
On ne te pardonnera pas.
Il n'y a rien à faire contre eux.
Il n'y a que la sincérité pour rester au large,
Un rayonnement intérieur, fier,
Qui leur est inaccessible. Tiens-toi prêt.
Lorsque le projecteur se braquera sur toi
Que leurs questions seront énoncées, réponds-leur :
« Je n'ai pas honte. »
Un horizon serein se déploiera autour de toi.
Sur la colline où tombe le soir, le héron prendra son envol.

233

À quatre-vingts ans, Jean Vanier se prépare à accueillir la mort. Il se méfie des honneurs et des récompenses et refuse d'être considéré comme un expert.

– Je ne veux pas avoir plus d'influence que je n'en ai, me dit-il le lendemain matin. Je veux être parmi les plus modestes.

Il se garde de l'amertume commune à tant de personnes âgées, « malades de ne plus être capables ». Les gens s'obstinent à s'imaginer qu'ils doivent se comporter de telle ou telle façon, penser ceci ou cela, croire en un Dieu ou en un autre, mais :

– On n'est obligé à rien. Il faut bannir cette idée. Être, tout simplement. Et laisser venir. Ce qui doit advenir adviendra. La plus grande peur des êtres humains, c'est la peur de l'échec, de la culpabilité. Nous sommes coupables. De quoi ? De désobéir à la loi. Mais quelle loi ? Nous l'ignorons.

– Oh, alors la culpabilité est inévitable.

– Oui, c'est tout le problème. Il y a un texte très intéressant dans la Genèse, l'un des plus vieux livres que nous ayons sur les débuts de l'humanité. À un certain moment, Adam et Ève se séparent de Dieu. Dieu les poursuit et leur dit : « Où êtes-vous, c'est moi, Dieu. Où êtes-vous ? » Il ne leur dit pas : « Vous êtes mauvais. » Simplement : « Où êtes-vous ? » Et Adam répond : « J'ai eu peur, parce que j'étais nu. Alors je me suis caché. » La peur, la nudité, l'envie de se cacher. Quelle est cette nudité ? Notre mortalité. Que cela nous plaise ou non, nous ne maîtrisons pas tout. Et donc, l'essentiel pour l'être humain est de s'accepter tel qu'il est.

– Walker ne parle pas, dis-je soudain. Nous avons un langage tous les deux, je communique avec lui par des clics. Il les reconnaît, et quelquefois il répond.

Là-dessus, je lui fais une brève imitation de notre langue.

– Il émet des clics, vous aussi, j'appelle ça une communion, dit Jean Vanier. Vous êtes sensible à ce qu'il est, il est sensible à ce que vous êtes. Vous ne faites pas quelque chose pour lui. Vous êtes simplement avec lui. Parler par clics. J'aime cette expression. Quand vous êtes avec Walker et que vous parlez par clics, vous êtes mutuellement emplis de gratitude. Vous n'imaginez pas sa gratitude, parce que c'est son papa, qui le regarde. Et vous éprouvez de la gratitude, parce qu'il vous regarde, qu'il regarde l'enfant tout au fond de vous. Et non celui qui a écrit le meilleur article ou autre. Il vous regarde tel que vous êtes vraiment au tréfonds de votre être.

Je ne prétends pas que ce soit l'unique manière de comprendre un garçon lourdement handicapé. Mais Jean Vanier dit ces choses-là. Parfois, ses paroles me paraissent limpides, parfois elles me semblent être l'écho de la pensée d'un homme dont je ne partage pas la foi profonde.

Ce que Vanier dit de la valeur de Walker me réconforte, pourtant l'effort d'y croire peut être exténuant.

Plus tard ce jour-là, le jour de mon expédition à la boulangerie, je tombe sur Francine qui prend le soleil. Son fauteuil roulant est garé sur le chemin menant de La Semence à la route ; Lydie, la jolie assistante du sud de la France, travaille dans le jardin à quelques mètres de là.

– Comment ça va ? dis-je à Francine en lui effleurant l'épaule.

Je m'éloigne déjà quand elle saisit ma main, puis mon bras. Elle est forte ; elle attire mon visage tout près du sien. Elle est paralysée, mais de sa bouche béante fusent des grognements de plus en plus vigoureux. Sa bouche, aux dents plantées en tous sens, est contre mon oreille : je crois qu'elle va me mordre. Ne sachant que faire, je l'étreins et l'embrasse. En levant les yeux, je m'aperçois que Lydie nous observe.

– Je suis désolé, dis-je dans mon mauvais français. Je crains de l'avoir chamboulée.

– Non, c'est bien, dit Lydie. Elle aime les hommes.

Là-dessus, elle se remet à ratisser les feuilles.


Quand Walker avait deux ans, je pensais rarement à lui sans penser à la mort – la mienne, surtout, mais quelquefois à la sienne. La nuit après qu'il s'était endormi, s'il s'endormait, ou au milieu de la nuit lorsque je me réveillais (et pas lui), je me représentais les années qui nous attendaient, toutes identiques. Je me demandais si j'aurais l'occasion de faire autre chose que m'occuper de lui ; je me demandais si veiller sur Walker finirait par user et anéantir mon affection pour ma femme. Je me représentais mon angoisse, son parcours en moi, les abcès et les ulcères qu'elle alimentait.

Mais, avant tout, je me tracassais au sujet de la mort : et si je disparaissais trop tôt, avant d'avoir la possibilité d'organiser son avenir, que lui arriverait-il ? Je me demandais si sa mort à lui pourrait être un soulagement, et la mienne aussi. L'argent était un souci permanent, un gouffre. Pour que Johanna n'ait pas à subir une double peine – s'occuper seule de Walker et subvenir seule aux besoins de la famille, au cas où je décéderais avant elle (pour reprendre la formule de mon banquier), je pris une assurance vie. Je versais cinq cents dollars par mois. Le salaire d'Olga et les produits de nutrition entérale pour Walker coûtaient plus de quarante mille dollars par an. (Très longtemps, la facture pour l'alimentation de Walker s'éleva à huit cents dollars mensuels, quatre fois plus que pour un enfant normal, ce que ne couvraient pas mes défraiements professionnels. Je dépensais la même somme pour nourrir le reste de la famille, or nous ne nous privions pas. Les produits de Walker devaient être fabuleux ! Actuellement, nous déboursons mille deux cents dollars par mois car, selon la brochure du fabricant, ce sont des produits prédigérés pour les enfants souffrant de reflux.) Les traitements, les appareils médicaux, même le ticket de parking à l'Hôpital des enfants malades (minimum neuf dollars chaque fois) – tout cela s'ajoutait aux dépenses de santé de n'importe quelle famille. Chaque année, nous guettions avec curiosité le moment où nous serions à sec : mi-août ? Peut-être réussirions-nous à tenir jusqu'en septembre ? Trois ans après son installation au centre, je rembourse encore des dettes liées à Walker.

Certaines nuits particulièrement dures, les nuits où il pleuvait à verse, ou bien après ces terribles querelles que nous avions quelquefois, ma femme et moi, à cause du manque de sommeil et parce que nous avions honte de notre échec avec cet étrange petit garçon, je me demandais s'il ne serait pas plus courageux de mettre fin à mes jours et d'emmener Walker avec moi. Je n'ai pas la tentation du suicide. Mais la perspective d'une existence sans espoir, à veiller sur Walker, pouvait faire naître en moi ces idées noires. Il y avait l'hydrate de chloral, les cachets. Il y avait la voiture, des endroits où quitter la route, des lacs où se noyer.

Je caressais en particulier un rêve de mort : je mettrais Walker dans un porte-bébé dorsal que j'avais, style Snugli, et l'emmènerais dans les montagnes de l'Ouest canadien, en hiver, l'un de mes paysages préférés sur cette terre ; je me coucherais dans la neige et mourrais là, paisiblement, d'hypothermie. J'imaginais l'aventure dans ses moindres détails – je profiterais d'un moment où Johanna serait au cinéma et Hayley à l'école, je sortirais Walker de la maison et en route pour l'aéroport, avec tout son matériel et tout l'équipement de ski. C'était là que mon rêve morbide déraillait. Si je pouvais surmonter ce foutu cauchemar, l'aéroport avec Walker et des skis, je pouvais survivre à tout, et il n'était plus nécessaire de me suicider. Ce n'était pas exactement ce que voulait dire Nietzsche en écrivant que l'idée du suicide avait sauvé bien des vies, mais le sens y était.

De toute façon, je n'avais pas le droit – à cause de Hayley, de Johanna, à cause de moi et aussi de Walker. Parce qu'ils attendaient de moi que je continue. Parce qu'ils avaient besoin d'un bon exemple – le refrain classique du père bien intentionné.

À l'occasion me venait une idée encore plus radicale : me consacrer totalement à Walker. Elle ne manquait pas non plus d'attrait, cette idée, elle avait des allures de sort inéluctable, discrètement suffocant. Je présume que beaucoup de mères, spécialement des mères seules, connaissent ça – elles ne sont ni optimistes ni pessimistes, simplement résignées.

De cette manière au moins, j'éviterais la rancœur, les épouvantables passages de relais entre ma femme et moi. L'un de nous deux serait enfin responsable. S'occuper de Walker était si accaparant que, quand on n'était pas avec lui, on passait son temps à récupérer le manque de sommeil, à rattraper des heures de travail, s'acquitter de tâches quotidiennes en souffrance, rappeler des gens, sans parler des obligations et urgences à assumer le concernant. Quelle que soit la personne qui prenait soin de lui, l'autre était contrainte de courir après le temps et, par conséquent, avait le sentiment de tout faire toute seule. La rancœur était inévitable.

Vous reconnaissez-vous là-dedans ? Lors de ces sinistres nuits, il me semblait que personne ne savait ce que c'était ; j'avais la conviction que nous étions uniques. Difficile d'expliquer ce que nous éprouvions parce que nous n'avions pas réussi à apprendre à Walker à dormir, parler, manger, faire pipi ou même nous regarder – vous imaginez l'ampleur de cet échec ? Je concède que ce n'est pas rationnel, mais nous nous sentions fautifs.

On n'y peut rien, en tout cas pas en pleine nuit, sur les marches d'une petite maison délabrée, au cœur de la ville, quand la lumière fluorescente allumée dans la cuisine des voisins, une famille chinoise, fouille votre jardin comme un projecteur braqué sur un camp de concentration, et que le jeune Frankenstein soi-même dort au deuxième étage, ce deuxième étage qui, certaines nuits, est aussi pénible à atteindre que le sommet de l'Everest.

Il y avait des nuits où j'étais tellement à bout, tellement éreinté, vidé, démoli, que je me mettais à rire en me traînant dans le couloir, j'en avais le fou rire. Un dingue. J'avais l'impression d'être un chien bien dressé qui s'aperçoit que, non, il ne peut pas apprendre ce nouveau tour qu'on exige de lui. Bon Dieu, j'étais si épuisé : je me revois, cramponné à la rampe de la main droite, soulevant littéralement de la main gauche mes jambes, l'une après l'autre comme si c'étaient des bûches, de pesantes jambes de bois. Je m'entends encore me dire : *je n'en peux plus.* J'avais quarante-deux ans, à l'époque.

Un soir, j'étais si épuisé que je suis tombé dans l'escalier, avec Walker dans les bras : mon talon a glissé sur le nez de marche, j'ai basculé en arrière, la terreur familière m'a coupé le souffle ; *Walker*, cette pensée a électrisé tout mon corps, alors j'ai resserré mes bras autour de lui, pour me transformer en traîneau, et nous avons dégringolé l'escalier, Walkie sur ma poitrine, jusqu'en bas. Il s'est esclaffé. Il avait adoré. Et, du coup, moi aussi.

Il me plongeait dans les ténèbres, mais c'était souvent lui qui m'en sortait.

Après trois jours et demi, L'Arche commence à être un lieu normal. La vie quotidienne y a un rythme naturel, un but, aussi non conformiste soit-il. J'ai beaucoup de temps pour réfléchir.

Je suis venu en France voir s'il existe pour Walker une façon élégante, signifiante, de vivre en ce monde – voir par moi-même s'il est possible de lui créer, pas seulement un abri lorsque je ne serai plus, ni un moyen de satisfaire ses besoins, mais une communauté et une famille qu'il pourrait dire siennes, et même – concept de tous le plus radical – une liberté et une autonomie auxquelles il puisse prétendre.

Et si ce genre de communauté est possible, comment en justifier le coût ? La compassion n'est pas une bonne raison, historiquement. Peut-on également, en créant et entretenant cette sorte de communauté, produire un bénéfice concret, substantiel pour nous tous, les normaux ? Je veux savoir si la vie de Walker a une valeur. Il me semble qu'elle en a une. Jean Vanier affirme qu'elle en a une.

Gilles Le Cardinal est allé plus loin. Il en a la preuve.


Le Cardinal enseigne la communication à l'université de Technologie de Compiègne, il est l'auteur respecté de plusieurs ouvrages. Au début de sa vie professionnelle, cependant, il était ingénieur en intelligence artificielle, il concevait des systèmes d'aide à la décision pour l'industrie pétrolière. Tous les mercredis, il allait avec son épouse déjeuner dans l'un des foyers de L'Arche où elle travaillait.

– En tant qu'assistant j'étais incompétent, mais j'étais doué pour écouter, me déclare Le Cardinal un soir, tandis que nous dînons chez lui.

Le fonctionnement, apparemment sans heurts, de la communauté de L'Arche avait impressionné Le Cardinal – la manière dont elle satisfaisait les ambitions d'un groupe hétéroclite de personnes aux capacités très diverses. Il croit que tout ce qu'il a accompli depuis, en tant qu'écrivain et analyste de systèmes, découle de ce qu'il a appris à L'Arche.

Son travail consistant à décortiquer un processus complexe, à en distinguer les composants, puis à faire reproduire ces actions par une machine, Le Cardinal commença logiquement par analyser L'Arche. Il dressa la liste de tous les acteurs d'un foyer – les résidents, assistants, cadres et parents exerçant une influence sur la qualité de vie et pour qui le résultat importait. Il classa leurs besoins et inputs en catégories puis établit un sous-classement en recoupant ces catégories. Il étoffa ce schéma avec ce qu'il discernait des espoirs de chacun, des peurs, des attentes et tentations de subvertir le système. Après quoi, il étudia ses constatations.

Le Cardinal fut le premier surpris par sa conclusion. L'Arche produisait une intelligence collective supérieure à la somme de ses parties ; l'interaction entre les normaux et les handicapés produisait des points de vue plus sophistiqués que dans tout autre groupe de référence.

Mon bref séjour à La Semence m'a permis de voir cette dynamique à l'œuvre : Gégé m'a paru plus ou moins dénué de sensibilité jusqu'à ce que je le surprenne à rire des numéros de Garry, réaction qui, à l'évidence, ravit Garry et l'a incité à redoubler d'efforts pour faire réagir les résidents. Lorsque j'ai rencontré Francine, dans son fauteuil roulant, qu'elle a saisi mon bras et attiré mon visage vers le sien, je l'ai étreinte et embrassée, et je me suis aperçu que Francine aimait les hommes. J'avais présumé qu'elle n'avait pas de besoins, on m'avait montré que je me trompais. Je pouvais la satisfaire par un simple geste d'affection. Francine découvrait qu'elle pouvait obtenir du réconfort quand elle en avait besoin, si elle le demandait clairement. Nous n'avions avancé qu'en nous rencontrant, à un moment donné, d'égal à égal.

– J'ai été fasciné par le paradigme de la complexité, me déclare Le Cardinal. Je suis certain que l'esprit, l'énergie de l'esprit, fait partie de la complexité – c'est une nouvelle qualité imprévue émanant de la complexité. L'intelligence du système ne réside pas dans les neurones. Elle réside dans la complexité elle-même, dans le processus d'interaction. Pareillement, une communauté de L'Arche produit de nouvelles qualités qui ne sont pas dans ses parties indépendantes, comme la réciprocité et l'égalité parfaite. Et l'une de ces nouvelles qualités est le respect absolu entre la personne la plus brillante et la personne la plus handicapée.

– Peut-il vraiment y avoir de la complexité dans un esprit handicapé ? ai-je demandé. Cela semble absurde.

– Non, si on a une communauté.

Le Cardinal prend un cracker et, sur le bout d'un couteau, une noisette de beurre.

– Si vous voulez étaler le beurre sur le cracker, il se brise, dit-il – et il entreprend d'étaler le beurre sur le cracker qui, efffectivement, ne résiste pas. Mais si vous en prenez deux, pour les renforcer mutuellement, ils ne se brisent pas. J'ai découvert la différence entre faiblesse et fragilité. Le contraire de la faiblesse, c'est la puissance. Le contraire de la fragilité, c'est la force. Avec les handicapés, il n'est pas question de faiblesse – ils sont tout sauf faibles. La fragilité est un autre problème, mais qui peut être résolu par la coopération.

Le Cardinal se rendit alors compte qu'il tenait là une théorie de management radicalement neuve – qui est devenue depuis le sujet de plusieurs ouvrages bien connus. Dans *La Dynamique de la confiance*, Le Cardinal met en application les leçons apprises auprès des handicapés pour élaborer une théorie – pourquoi certains individus ont-ils plus de confiance en eux que d'autres et comment créer de la confiance. Cet ouvrage a contribué à fonder l'étude scientifique de la confiance.

– C'était absolument neuf, ce que nous apprenions. Les handicapés disent toujours : « Puis-je te faire confiance autant que j'en ai besoin ? » Voilà leur interrogation centrale. Une fois cette question de la confiance résolue, il est plus facile de pénétrer le monde des handicapés, et de découvrir ce qu'ils sont capables d'assimiler et d'accomplir.

Le Cardinal a depuis appliqué ses découvertes, dont L'Arche était à l'origine, sur la gestion du risque et la construction de la confiance dans un groupe – le concept qu'il a élaboré, selon lequel la confiance et l'acquisition du savoir découlent d'une reconnaissance mutuelle d'un besoin mutuel – à d'autres problématiques. Durant six ans, il a travaillé en Biélorussie, où il avait pour mission de trouver le moyen le plus rapide et le plus efficace d'enseigner aux habitantes de la région de Tchernobyl à ne pas donner du lait radioactif à leur famille. C'était plus compliqué qu'il n'y paraît : comment empêcher des gens d'ingérer un aliment essentiel – surtout quand ils le produisent eux-mêmes, dans leur propre ferme, quasiment sans frais – à cause d'une catastrophe survenue trente ans plus tôt ? Les autorités avaient tenté de proscrire la consommation de lait, sans succès.

En s'appuyant au début sur une seule femme, Le Cardinal entreprit de créer une « culture du souci de l'autre » qui générait chez chacun sa propre « conscience du risque. » Il utilisa ses techniques de construction de la confiance, issues de L'Arche, pour étendre l'influence de cette femme, choisie par lui, sur les autres mères de la communauté. Lorsque Le Cardinal lança le projet, dans une ville de mille deux cents habitants et trois cent cinquante enfants, un litre de lait ingéré par un enfant était contaminé à hauteur de 2 000 becquerels (une moyenne de 100 becquerels est considérée comme acceptable, ou du moins non toxique). Six ans plus tard, Le Cardinal et son équipe avaient réduit la contamination moyenne à 50 becquerels par enfant. Le programme s'est depuis étendu pour protéger plus de six cent mille personnes.

Cependant, Le Cardinal ne m'a pas invité à dîner pour se glorifier. Il veut m'expliquer que je peux m'appuyer sur les mêmes principes avec Walker.

— Pour Walker, pour un individu qui a ce degré de déficience intellectuelle, la difficulté est de définir « la zone proximale d'apprentissage » Dans certaines zones, on est à l'aise pour acquérir de nouvelles connaissances. Ensuite, il y a une zone voisine où on apprend, mais au prix d'un effort. Et puis, il y a une autre zone où on ne peut pas apprendre. Trouver la zone proximale, entre la deuxième et la troisième zone n'est pas simple, mais si on pose la bonne question, on peut la délimiter.

Si je réussis à trouver cette zone, je pourrai enseigner à Walker quelques éléments essentiels.

— Il s'agit, me dit Le Cardinal, de trouver une chose à laquelle Walker tient — aller se balader, par exemple, ce qu'il aime par-dessus tout — puis lui donner les outils pour exprimer ce désir. Il nous faut un signe, un symbole. Avec l'identification d'un symbole précis, même si celui-ci représente le plus élémentaire des concepts, il devient possible pour les handicapés de s'exprimer sur des sujets importants pour eux. Et brusquement, par un mot ou un signe, vous et Walker pouvez être synchrones — cœur à cœur, main dans la main. Tandis que, peut-être, avec un millier de mots, c'est impossible pour lui car il y a trop de choix.

Walker a confiance en moi, par conséquent, la première condition est déjà remplie. Trouver sa zone proximale d'apprentissage est le prochain pas, en lui apprenant à manifester son accord ou son désaccord — oui ou non, ce qu'il n'est pas encore capable de faire.

– Apprendre le non serait sans doute plus facile pour lui, dis-je. Avant il secouait la tête, maintenant il détourne le visage. Mais le oui lui échappe encore.

– Vous devez y arriver, me déclare Le Cardinal avec insistance. C'est difficile, mais toujours possible. Il faudra peut-être des mois, mais c'est capital. Fondamental. Et ce doit être un signe fort, compréhensible par tous, pas uniquement par vous ou votre femme. Car cela représente sa première chance d'exprimer sa préférence. On n'est même pas dans le : tu veux une pomme ou une orange ? Juste : tu veux une orange ? Non. Une pomme ? Oui. C'est ça, la liberté. Le premier pas pour lui vers la liberté. La possibilité de choisir : la clé pour qu'il puisse rencontrer son intelligence, même si son intelligence est très limitée. C'est la porte de son avenir, essentielle.

Le Cardinal a mené certaines expériences : il a demandé à des garçons handicapés capables de parler quel objet technologique ils désiraient le plus. Leur réponse, à une écrasante majorité ? Non pas un ordinateur ni un iPod. Ces garçons voulaient un fauteuil roulant électrique. Pourquoi ? « Parce que, avec ça, je peux m'approcher des gens que j'aime, et m'éloigner de ceux que je n'aime pas », lui avaient-ils répondu.

La confiance engendre le désir ; le désir engendre le discernement, et le discernement, la dignité. Car si Walker choisit quelque chose, il peut s'assumer en partie, il peut tenter de contrôler un peu de son destin. Il peut être plus humain. Et le choix n'a pas à être cornélien, il suffit que ça ait l'air d'un choix, que ce soit ressenti comme tel.

– Vous avez le devoir de donner à Walker sa liberté, dit Le Cardinal. Et quand il aura assimilé le signe, n'oubliez pas de m'en informer, j'en serai très heureux. Très. Je vais vous donner mon adresse mail, pour que vous me préveniez.

Depuis ce jour, il y a plus d'un an, je m'efforce d'enseigner à Walker le signe oui. Quelquefois je pense qu'il touche au but.

Je me souviendrai longtemps de cette discussion, de ces moments dans la maison de Gilles Le Cardinal à Compiègne, du délicieux cassoulet que sa femme Dominique nous avait gentiment préparé. J'avais l'impression d'être avec lui dans quelque club très fermé, en train d'étudier une carte au trésor dont nul ne connaissait l'existence.

Ses idées sont en soi mémorables. Qu'elles aient été inspirées par des gens comme Walker les rend inoubliables, et même... « révolutionnaires ». Car tout tourne autour de cette notion : nos fragilités peuvent être fécondes et fructueuses. Particulièrement pour les personnes handicapées mais aussi pour les autres. Voilà ce que j'ai appris des personnes handicapées, quand elles disent qu'on n'a pas à cacher ce qu'on a d'imparfait. Cela m'a transformé, avait ajouté Le Cardinal après un silence. Car dans un monde où règne la compétition, il faut dissimuler ce qui est faible ou défectueux. Si on vous découvre une faiblesse, on essaiera d'en profiter pour vous écraser. Quand deux joueurs de deux équipes rivales s'affrontent, chacun cherche à avoir le dessus sur l'autre. C'est précisément là que les handicapés se distinguent. Ils respectent nos faiblesses mutuelles.

Un être se révèle par ses besoins. Faire de l'esbroufe est inutile.

Un autre héros du Cardinal, Jacques de Bourbon Busset, diplomate et membre de l'Académie française, qui renonça à ses prestigieuses activités pour se consacrer à l'écriture, l'a résumé en ces termes : « L'ennemi de l'amour est l'amour-propre. »

Bourbon Busset était un proche de Charles de Gaulle, de même que Georges Vanier, le père de Jean. Les deux hommes connaissaient Anne, la fille trisomique du Général. De Gaulle n'était pas démonstratif, sauf en ce qui concernait Anne. Elle mourut en 1948, à l'âge de vingt ans. Après ses obsèques, tandis qu'ils s'éloignaient de la tombe d'Anne, le général dit à son épouse, pour la réconforter : « Maintenant, elle est comme les autres. » De Gaulle avait toujours sur lui une photographie de sa fille : il affirma que, lors de l'attentat de 1962, une balle fut stoppée par le cadre de la photographie, posée ce jour-là sur la plage arrière de la voiture. Vingt-deux ans plus tard, de Gaulle fut enterré près de sa fille, un détail que je trouve terriblement triste.

*Triste* n'est pas l'adjectif qui convient, en fait, il n'est pas *suffisant*. Songer au désir malheureux de cet homme d'atteindre sa fille, si longtemps inassouvi, et finalement exaucé par la force des choses ; la dimension terrible, aride, de notre solitude, de nos aspirations humaines éclairée par cette enfant simple d'esprit.

Tout cela me fut transmis, via Gilles Le Cardinal, via Jean Vanier, par Walker.

Aussi peut-être me pardonnerez-vous de penser, certains jours, que Walker a une raison d'être dans le processus de notre évolution, qu'il est mieux qu'un essai loupé de mutation et de variation. Vous me pardonnerez de penser, sans doute avec vanité, que si son exemple était modélisé, reproduit et « sélectionné », il pourrait être un (tout petit) pas vers l'*évolution* d'un sens éthique plus diversifié et résilient chez quelques membres de l'espèce humaine. La raison d'être des individus intellectuellement déficients comme Walker pourrait être de nous libérer du vide absolu de la survie des plus forts.

# 13

Extrait de mon journal, 8 décembre 1999 – Walker avait trois ans :

*Séjour au Yacht Club Hotel, un établissement Disney, ici à Disneyville, Disneyworld, Disney Univers. Grâce à Jake, le beau-père de Johanna, et Joanne sa mère. Sa sœur, son frère, leurs conjoints et enfants sont également là.*

*Que de choses étranges, bizarres. D'abord Walker, en plein calvaire, qui se frappe constamment le crâne, qui pleure, qui a le nez qui coule, qui pique des crises – il souffre, mais de quoi ? On l'ignore. Une rage de dents, à mon avis, ou un excès de stimulation. J'ai peur – une crainte sans fondement, mais quand même convaincante – qu'il se fasse mal intentionnellement, qu'il sache que quelque chose cloche chez lui.*

*Et puis, il y a Jake, qui se meurt lentement d'un cancer des os – c'est d'une tristesse impossible, mais personne n'en parle. Il a une sorte de scooter électrique pour se balader ; les gamins se joignent à lui. Nous le faisons tous, parfois, après quelques verres.*

*Et il y a bien sûr Disneyworld. La grande oasis américaine de l'uniformité. Je me demande comment, dans quelques milliers d'années, les archéologues interpréteront Disneyworld – ils penseront, je suppose, avoir affaire à un édifice religieux,* ce qui n'est pas faux. Ici on entend partout les musiques Disney, elles jaillissent du moindre buisson et me font sursauter. Les employés ont pour instructions d'être gentils à l'égard des clients, de s'enquérir avant tout de leur santé, en toutes circonstances : même les gars qui réparent les conduits de ventilation dans les couloirs de l'hôtel, et qui ont déroulé du plastique protecteur sur des kilomètres de moquette, s'arrêtent de travailler pour nous lancer un « Bonjour, comme allez-vous aujourd'hui ! », alors que Walker et moi déambulons dans les parages. Je rêve qu'un abruti scrofuleux m'agresse verbalement, histoire de me ramener à la réalité.

Je suis de mauvais poil. Depuis mon arrivée ici, je suis de très mauvais poil. Walker ne cesse de me rappeler que la vie ne s'organise pas autour d'une thématique.

Sauf à Disneyworld, où si vous prévoyez de faire quelque chose, vous devez le faire dans le cadre du thème imposé, et de préférence juché sur un scooter électrique. Pas étonnant que Hayley m'ait dit, ce matin : « Mickey n'est pas vrai, papa. » Et toi non plus, papa, aurait-elle pu ajouter.

Ici l'argent n'a pas cours : nos dépenses sont simplement déduites de la somme totale dont nous disposons sur notre carte Disney, qui naturellement, est utilisable partout, puisque tout appartient à Disney. Il y a un parc aquatique, Blizzard Beach, fondé sur l'idée qu'un glacier géant est en train de fondre au beau milieu de la Floride, mais au lieu d'en descendre les pentes à ski, on les dévale sur des toboggans, en maillot de bain. Et encore, en matière de parcs à thème, c'est le must. Aujourd'hui, nous visitons Epcot, hier c'était le parc aquatique et le Magic Kingdom pour la fête de Noël, demain, qui sait, ce sera peut-être le royaume de la Greffe de cerveau.

Voilà ce qui me rend grognon : pas de place nulle part pour la moindre déviance, la moindre différence, par rapport à la norme, l'emballage, l'unité du royaume de la Souris. Ici, on n'est pas un individu, on est un membre de l'immense famille Souris. Walker aussi. On pourrait sans doute dire qu'il s'agit d'une forme d'inclusion. Mais avec une politique officielle d'inclusion, le problème est là : on ne peut jamais être ce qu'on est véritablement. À Disneyworld, j'ai l'impression qu'a Walker dans le monde réel : ça a son charme, mais, en gros, nous n'y sommes pas à notre place.

La version « tout inclus » de la vie va de pair avec une morale à l'avenant. Dans l'avion, j'étais assis à côté d'une femme de soixante-deux ans. C'était la première fois qu'elle prenait l'avion. Authentique. Et pour son baptême de l'air, elle choisit Disneyworld !

– Mon fils, m'expliqua-t-elle, alors que j'essayais de lire mon bouquin, il a vraiment foi dans la famille. L'autre jour, je leur ai dit, à lui et à ma belle-fille, que je leur garderai les gamins un soir pour qu'ils puissent sortir dîner. Il m'a répondu : « Non, les enfants sont en vacances. » Alors, ma belle-fille a dit : « Moi aussi, je suis en vacances. » Eh bien, mon fils lui a dit comme ça : « Non, chérie, on prendra des vacances quand les enfants seront grands. »

J'eus envie d'aller trouver son fils, dans l'avion. « Tenez, prenez Démon de l'Enfer quelques heures, vous verrez si vous voulez toujours autant sacrifier votre vie et celle de votre femme. » Voilà le genre d'imbécile qui me donne le sentiment d'être un père raté, parce que parfois, si je réussis à arriver au bout d'une journée ou d'une nuit avec Walker, c'est uniquement grâce à la perspective de passer quelques heures loin de lui, de lire ou de faire une balade en vélo, ou de cuisiner un plat dont le principal ingrédient n'est pas du Pablum*. Hier soir, quand Walker a fini par s'endormir, je me suis installé dans le salon de notre suite pour lire, mais j'étais à l'affût de piaulements, mouvements et autres signes annonçant qu'il se réveillait. Je n'ai pas l'altruisme du fils de cette dame de soixante-deux ans, et certainement pas sa détermi-

---

* Équivalent de la Blédine.

nation. Le monde me reproche mon incapacité à accepter le sort de Walker et, par conséquent, le mien ; il me reproche ma vanité et ma paresse.

Et, pourtant, Walker est aussi l'antidote à cette autoflagellation. Cela s'est reproduit aujourd'hui, alors que nous traversions une grande place, plate comme la main, plantée d'une forêt de mâts au sommet desquels flottaient les drapeaux de pays étrangers. Walker était en crise, il hurlait et se tapait violemment les oreilles (il n'est pas fan du climat humide de la Floride), et moi je lui parlais, je psalmodiais à mi-voix pour essayer de le distraire, propulsant la poussette de la hanche, tout en lui tenant les mains au-dessus de la tête pour l'empêcher de s'asséner des coups. Je venais de passer trois heures avec lui ; il s'était réveillé très tôt, et j'étais sorti le promener afin de laisser Johanna se reposer (Hayley dort avec sa tante, Anne, dans la chambre voisine). J'étais au bout du rouleau. Ses hurlements, qui n'avaient pas cessé depuis une heure, m'emplissaient la tête, j'étais au supplice, je me sentais complètement décalé, au comble de la solitude existentielle ; je n'entendais plus, ne pensais, ne voyais plus rien : ce bruit blanc émanant de lui se muait en une sorte de glaucome auditif, déconnectant mes autres sens. Je me suis dit : « Tu sais, mon garçon, à certains moments je te hais » — ce qui n'est pas le genre du fils de la dame de l'avion, mais qui avait au moins le mérite, sur le moment, d'être vrai. Walker me forçait, ou plutôt m'autorisait, à l'admettre. Il est l'antidote à la bonne et fausse conscience. Toujours il me rappellera ce que nous sommes véritablement.

Et finalement — peut-être à cause de sa farouche obstination, ou parce que nous avions survécu à une nouvelle catastrophe, une autre rencontre avec le chaos —, un champ de résilience se forma autour de nous et, peu à peu, les sanglots cédant la place à des hoquets puis des soupirs, il cessa de pleurer, se cala dans la poussette et se promena avec moi, vidé de ses forces, capable seulement d'observer le monde qui défilait.

251

Un bâtiment blanc, à l'orée de la ville, c'est là que vit maintenant mon fils.

Quand je ne suis pas là-bas, je me représente mentalement les lieux. J'y pense sans cesse depuis qu'il y a emménagé, voici trois ans.

Un bâtiment blanc de style ranch. Plus large que long. Une rampe d'accès. Toujours deux voitures, au minimum, dans l'allée. Derrière, un bac à sable et des jeux d'extérieur. Les noms des gamins peints sur la porte vitrée du patio. Les dossiers médicaux dans la cuisine. Pas de tapis (redoutables pour les fauteuils roulants et les déambulateurs). Une ruche.

En matière de centre spécialisé, c'est le top : bien organisé, avec suffisamment de personnel (pour veiller sur Walker vingt-quatre heures sur vingt-quatre, même quand il dort), stable. Propre – important, la propreté. Il vit là avec sept autres enfants handicapés.

Je connais sa chambre par cœur : les murs bleu-vert, pas assez de fenêtres. Mais impeccable. Une commode en bois blond. Des stickers représentant des ballons de foot sur les murs. Des couettes Nascar ! Ils sont trois à partager cette chambre : Marcus (sourd, retardé, anxieux mais très vivant) ; Yosuf (grand, maigre, retardé, atteint d'une maladie du squelette, doux et calme – il me serre toujours la main) ; Walker, le plus mentalement retardé des trois.

Une photo de Hayley au mur. Une photo d'Olga. Une photo de sa maman. Une photo de moi.

L'armoire, dans un ordre militaire. Des corbeilles étiquetées : chemises, pantalons, sous-vêtements, gaines de bras. Un bonhomme de neige et une paire de gants de boxe, décalqués sur du papier violet. Un garçon qui se boxe les oreilles transformé en dessin. Voilà ce qu'il a toujours été. Un boxeur, un dur : il a beau être frêle, il est redoutable, et il a une tolérance à la douleur illimitée.

252

Lors de son baby shower* (lequel eut lieu après sa naissance, puisqu'il naquit cinq semaines avant terme), un ami nous offrit une gravure de George Stubbs montrant un petit bulldog. *Billy Martin : chien de combat.* Un cadeau qui se révéla étonnamment approprié.

Je suis allé là-bas l'autre jour après l'école, pour le ramener quelques jours à la maison. (Je vous l'ai dit ? Il vit là-bas, maintenant.) J'y vais souvent, je peux suivre l'itinéraire les yeux fermés. À l'aller, j'ai tendance à appuyer sur le champignon ; au retour, je ne suis pas si pressé. Même après trois ans là-bas, les départs (lui faire des bises, le serrer dans mes bras et l'embrasser une dernière fois, puis sortir à grands pas et tirer la porte à fermeture automatique du centre, descendre la rampe pour regagner la voiture) sont de petites morts, comme si le soleil s'obscurcissait peu à peu. Comme si se produisait quelque chose d'affreux, pas du tout naturel.

Aujourd'hui, je suis arrivé alors que Walker était encore en classe. J'ai attendu dans la cuisine. Un silence lourd régnait dans le centre. Sept personnes se trouvaient au salon, sept résidents – Jasmine, Colin, Yosuf, Tharsika, Cindy et Karen, avec Marcus (qui lit sur les lèvres) regardaient la télé, dont le son était coupé. On n'entendait pas un murmure. Évidemment : aucun d'eux n'est capable de parler. Ils étaient perdus dans leurs fauteuils roulants, leurs casques, leur territoire mental intime. Leurs mains griffaient l'air. Ils tressaillaient et sursautaient, face au mur. Cela aurait pu être une performance artistique. Souffrance, angoisse et solitude.

Soudain le minibus jaune de Walker s'est arrêté dans l'allée. Je me suis précipité dehors.

---

* Aux États-Unis et au Canada, réception au cours de laquelle on fête l'arrivée prochaine d'un enfant en offrant des cadeaux aux parents.

– Salut, Beagle* ! me suis-je écrié.

À ma surprise, Walker s'est jeté dans mes bras. Bien que je sois venu le chercher de nombreuses fois depuis son emménagement au centre, je ne suis jamais certain qu'il se souviendra de moi. Il me reconnaît, mais je n'en suis jamais sûr.

Je l'ai étreint de toutes mes forces.

Ensuite, pendant que nous rassemblions son matériel de nutrition et ses médicaments, et son pantalon de ski et son sac à dos camouflage et ses gaines de bras et son casque (j'avais oublié la poussette), il fila au salon.

Les autres ne lui dirent pas bonjour, mais bon, lui non plus ne pouvait prononcer un mot. Il se dirigea droit vers le sapin de Noël, à sa manière déterminée, pour examiner les décorations. Dans cette demeure du silence éternel, lui seul était attiré par ces éclats de lumière. Je n'ai jamais oublié ça.

Nous nous sommes dépêchés de partir. Il aime la neige, l'air froid sur ses oreilles et sa tête. Tout ce qu'il aime est si important pour moi. C'est une sorte d'accomplissement.

Hayley avait quatorze ans quand j'ai commencé à l'emmener à des spectacles de danse. Elle fait de la danse depuis son plus jeune âge. Ce sont pour moi des soirées de gala : je porte un nœud papillon, elle une jolie robe. Elle m'explique quels mouvements sont difficiles et lesquels ne le sont pas, nous discutons de ce que signifie la danse, de la façon dont le corps en mouvement ouvre l'esprit. Durant ces soirées en compagnie de ma fille si gracieuse, dans nos fauteuils non loin de la scène, je me réjouis que la chance et la beauté aient éclairé ma vie.

---

* Célèbre navire à bord duquel Darwin posa les bases de sa théorie de l'évolution. Le mot *beagle* est aussi une déformation argotique de *bagel*, sorte de beignet.

Un soir nous avons assisté à la représentation de *Glass Pieces* par le Ballet national du Canada, une chorégraphie créée à l'origine par Jerome Robbins sur la musique instrumentale de Philip Glass. Les danseurs, alignés sur deux rangs, parcouraient le plateau sur les rythmes de M. Glass. Parfois un couple brisait la cadence et exécutait un pas de deux, pour se fondre aussitôt, de nouveau, dans sa rangée.

Un ballet sur le thème de la vie dans une mégalopole, ses légions d'habitants exécutant tous les mêmes gestes, dans le même lieu impersonnel, sur le même tempo ; des individus qui, l'espace d'un instant, se distinguent de la meute mais reprennent très vite leur place, se soumettent à la règle, comme nous y sommes tous contraints. Une œuvre d'art qui permet d'entrevoir le tranchant de l'existence, même quand on est englouti dans son quotidien répétitif, sans perspective. Un cadeau, généreux, porteur d'espoir, qui vous ouvre des horizons. J'en ai eu les larmes aux yeux.

Walker, lui aussi, émeut les gens. Presque tous ceux qui le rencontrent sont émus aux larmes. Mais pas des larmes de regret ou de pitié. J'ai abouti à la conclusion que, la plupart du temps, ce sont des larmes de gratitude.

Les handicapés, particulièrement les personnes lourdement handicapées et les déficients intellectuels, nous rappellent combien une vie peut être obscure − n'importe quelle vie, pas seulement celle des handicapés. Nés des ténèbres et destinés à retourner aux ténèbres, avec entre les deux un bref éclat de lumière : voici comment Samuel Beckett décrit le parcours humain, grosso modo. La plupart des personnages de Beckett sont physiquement défaillants ou reclus ou sans espoir − infirmes.

Aussi quand Walker pose un acte suggérant que sa vie a une raison d'être, outre la souffrance et l'isolement, cela semble particulièrement courageux. Pour un garçon comme Walker, un ornement de sapin de Noël pourrait aussi bien être l'arche d'alliance : cela scintille, cela capte

255

son attention, et un peu de la minutie et de l'imagination qui ont contribué à la réalisation de cet ornement se transmet de son concepteur jusqu'à moi, ou quiconque prend le temps de l'examiner, à travers Walker. Si je suis attentif suffisamment longtemps, si je reste immobile suffisamment longtemps pour réfléchir à cela, si je suis assez téméraire pour ne pas me jeter dans quelque autre activité plus « productive » ou distrayante, l'idée d'accrocher une babiole à un arbre, un souvenir à une branche, antique rituel païen, retrouve toute sa fraîcheur. Walker est un prisme – d'une forme inhabituelle, j'en conviens – au travers duquel les contours du monde se dessinent plus nettement. Walker me fait voir l'ornement de Noël tel qu'il est – ou mieux encore, tel qu'il pourrait être. *Regarde par ici, papa,* me dit-il, *regarde ce qui t'a échappé. Il te suffit pour le voir de ralentir. Je te montre comment faire.*

Si mon fils essaie de ne pas succomber à la douleur, mais que, brusquement, elle l'écrase ; quand, vaincu, il est foudroyé par le chagrin et que des cris, comme une sombre lame de fond, jaillissent de lui – cela aussi me fait pleurer. Pourquoi ? Parce que c'est pénible à observer ? Non : sa souffrance me rend furieux. Ce qui me fait pleurer, me semble-t-il, c'est l'optimisme caché même dans cette crise : au moins il avait l'espoir de surmonter cette douleur, il espérait que ça passerait. Un copain de Winnipeg l'a bien exprimé l'autre jour, à propos de tout autre chose : à la fin de la journée, il y a toujours un bon grog pour les braves.

Je crois que c'est pour cela que je pleure. Walker a le même effet que le ballet : tous deux sont capables de nous révéler une autre dimension du monde. Il fait partie des sources où puiser l'espérance.

Alors à quiconque s'interroge sur la valeur potentielle d'un enfant lourdement handicapé, sur le sens d'une vie ténébreuse essentiellement vécue dans la souffrance, je fais une suggestion. Et si la vie de Walker était une œuvre d'art en cours de création – peut-être une œuvre collective ? Cela vous convaincrait-il de prendre soin de lui pour moi ?

Je pense à lui chaque jour, la première fois avant le petit déjeuner, à sept heures moins le quart, lorsque je prépare le casse-croûte que ma fille emportera à l'école et que je tombe sur son attirail de nutrition entérale dans le placard du fond, ou que je remarque, en ramassant le journal, les lamelles toujours emmêlées du store de la porte. Il y a les photos de lui sur le réfrigérateur et le placard où on range les céréales, sur ma commode lorsque je m'habille ; les magnets qui sont pour lui une obsession.

Sa chambre vide pousse des clameurs en haut de l'escalier. Chaque fois que Walker me traverse l'esprit, je me remémore que nous n'étions pas en mesure de continuer avec lui, et le froid s'empare de mes mains et de ma poitrine. Je me dis : ça fait combien de temps que je ne l'ai pas vu, quand le reverrai-je ? Je récapitule ce que j'aurai à faire la prochaine fois (le docteur ? la sécu ? des analyses ?) ; je calcule depuis quand il n'est pas venu, je compte les jours – en fonction du résultat, je me sens bien ou je m'en veux ; je pense à la forme de sa tête ; je pense à ses yeux, à comment ce serait s'il pouvait parler ; je me demande à quel moment de la semaine j'aurai le temps d'aller le chercher, à quel moment de la journée ça circulera le mieux ; je pense à avertir Olga ; je pense à Hayley seule au monde avec lui. Voilà plus ou moins quelles sont mes pensées chaque fois que je songe à lui. Pour un garçon si peu utile, il me donne matière à beaucoup réfléchir.

Cependant, une fois Walker installé dans sa nouvelle maison, j'oublie peu à peu le rythme de son sommeil. J'oublie son obstination à se frapper la tête, à boxer le

257

mur, ma propre tête, jusqu'à ce qu'il revienne chez nous en visite et me remette tout cela en mémoire. J'oublie comment il émerge du sommeil, insensiblement et inexorablement, une lente torture pour la personne allongée près de lui et qui guette son réveil ; et lui qui, infatigablement, se donne des coups sur la tête ou s'écorche la main, qui marmonne ou gémit, pour finalement être tout à fait réveillé et souvent malheureux. J'oublie comment il peut, sans arrêt, cogner le mur, quatre à cinq fois par minute, vingt minutes durant, sans ouvrir les yeux, et à quelle vitesse je réagis pour l'empêcher de se réveiller tout à fait. J'oublie combien il peut avoir l'air calme tandis qu'il émerge graduellement du sommeil, ses paupières, son front si lisses, j'oublie combien mon petit garçon brisé peut paraître charmant et profondément calme. Combien ce semblant de calme peut être convaincant. J'oublie combien il peut être exaspérant, quand il résiste à ma volonté.

L'été dernier, dans le chalet isolé de nos amis, au bord du lac, il restait éveillé jusqu'à trois heures du matin. D'abord, j'ai tenté de le coucher vers vingt-trois heures, lorsque Johanna a déclaré : « Tu dois en débarrasser Olga, elle a eu une longue journée. »

Ravalant la rancœur familière, j'ai retiré son casque à Walker, porté jusqu'au lit mon garçon lourd comme un âne mort, et me suis affalé à son côté. Je lui ai chanté mon stock de chansons – les seules dont je me rappelle les paroles – *Amazing Grace* (quatre couplets, dont un de mon cru), *Amore*, *Are You Lonesome Tonight ?*, *Old Man River*, plus une reprise de *Amazing Grace*, cette fois sur l'air de *The House of the Rising Sun*, à la façon des Blind Boys of Alabama. Ensuite j'ai tout repris depuis le début. Sans succès. Je l'ai câliné, lui ai parlé en clics, j'ai plaisanté, me suis esclaffé. Je l'ai empêché de s'agiter, lui ai murmuré des histoires à l'oreille, lui ai massé le crâne, le dos. J'ai fait tout ce que j'avais déjà inventé. En réponse il s'est évertué, des dizaines de fois, à m'assommer à coups de boule, de toutes ses forces. Avec un certain succès.

Au bout de quatre heures, après m'être levé deux fois pour écouter la nuit, et arpenter avec lui la véranda à présent désertée, et après qu'il m'eut cogné le nez, lequel craqua sinistrement, je lui ai donné une claque sur les fesses et l'ai insulté.

– Ça suffit, petit con !

Je sus que j'étais dans la zone dangereuse où, comme le préconisent les manuels, il faut prendre du recul. J'ai envisagé un instant de réveiller quelqu'un, Johanna ou notre hôte, en implorant son aide. (Pas Olga, jamais : elle trimait suffisamment le jour, il nous incombait de résoudre le problème des nuits.)

Évidemment, je n'ai réveillé personne. Je ne le fais quasiment jamais. Mais j'en avais la possibilité. J'avais un recours. Seul, sans personne vers qui me tourner – je préfère ne pas y songer.

Je lui ai donc donné une fessée et lui ai ordonné d'être sage. Sur quoi, il a roulé sur le côté, s'est redressé sur un coude, m'a regardé comme si j'étais Jerry Lewis, a lâché un « HA ! » sec et sonore, puis *s'est retourné et s'est rendormi*.

Il voulait simplement me montrer qu'il aurait le dernier mot. J'ignore comment les garçons normaux de douze ans s'y prennent, quand le moment est venu, pour faire comprendre ça à leur père. Mais voilà comment Walker s'y est pris avec moi. Il l'a fait avec ses moyens.

Mais comment savez-vous que c'est bien cela qu'il cherche à vous dire ? On pourrait me poser cette question. Comment savez-vous que vous n'imaginez pas tous ces messages entre vous ? Puisqu'il ne parle pas, comment savez-vous que vous n'inventez pas ? Je répondrai que je n'ai aucune certitude. Mais le père moyen, souvent, ne sait pas non plus si lui et ses fils n'imaginent pas le lien qui les unit. Une relation humaine, quelle qu'elle soit, existe derrière un voile de mots, et parfois elle en est déformée. Seul un fou prétendrait le contraire. Walker et moi ne nous payons pas de mots. Nous préférons les bruits.

Walker vivait au centre depuis deux ans, lorsque je fis un rêve. Il était dans son autre maison, je lui rendais visite. Il était très, très heureux : il ne pouvait toujours pas parler, mais il comprenait tout et traduisait ce qu'il voulait dire en murmures. À la fin de la visite, il me raccompagnait jusqu'à la porte de sa maison et restait là, radieux. Sa camarade Chantal, ou son autre camarade Krista Lee, ou un mélange des deux, se tenait derrière lui. À l'évidence, elle était sa petite amie. Cela me faisait plaisir : je savais qu'il avait enfin trouvé quelqu'un à aimer et qui l'aimait, non pas de la manière dont tout le monde aime Walker, mais d'une façon que lui seul pouvait comprendre – sa part d'amour n'appartenant qu'à lui, enfin. Et nous en étions tous les deux conscients. Il souriait tandis que je lui disais au revoir, me regardait droit dans les yeux et, d'un hochement de tête, me donnait sa bénédiction. Il m'avait pardonné son existence. Mais ce n'était qu'un rêve.

Il devient un garçon différent, là-bas dans son autre maison. Il a une vie à lui – jamais je n'aurais pensé qu'il connaîtrait cela. Intellectuellement, c'est un bébé, il le sera toujours. Pourtant, même si je pense que Walker ne changera jamais, il change en permanence.

Lors de sa dernière visite chez nous, il a systématiquement refusé de faire ce que je lui demandais, il ne m'a pas accordé la moindre attention durant deux jours : il tapait sur la table, inspectait le micro-ondes, jouait avec Olga. Il se comportait comme un ado rebelle. Le soir du deuxième jour, alors que je le priais de venir près de moi pour la trentième fois, il me jeta quelques miettes. Il se percha sur mon genou ; me regarda ; puis lentement, avec cette lenteur qui lui est propre, il me gratifia d'un demi-sourire, tout en lorgnant du côté de sa prochaine destination. J'avoue que le mot *consciemment* me traversa l'esprit. Il semblait savoir exactement ce qu'il faisait : *c'est le moment de calmer le vieux, qui visiblement a besoin d'être rassuré – pas vrai, mon vieux ?*

Je ne m'attendais vraiment pas à le voir devenir indépendant, avoir une vie à lui, pourtant c'est le cas. Dernier événement en date, me disent les employés du centre : il crie « bus bus bus ! » quand le minibus arrive. J'ai de la peine à y croire. Mais il y a également eu d'autres changements, des évolutions plus subtiles.

Un soir de novembre, qui date de six mois au moment où j'écris ces lignes, et dont je me souviens un peu trop précisément. Il était six heures quand je suis passé chercher Walker pour le ramener chez nous. Lorsque je me suis garé dans l'allée, Colin, le garçon le plus âgé du centre, regardait par la fenêtre de sa chambre, à droite de la porte d'entrée verrouillée. Il se tenait si près de la fenêtre qu'il y avait de la buée sur la vitre, à côté de son sticker des Maple Leafs de Toronto, le club de hockey. Colin est un garçon timide : petit, menu, il a vingt-cinq ans (il en paraît seize), les sourcils perpétuellement froncés, la figure mal foutue, un corps tout courbé. Il comprend mais ne parle pas, et il est très poli : il laisse Walker s'interposer entre lui et l'écran de la télé quand il joue aux jeux vidéo dont il raffole, il attend patiemment que Walker s'écarte.

Je dis toujours bonjour à Colin, je m'approche et lui frotte le dos, je le traite comme l'aîné, le meneur ; je ne sais pas quoi faire d'autre, c'est la seule manière pour moi d'établir une relation avec lui sans me sentir idiot. Il regarde rarement les gens, il baisse la tête, mais j'ai remarqué qu'il

261

esquisse un sourire quand je prononce son nom ; ce que je refais en partant, toujours, et lui, il sourit de nouveau en levant imperceptiblement les yeux. Sa timidité, son profond besoin de se cacher, sa honte, son plaisir, sa gratitude, sa solitude, son attente – tout est là dans ces brefs instants.

Quelques semaines passèrent. Un lundi de décembre, tard, Trish Pierson, qui travaillait de nuit, m'appela du centre. C'était inhabituel.

– J'ai pensé que vous souhaiteriez être informé que Colin est mourant. Parce qu'il y a quelque chose entre vous deux.

Colin n'avait qu'un poumon – je l'ignorais – qui à présent ne fonctionnait plus. Les mots me manquèrent. Trois jours plus tard, Colin était mort. Désormais, si Walker se plante devant l'écran de télé, il n'y a plus personne pour s'en offusquer ou laisser faire.

Walker vint à la maison une semaine après. À mon retour, Olga lui annonça que j'étais là, et il s'approcha pour me dire bonjour – ce qui n'était pas dans ses habitudes ; en principe, il ne s'approche pas spontanément, il faut l'appeler. Il ne semblait pas triste, mais dans l'expectative. S'il avait dû être préoccupé, il l'aurait été, si vous voyez ce que je veux dire.

J'hésitai à mentionner Colin. S'était-il rendu compte ? Trish pensait qu'aucun des résidents n'avait conscience de la disparition de Colin, mais je n'en étais pas certain.

Je me suis dit : j'en parlerai quand même. Il était tout contre moi, il ne cherchait pas à se dégager de mes bras.

– Salut, Beagle, lui dis-je, car c'était ce que je lui disais toujours et que je m'efforçais d'être cohérent. Comment ça va ?

Je lui frottai les épaules, vigoureusement comme à l'accoutumée, me baissai pour le regarder dans les yeux, et (doucement) cognai sa tête casquée avec ma tête sans protection.

– *Alayalayalayalay*, dis-je, comme toujours.

Puis je collai ma bouche à son oreille. C'était important, mais j'avais l'impression de m'adresser à un mur. Je lui dis : *Je suis désolé pour Colin. Est-ce qu'il te manque devant la télé, tout courbé sur son petit tabouret ?* Et encore : *Je sais que vous étiez copains*, et : *Il te laissait te mettre devant la télé. C'est gentil, tu sais, de ne pas s'énerver quand tu gênes*, et aussi : *Colin ne regardait jamais les gens mais quand quelqu'un était là, il le savait, pas vrai ? Il savait toujours que tu étais là.*

Je m'interrompis, j'attendis. Walker me regardait fixement. Je dis, haussant légèrement la voix : *C'est peut-être mieux pour lui maintenant, il était très malade, il souffrait beaucoup.* Et aussi : *Tu te rappelles quand on prononçait son nom ou qu'on lui disait bonjour, il ne levait pas le nez, mais après il nous regardait en douce, et il souriait, tu te rappelles comme il était content ?* Et encore : *C'était un gentil garçon, Walkie.* Et puis : *Il était content que tu sois son ami.* Et : *Il doit te manquer, je sais que c'est triste, mais ne t'inquiète pas, quelquefois il faut être triste.*

Je lui dis d'autres choses encore, que je ne me rappelle plus. Je conclus par : *Je ne sais pas où il est maintenant, mais ça ne signifie pas que tu ne peux pas te souvenir de lui. Mon petit poussin, je suis désolé que ton ami soit mort.*

Je lui frottai le dos. Il avait l'air – j'admets que c'est très subjectif – soulagé. Son regard s'adoucit. Sa respiration se ralentit. Était-il possible que j'aie exprimé ce qu'il avait sur le cœur ?

Tout cela fut dit à voix basse, pour que Olga ne me surprenne pas et ne pense pas que j'avais perdu le nord, même si cela ne lui échappa pas, j'en suis à peu près sûr. Je ne sais toujours pas pourquoi j'ai tenu ce discours à Walker, cependant je préfère lui avoir parlé – car peut-être m'a-t-il entendu, et compris.

Deux jours plus tard, je l'ai reconduit à son autre maison. Tanya, une jeune femme des Caraïbes qui est chargée de Walker de seize à vingt-trois heures, nous attendait, de même que Trish.

Tanya est avec Walker depuis six mois, un bail : il a des périodes où il épuise les employées qui tiennent deux semaines puis capitulent, déesespérées par ses pleurs et les coups qu'il s'assène sur le crâne.

Trish est un phénomène encore plus rare : elle a été engagée pour veiller sur Walker la nuit à l'époque où il est entré au centre, voici trois ans. Elle le connaît comme une mère connaît son enfant.

Le soir, Tanya lui enfile son pyjama Power Rangers, ensuite Trish prend le relais. Le matin, Tyna, la directrice du centre, vient passer vingt minutes avec lui pendant qu'il est sur le trône, avant l'école, pour lui apprendre à signer. Elle a essayé de lui apprendre le mot « Jouer » (une main tendue). Ça ne marche pas, mais elle continue. Chez nous, je m'efforce de lui enseigner des signes simplifiés pour : Arrête, Oui, Non, Je t'aime, Ami. Des mots dont il pourrait avoir besoin. Il n'est pas très doué, mais moi non plus. Je produis un signe, il éclate de rire puis s'applique à m'ignorer. C'est comme travailler pour un patron qui paraît avoir continuellement en tête quelque chose de beaucoup plus important. La seule manière de retenir l'attention de Walker pendant ces séances est de parler pendant que j'agite mains et bras. Il aime ça, et cela explique pourquoi il tourne plutôt autour de ses éducateurs que des autres gamins du centre : aucun des résidents ne parle, or Walker est attiré par la voix humaine. Simplement, il ne maîtrise pas la sienne.

Pourquoi ne réussit-il pas à signer ? Certains scientifiques estiment que même des enfants souffrant d'un retard sévère, comme Walker, établissent le rythme de leur progession, qu'ils perçoivent ce qu'ils peuvent ou non gérer, et s'adaptent en conséquence. Darcy Fehlings, pédiatre du développement au centre réputé Bloorview Kids Rehab de Toronto, connaît Walker depuis qu'il est bébé.

– Je crois que les enfants, dans la mesure du possible, analysent à leur manière leur environnement, me déclara-t-elle un jour. Je pense qu'il y a des schémas que Walker reconnaît, qui le rassurent et le structurent.

Mais il peut assimiler uniquement ce qu'il est disposé à assimiler – or il ne lui faut pas trop de stimuli, il n'est pas prêt à établir de contact visuel avec autrui, et donc pas prêt pour la langue des signes. C'est mon problème, pas le sien. D'un autre côté, le Dr Fehlings se rappelle Walker dévalant, tout gamin, un toboggan avec un enthousiasme débordant. « Le toboggan, ça c'est un processus qu'il comprend. »

Il y a une chose qui a également du sens pour lui : rester éveillé aussi longtemps que possible et se démener tant qu'il a dans le corps une once d'énergie. Il ne veut pas en perdre une miette. Même dans sa deuxième maison, alors qu'il devient lentement un adolescent, une nuit de sommeil complète est rare. Quand cela arrive, ses éducateurs se réjouissent, car il est ensuite moins capricieux.

– Quand il est dans un bon jour, il saute sur le lit, m'explique Trish. Et si on referme le filet – le filet destiné à l'empêcher de rouler par terre – il se jette dedans, il tombe, et il trouve ça désopilant.

Le week-end, après la baignade à la piscine municipale, Trish l'emmène se balader.

– Il est très connu chez Sobeys – la supérette du coin. Tout le monde lui dit : « Bonjour, Walker. » On achète du café, et puis il essaie de tout écrabouiller, alors on s'assied.

Il adore faire dégringoler des rayons de paquets de pâtes et de soupes en conserve. Il adore aussi cogner les employées du centre avec ses gaines de bras.

— Seulement les filles, dit Tanya, parce que ça les embête. Elles le grondent : Walker, ne m'écrase pas le popotin. Et lui, il rigole : hé, hé, hé. C'est ta danse nuptiale, Walker ? ironise-t-elle avec son doux accent des îles.

On lui parle, on réagit : il a tout ça. Il est le maître du non-dit.


Après toutes ces nuits avec mon fils, depuis trois ans, Trish sait des choses sur Walker que j'ignore. Elle rapporte de ses explorations des pépites qu'elle me présente pour que je les contemple et les admire.

Par exemple, le jour où je dois retrouver Trish et Walker à l'Hôpital des enfants malades de Toronto. Le rendez-vous est à six heures et demie, pour une opération prévue à neuf heures — détartrage des dents, irrigation des oreilles et, tant qu'on y est, examen auditif ; cependant comme il s'agit des dents de Walker, des oreilles de Walker, cela exige une anesthésie générale. Sans cela, rien n'est possible : Walker ne va pas rester assis, sans bouger, pendant qu'on lui fourre un appareil dans l'oreille, ou même une simple brosse à dents dans la bouche. (Olga, sa nounou, est la seule personne au monde capable de lui brosser les dents. Il se soumet à elle, se borne à émettre un geignement sourd, monocorde, évoquant une pompe d'aspiration.)

À l'hôpital, inévitablement, il y a des contretemps : l'attente habituelle, entre une ou deux heures, l'entretien d'usage avec l'anesthésiste, aujourd'hui un jeune Indien qui semble avoir tout juste vingt ans et veut savoir si Walker a des allergies et l'emplacement exact de son murmure cardiaque. Je réponds : « Ce doit être dans son dossier », comme d'habitude. Mais, comme le dossier est épais de quinze centimètres, jamais personne ne semble l'avoir consulté.

Malgré tout le jeune médecin entreprend de le feuilleter : par-dessus son épaule, j'entrevois des lettres de neurologues que je n'ai jamais lues, car en obtenir une copie équivaut à réclamer des documents classés secret-défense. Walker voit à longueur de temps une multitude de médecins : il est le candidat idéal pour le dossier médical en ligne. On parle depuis des années d'informatiser les dossiers médicaux, les pouvoirs publics ont dépensé dans ce but près d'un milliard de dollars. Les diabétiques seront le premier groupe concerné, quoique les questions de confidentialité fassent obstacle, sans mentionner le coût. Walker, lui, se fiche de la confidentialité, mais aurait grand besoin d'un dossier informatisé.

– Comment comptez-vous l'anesthésier ? je demande.

– Sans doute au masque. Ou peut-être par perfusion, mais s'il est réactif, sans doute au masque. Il est congestionné ?

C'est un peu tard pour poser la question, mais voilà comment on pratique avec les patients en ambulatoire, sur le mode : dites-moi ce que je dois savoir, rien d'autre.

– Il est souvent congestionné, intervient Trish. À cause de ses allergies.

– Pneumonie ? Allergies à l'azithromycine ?

J'ai demandé des détails sur l'anesthésie pour mettre le docteur à l'aise, lui montrer que Walker est aussi solide que d'autres gamins, et son père complètement concerné par sa santé et son bien-être. Le docteur est surpris – la plupart des parents ne demandent pas de détails – mais, ravi, il saute sur l'occasion de parler des armes lourdes qu'il manipule : Fentanyl (un analgésique morphinomimétique) ; du Propofol, en intraveineuse. « Peut-être du Tylenol en suppositoire quand il se réveillera. »

Du Tylenol en suppositoire ? Il n'y a donc pas de limites aux outrages que doit subir cet enfant ? Les blagues mijotent dans ma tête. Ce n'est pas toujours sérieux, l'hôpital.

— Il est alimenté par gastrostomie, n'est-ce pas ? On passera peut-être par là, oublions le suppositoire.

Nous retournons attendre. Je m'assieds dans un fauteuil roulant et, pour distraire Walker, je l'installe sur mes genoux, et sillonne le service, l'étage. J'essaie de rouler le plus vite possible ; ce n'est pas aussi facile qu'on l'imagine. Pendant vingt minutes, mon garçon est au paradis, un nouveau record de durée de plaisir partagé. Il adore traverser la passerelle qui enjambe le hall et observer les gigantesques mobiles constitués de vaches, de cochons et de lunes, qui pendent dans l'atrium. Il jubile, je m'en étonne et en parle à Trish.

— Oh, il aime se balader en fauteuil roulant, me dit-elle simplement.

Elle a ôté sa veste et je m'efforce de ne pas lorgner son décolleté. Un homme préfère ne pas être surpris en train de reluquer le décolleté d'une femme, spécialement quand il se trouve dans un hôpital pour enfants, juste avant l'opération de son fils handicapé mental, et qu'il fait le fou en fauteuil roulant. Mais Trish ne me prête pas attention, ou me pardonne.

— Il faisait ça tout le temps avec Krista Lee, sur ses genoux.

Krista Lee, de son premier centre où la plupart des gamins étaient paralysés. Dans ce lieu, Walker était le caïd, la vedette : il pouvait marcher. En quelques semaines, nous remarquâmes qu'il prenait confiance en lui. Quand il vivait avec nous, il était toujours le plus défaillant. Là, il était un explorateur, un voyageur. Kenny, le premier coturne de Walker, avait failli se noyer, ce qui avait provoqué des dommages cérébraux ; il ne pouvait plus se déplacer seul. La mobilité de Walker le ravissait, il tapait des mains en riant aux éclats. Kenny ne pouvait pas s'exprimer par des mots, ni contrôler parfaitement son corps, mais il entendait, il comprenait et se faisait comprendre par des bruits et des gestes, surtout lorsqu'il avait des visiteurs. C'était un gamin charmant. Je ne me suis jamais senti aussi aimé que dans ce lieu, entouré de ces enfants fracassés.

Krista Lee était une jolie fille en fauteuil roulant. Son cerveau n'était pas fiable, mais Walker l'aimait quand même.

– Quelquefois il tripotait la télécommande et le fauteuil démarrait tout seul. Et Krista Lee se mettait à crier : Walker ! Qu'est-ce que tu fais ? Il adorait ça.

Je n'en doutais pas. Ensuite, quand il est devenu trop grand pour ce foyer, il a emménagé dans sa deuxième maison, quelques kilomètres plus loin. Les éducateurs ont donné des nouvelles de Krista Lee jusqu'au dernier moment.

Tous ces étrangers font désormais partie de la vie de Walker, chacun l'enrichit de sa propre histoire. Trish habite avec son mari et sa fille au nord-est de la ville, à Ajac, une cité de banlieue qui a poussé comme un champignon à l'ombre d'une usine de munitions durant la Seconde Guerre mondiale. C'est maintenant une immense plaine moutonnante de pavillons, de centres commerciaux et d'églises qui placardent leurs maximes sur des panneaux publicitaires au bord de la route. On y voit des dames, la clope au bec, sortir les poubelles, des jeunes avec leur casque et leur crosse de hockey qui, juchés sur leur skateboard, rentrent à la maison.

Trish est mariée avec un homme plus âgé qu'elle, mince et nerveux, prénommé Cory. « Il fabrique du bouillon cube », me dit-elle un soir. J'avoue que j'en ai été stupéfait : je n'avais jamais envisagé qu'un individu puisse fabriquer du bouillon cube, même si, évidemment, il faut bien des gens pour le faire. Le mari de Trish est de ceux-là. Il est propriétaire de son affaire et travaille énormément.

Il a commencé par du jus de viande qu'il vendait aux baraques à frites, puis il est passé aux aromates, aux sauces et aux épices.

Moi, j'ai tout le temps d'écouter ces histoires de bouillon.

Trish et Cory ont une petite fille, Hailey – baptisée ainsi après que Trish a rencontré notre fille Hayley dont le nom lui a plu. Ils ont une marotte : acheter une maison ou un cottage pour le revendre ensuite plus cher, ce qu'ils ont déjà fait deux fois, avec un certain succès. Trish ne veut pas un deuxième enfant tant qu'ils n'auront pas les moyens de se rapprocher du lieu de travail de Cory, afin qu'il puisse être plus souvent avec sa famille.

– Mais Dieu merci, avec Walker, j'ai l'impression d'avoir deux gamins.

Lorsque Trish m'a dit ces mots, j'ai été choqué. Elle considère Walker comme son enfant, du moins une partie du temps.

Trish a grandi à Grand Falls, province de Terre-Neuve, où son père travaillait à la mine et à l'usine de pâte à papier. C'est une femme grande – un beau visage, la mâchoire carrée –, franche, pragmatique, extravertie, sans complexes. À seize ans, elle s'est occupée d'une handicapée souffrant de paralysie cérébrale.

Trish enseigne le cathéchisme et ne cache pas sa foi en Dieu – une autre expérience que Walker n'aurait pas eue s'il avait été élevé seulement au sein de notre maisonnée résolument laïque. Elle a un diplôme de conseillère péda-gogique pour la petite enfance, mais la spécialité est trop académique à son gout ; elle préfère le charivari des enfants, la crudité de leurs besoins. Elle aime les défis concrets qu'ils lui lancent, elle aime résoudre leurs pro-blèmes. Elle a été engagée par l'organisme qui gère l'ins-titution spécialement pour s'occuper de Walker, et s'enorgueillit d'avoir si bien réussi avec un garçon qui, de notoriété publique, est un cas difficile. Elle travaille de nuit par roulement de soixante-douze heures, soit trois nuits une semaine et quatre la suivante. Un emploi du temps pénible dont, pourtant, Trish est satisfaite ; il lui permet d'être avec sa fille avant et après la crèche, d'avoir une assurance maladie et des primes. J'en viens à la considérer comme une sœur, si l'on excepte son décolleté.

Walker aime Trish presque aussi intensément qu'il aime Olga. Celle-ci est pour lui une seconde maman et un papa : il fait n'importe quoi pour elle, va n'importe où avec elle. Olga avait le pouvoir de le faire tourner sur place et sourire comme un dingue rien qu'en lui chantant *The Wheels on the Bus Go Round and Round**, ce qu'elle faisait des dizaines de fois par jour. Il aime aussi beaucoup Will, son autre garde de nuit (qui travaille lorsque Trish est de repos), un jeune homme grand et gentil. Will est aussi silencieux que Trish est bavarde, mais Walker le vénère. Et il adore Jermayne, l'éducateur qui s'occupe de lui la journée, depuis plus de deux ans.

Jermayne est jamaïcain, un géant auréolé de dreadlocks et doté d'une voix si grave que j'en ai la poitrine qui vibre, comme si un train passait dans les parages. Ma femme a le béguin pour lui. Il aime les gamins ; quand on lui demande combien il en a, il répond : « Deux, à la maison. » Il a une fille de dix ans, à qui Walker donne la main pour se laisser conduire. Trish dit qu'il traite Walker comme un membre de sa famille, et qu'avec Jermayne, Walker s'est socialisé.

Lors de leur première rencontre, Walker a mouché son nez sur le pantalon noir de Jermayne. « Vous allez devenir d'excellents amis », ai-je alors dit à Jermayne, et de fait ils sont les meilleurs amis du monde. Ils jouent au basket, à leur manière. Ils sont comme deux frangins. Jermayne

---

* Comptine. Littéralement : « Les roues du bus tournent, tournent. »

dit : « On y va, Walker », et Walker s'exécute. « Hum, ces temps-ci Walker est attiré par les mecs. »

J'ai toujours habillé Walker comme moi – chemises à carreaux, pantalons en velours, pulls et jeans. Quand Jermayne est entré dans sa vie, Walker est revenu chez nous les cheveux rasés, affublé de shorts de basket soyeux, sweaters et casquettes de baseball. DJ Cogneur de Crâne. Grâce à Jermayne, il a commencé à réagir quand il entend du reggae à la radio, dans la voiture ; un rythme bien chaloupé le fait toujours sourire. Comme s'il avait voyagé à l'étranger et me racontait ce qu'il avait vu et goûté.

Il n'est pas seulement un garçon différent avec Will et Trish, Tyna et Jermayne : il est leur garçon, comme il est mon petit garçon, celui de Johanna et d'Olga ; de plus en plus, il nous appartient à tous, parce qu'il est le genre de garçon qu'une personne seule ne peut pas assumer. Telles sont la valeur et la merveille de sa vie.

« Tous ses vêtements pliés là-dedans, dans son armoire, ça c'est moi », m'a dit Trish un jour. À la maison, on le lève ; Trish le laisse se débrouiller. « Ça lui plaît de croire que c'est son idée. »

Depuis des mois, il y a un chantier sur le terrain à côté du centre.

– Il adore ça, surtout les camions, dit Trish. Je suis très proche de lui. J'ai beaucoup d'affection pour lui. Les collègues me surnomment : celle qui murmure à l'oreille de Walker. Je fais ça quand il est fatigué ; il est crevé, mais il ne veut rien louper.

Entre Trish et nous, il y a une différence. Trish n'est pas la mère de Walker, elle est capable de s'occuper de lui, mais aussi de garder une certaine distance, de le voir lucidement, avec moins d'affect.

Elle affirme n'avoir jamais douté que notre décision de placer Walker en institution a été la bonne. Lorsqu'elle l'a connu, avant qu'il porte un casque ou des gaines de bras (j'étais convaincu que cela le gênerait et le rendrait cinglé), à l'époque où il s'écorchait la peau avec ses poings, malgré tous nos efforts pour l'en empêcher, elle nous a dit :

– J'ai conscience que pour vous, le laisser ici est un appel au secours. Je ne sais pas comment vous avez réussi à tenir le coup aussi longtemps. Et quand je suis arrivée ici, au tout début, je ne savais pas non plus si je tiendrais. Vous devez vous mettre dans la tête que son obstination, les coups, les cris ne sont pas dirigés contre vous. Peut-être que, quand il vous cogne dessus, c'est plus une façon de dire : « J'aime bien ça, tu devrais essayer. »

Trish est l'une des femmes qui ont inventé les gaines de bras de Walker, améliorant les tubes de chips Pringles d'origine. La première fois qu'on en a équipé Walker, et qu'il s'est aperçu qu'il ne pouvait plus se frapper : « Il a soupiré, se souvient-elle. Il a soupiré encore. Puis il a pris un jouet et il s'est amusé avec. » Trish offre un dérivatif à son esprit.

L'idée du casque vient de Trish, c'est elle aussi qui a suggéré une couverture plombée pour qu'il perçoive mieux les contours de son corps et en soit rassuré.

Pourquoi s'inflige-t-il des coups ? Elle n'a pas d'opinion précise sur la question. « Quelquefois parce qu'il est frustré. Et quelquefois parce qu'il se sent seul. Mais parfois, je ne sais pas. Peut-être qu'il a chaud – c'est un gamin qui craint la chaleur. Ou alors, il a laissé tomber un jouet et ne peut pas le ramasser. Ou on lui prépare ses médicaments – parfois je m'en rends compte, parfois non. Il est assez imprévisible. Quelquefois, il se donne un coup, pas plus. Il boude, il est triste, il se flanque un coup. Tiens, prends ça. Peut-être ça lui remet les idées en place ?

Décrite par d'autres, la vie de Walker semble plus complète, plus chargée de sens qu'elle ne me le paraît, à moi son père.

— Il aime l'odeur de mon café, me dit Trish. Il est obsédé par mon café. *Caramel macchiatto*. Les fleurs, il s'en fiche. Il lui faut du costaud, le pin et le romarin.

Il peut également être beaucoup plus pénible qu'on ne veut l'admettre : il déquille les éducateurs — au moins une vingtaine jusqu'ici, d'après Trish.

— Les nouveaux qui débarquent, ils tiennent le choc deux semaines et puis ils disent : c'est au-dessus de mes forces. Soit il vous aime dès le premier instant, soit il ne vous aime pas. Il est comme ça.

Il est têtu, il a à la fois son petit caractère et de l'humour, à l'instar de son père et de sa mère.

— Quand quelqu'un raconte une blague, il rigole, je vous assure, dit Trish. Pas une blague compliquée, mais une blague. Et je pense qu'il jure. Par exemple, je lui dis de faire quelque chose, et lui il me balance son livre. Alors je lui dis, Walker, tu ne me jettes pas ton livre à la figure, tu le ramasses. Et lui, il fait : hunh ! Il jure, j'en suis sûre. Genre : va te faire voir, ma vieille.

Naturellement, j'ignore de qui cela lui vient. Il n'apprécie pas qu'on lui donne des ordres.

Trish estime qu'il comprend des mots : ramasse, viens, stop, arrête. La plupart du temps, je ne lui en accorde pas tant.

— Je trouve Walker beaucoup plus gentil que certains des gamins dont je me suis occupée. Mais ce qu'on ne connaît pas de lui le rend plus difficile. Il peut avoir une relation — tenir un genre de conversation, il perçoit qui est l'autre, en face.

Il sait avec qui insister, et qui ne réagira pas. Il est gentil avec ceux qui lui témoignent de la gentillesse.

— Mais avec Walker, si quelque chose cloche, on ne sait pas comment arranger ça.

Trish a également sa vision de l'avenir de Walker, une vision indulgente qui me rassérène, car j'en déduis que d'autres peuvent voir quelque chose en lui.

– Il n'aura jamais un job, me déclare-t-elle un jour, alors que nous sommes assis dans le salon impeccable de sa maison de banlieue – une pièce qui ne sert manifestement pas beaucoup. Il n'aura jamais une feuille de paye. Mais les choses changent pour Walker. Et si on ne lui donne pas l'occasion de découvrir de nouveaux trucs, il ne deviendra pas ce qu'il est. Il apprend. La preuve : les bruits qu'il fait. Maintenant quand on lui dit : tope là ! Il vous tape dans la main. C'est énorme. Je trouve ça énorme. Je ne pense pas qu'il soit au bout de ses possibilités. Il écoute, en permanence. Simplement, il lui faut plus de temps pour assimiler.

Quelques mois plus tard, Trish nous annonce une mauvaise nouvelle : son mari et elle ont trouvé une ferme au nord de la ville. Désormais, Cory habitera et travaillera dans le même quartier, par conséquent il sera davantage à la maison, au lieu de passer son temps dans les transports. Ils vont pouvoir agrandir la famille, donner un frère ou une sœur à leur fille. Après Noël, Trish ne s'occupera plus de Walker qu'exceptionnellement. Elle nous quitte, comme Jermayne (qui a le dos en compote), comme Tanya (qui a eu un enfant). Mais Will est encore là, une nouvelle personne sera bientôt là, et nous sommes là, la communauté de Walker.

Trish affirme qu'il le prendra bien.

– L'autre soir, à mon arrivée – samedi –, il hurlait et tapait. Mais quand il est heureux, qu'il est content, il est magnifique. Il a un sourire, quand il sourit, qui vous fait fondre. Ce petit sourire bizarre, son allure de crabe. Parfois, lorsque je suis avec lui, les gens m'arrêtent. « Vous avez besoin d'aide ? » Ils ont l'air apitoyé, vous savez bien. Pourtant, il n'y a pas de quoi. Si on l'a vu quand il est content, on n'a pas pitié de lui.

# 14

Walker m'oblige à vivre ici et maintenant ; il ne me laisse pas le choix. Mais il est aussi le fruit du passé, comme tout un chacun.

L'histoire du traitement des handicapés mentaux est l'histoire de notre malaise devant l'irrationnel, de notre lutte contre ce qui nous effraie, notre désir de contrôler les aléas de l'existence. L'homme de Neandertal, on en a des preuves, prenait soin de ses congénères handicapés physiques (je présume qu'à l'époque, la déficience intellectuelle ne se remarquait guère), mais c'est décidément rare dans l'histoire de la civilisation.

« Loin des yeux, loin de l'esprit », voilà quelle fut, en général, notre antienne. L'infanticide des handicapés culmina alors que Athènes était au summum de sa richesse et de son influence ; Platon et Aristote (pour des raisons différentes) prônaient tous deux l'élimination des infirmes à la naissance. À Sparte, un père avait le droit d'abréger la vie d'un enfant fragile. On élevait les handicapés mentaux dans le noir, à Rome, ce qui passait pour être thérapeutique, du moins jusqu'à ce que Soranus, le père de la gynécologie et de la pédiatrie, s'élève contre cette pratique. Il affirma également que masser la tête des handicapés mentaux avec de l'huile de thym et de rose sauvage ne les guérirait pas.

En grec ancien, l'adjectif *idios* désignait simplement une personne « particulière », « secrète » – d'où le terme *idiot* qui durant vingt siècles et jusque dans les années 30 en Amérique du Nord s'appliqua à un individu atteint d'une profonde déficience intellectuelle congénitale, par opposition à *imbécile* s'appliquant à une personne née normale, atteinte plus tard d'un handicap mental éventuellement curable.

Walker aurait été qualifié d'idiot : c'est un garçon public, élevé quasiment de façon collégiale, mais aussi extraordinairement secret, impossible à cerner, par conséquent très à part. Le christianisme introduisit l'idée qu'un être tel que Walker était plus près de Dieu (« car celui qui est le plus petit parmi vous tous, c'est celui-là qui est plus grand », Luc 9 : 48), cependant l'Église entretint également la croyance selon laquelle les handicapés et les fous étaient possédés du diable ou incarnaient une forme de châtiment des péchés de leurs parents. Les Poor Laws britanniques de 1563 et 1601 imposèrent à l'État la prise en charge des handicapés jusqu'au milieu du dix-neuvième siècle, néanmoins, mieux valait pour eux avoir une famille riche et aimante, et une vaste demeure. Aujourd'hui, dans de nombreuses régions d'Amérique du Nord, c'est toujours le cas.

Tout dépendait de l'endroit où l'on naissait. L'exécrable Martin Luther, que j'ai déjà mentionné, haïssait les handicapés et leur reprochait d'être des créatures du diable. À Francfort, au contraire, les déficients intellectuels avaient pour mission d'escorter les visiteurs et, à Nuremberg (du moins pendant un temps), ils étaient autorisés à déambuler dans les rues en toute tranquillité ; les voisins les nourrissaient et les réconfortaient. Tycho Brahe, le premier astronome moderne (et le mentor de Kepler) avait pour compagnon un nain retardé mental et écoutait ses bredouillements comme s'il s'agissait de révélations divines. Mais, en Prusse, les fous étaient souvent brûlés ou emprisonnés.

La société semblait être dans l'incapacité de se forger une opinion quant à la déficience intellectuelle (la distinction entre folie et déficience intellectuelle fut évoquée dès le début du seizième siècle, quoique de façon sporadique) : le spectacle du désarroi humain fascinait et terrifiait également si on l'observait trop longtemps. Cela aboutit, ainsi que le montre Michel Foucault dans sa remarquable *Histoire de la folie à l'âge classique* à l'élimination par le truchement de l'internement non seulement de la folie, mais de l'idée même de folie. L'internement est une manière de maîtriser le problème, d'avoir prise sur lui et de le mettre hors circuit. Nous avons organisé, classé et « résolu » la déficience intellectuelle depuis l'aube, au moins, de l'âge de la Raison – lorsque Descartes décréta qu'il n'existait qu'à condition d'avoir la faculté de penser qu'il existait. Mais tout en paraissant maîtriser et résoudre le problème, la société a également réussi à maîtriser sa propre peur de la déficience, notre terreur à la perspective de l'affronter physiquement. La folie, le retard mental profond, voire le crétinisme, étaient jadis considérés comme des états existentiels. La folie était irrationnelle, mais il ne s'agissait pas d'une maladie nécessitant un traitement ; « La folie, note Foucault, n'a pas tellement affaire à la vérité et au monde qu'à l'homme et à la vérité de lui-même qu'il sait percevoir. »

Walker me montre ce que je ne veux pas voir – ses besoins immenses, les limites de mes facultés et de ma compassion, et aussi leur potentiel, mais également ce que je n'aurais jamais vu sans lui : sa capacité à rendre mémorable l'instant fugace, et ma capacité à en apprécier la signification. Nul ne souhaite être fou, mais la folie a son sens, c'est une voie vers une difficile introspection. Dans le monde préscientifique de Shakespeare et Cervantes, où l'art, l'alchimie, la logique, la révélation divine et l'expérience étaient tous sur un pied d'égalité, la folie était une plongée dans les ténèbres de l'existence humaine. Né dans la douleur et la mélancolie, tout cela pour se retrouver face à... la mort ! Que pouvait donc signifier ce cauchemar qu'était l'existence ? La folie et la maladie mentale étaient une issue, le déséquilibre un prétexte pour être non conformiste, pour penser de façon non conformiste. Les fous de Shakespeare, ou les lunatiques sur une nef des fous, sont autorisés à parler ouvertement et à révéler la vacuité de nos journées et le déni grâce auquel nous vivons notre vie quotidienne – ils n'y peuvent rien, ils sont anormaux. Dans l'Europe médiévale, les fous errants étaient forcés de demeurer juste à l'extérieur des portes de la ville, néanmoins on les invitait parfois à venir divertir les habitants – à révéler à ces habitants le contour de leur vie. Quelquefois je songe à la deuxième maison de Walker, à la lisière de la ville où j'habite, et je me dis : cela n'a pas tellement changé.

Pourtant, les fous et les arriérés mentaux mettaient en péril l'ordre social, dit Foucault, ils firent donc l'objet d'une classification (c'est-à-dire qu'on pouvait les « comprendre ») puis furent éliminés (« traités » et enfermés.) La vision foucaldienne de l'histoire et de la civilisation comme moteurs de la répression humaine me désarçonne et parfois me semble outrancière, toutefois je saisis son point de vue : si je tire trop de satisfaction du simple fait d'être avec Walker, de devoir être moi-même, je participe moins à la compétition générale, à la réussite à tout prix, à la course folle du capitalisme occidental. Nous désirons le statu quo, par conséquent, dit Foucault, nous avons entrepris de « soigner » ou « résoudre » la folie.

À la fin du seizième siècle, la déficience intellectuelle a été pour la première fois étalonnée : un idiot était celui qui ne savait pas compter jusqu'à vingt sous, ne pouvait pas dire qui était sa mère ou son père, n'avait pas la capacité de définir ce qui était bon pour lui. En 1801, Philippe Pinel, le père de la psychiatrie, a établi les règles : on n'avait guère de chances d'éduquer les déficients mentaux, mais il fallait prêter attention à leurs besoins physiques, avec humanité, c'était le minimum que la société pouvait faire. (Des 31 951 enfants admis à l'Hôpital général de Paris entre 1771 et 1777, près de 25 000, soit 80 %, moururent en l'espace d'un an.)

Pinel n'était pas très orthodoxe : il préféra renoncer à la prêtrise pour embrasser la médecine, car un ami proche avait sombré dans la folie. Mais son désir d'aider les malades mentaux par le raisonnement, l'organisation, le contrôle, produisit également certaines situations parmi les plus inhumaines de l'histoire de l'Europe. À la Salpêtrière, le célèbre asile parisien que dirigeait Pinel, trois mille femmes vêtues de toile d'emballage dormaient à cinq par lit ; leur ration alimentaire se composait d'une écuelle de gruau, d'un peu de viande et de trois morceaux de pain. Plus d'un millier de personnes « insensées » vivaient dans une seule aile du bâtiment. À Bicêtre, autre asile parisien encore plus abominable que supervisait Pinel, les criminels côtoyaient les faibles d'esprit ; on leur servait souvent leur nourriture, par nécessité, à la pointe de la baïonnette.

Pourtant, cette conception de la folie sous contrôle remportait l'adhésion des citoyens européens qu'elle rassurait, de la même façon que la construction de prisons a rassuré de nombreux électeurs américains durant les trente dernières années, les a persuadés que l'ordre et la justice régnaient dans leur société, et qu'ils y étaient en sécurité. L'enfermement des infirmes mentaux fit fureur : un Parisien sur cent séjourna dans une institution.

Cela ne s'arrêta pas avec Pinel. En 1890, le nombre des pensionnaires des asiles européens avait plus que doublé. « Une ligne de partage est tracée, écrit Foucault, qui va bientôt rendre impossible l'expérience si familière à la Renaissance d'une Raison déraisonnable, d'une raisonnable Déraison. » Je ne donne pas dans le romantisme en ce qui concerne la déficience mentale, mais je sais ce que signifient ces oxymorons : c'est une manière d'essayer de nous comprendre, Walker et moi-même, en écoutant un garçon incapable de parler, en suivant un garçon qui, à notre connaissance, ne va nulle part.

En réaction contre l'ordre établi acharné à interner, bureaucratiser, contrôler, une autre vision de l'aliénation apparut peu à peu, et timidement. En Italie, Vincenzo Chiarugi supprima l'usage des chaînes dix ans avant Pinel. « C'est un devoir moral et médical absolu de respecter l'individu aliéné en tant que personne », écrivait-il.

Ce combat-là – traiter les déficients intellectuels comme des individus, des membres à part entière de la société, égaux aux autres, aussi infime soit leur contribution, et malgré notre réticence à admettre qu'ils puissent jouer un rôle – est toujours inachevé. Indiscutablement, on a fait d'énormes progrès. Depuis cent cinquante ans, la vie physique d'êtres comme Walker s'est considérablement améliorée. Pasteur et Lister et la théorie des germes, Marie Curie et les rayons X, Virchow et sa pathologie cellulaire, les travaux sur l'hérédité de Gregor Mendel, Darwin et l'évolution, Freud et l'inconscient, la génétique ont tous largement participé à la compréhension des déficients intellectuels, comme l'ont fait l'éducation publique et les lois récentes sur le droit des handicapés à avoir une vie personnelle. Cependant, nous pensons encore que les « résultats » constituent l'unique mesure du succès humain, et nous commettons encore des injustices pour entretenir l'illusion que nous en obtenons.

En 1964, ce n'est pas si vieux, Jean Vanier achetait sa petite maison pour deux hommes handicapés mentaux parce que la situation qu'il avait observée dans les institutions l'affolait.

Il y a un an à peine, j'ai rencontré Linda Pruessen à Toronto, à l'heure du déjeuner, et elle m'a raconté que sa sœur Caroline, qui a plus de trente ans et souffre d'un retard global, vit toujours avec ses parents, tous deux âgés à présent de soixante-quatre ans, et qui s'échinent à trouver une solution pour qu'elle puisse être heureuse sans eux. Pour ces parents, il est aussi compliqué d'aller au cinéma le vendredi soir que de prendre quinze jours de vacances.

— Le modèle qu'on nous propose maintenant, c'est l'inclusion, m'expliqua Linda Pruessen. Intégrons la personne handicapée dans la collectivité, voilà l'idée. Mais ça s'arrête fatalement à un moment, puisque ma sœur ne sera jamais capable de faire partie de la collectivité. Par exemple, sa différence physique est visible. Si vous l'emmenez chez le coiffeur, on va la regarder. Est-ce juste pour elle ? N'est-il pas plus raisonnable d'exiger qu'elle puisse se faire couper les cheveux sans être regardée comme une bête curieuse ?

Nous passons des années à intégrer des personnes comme Walker dans des écoles publiques, puis quand ils ont dix-huit ans, qu'ils ont terminé leur scolarité, nous les rejetons dans une société où règne l'exclusion. Walker échappera à ce triste sort parce qu'il n'a jamais été « intégrable ».

Les injustices abondent. Les services médicaux spécialisés pour les handicapés sont encore si rares à Saskatoon, au Saskatchewan, que Julia Woodsworth — une jeune CFC de vingt et un ans, qui vit avec Pam et Eric, ses parents — a dû attendre *trois ans* pour consulter un dentiste.

— J'ai l'impression qu'à chaque étape de la vie de Julia, dit Pam Woodsworth, nous avons été des pionniers. Mais, pour ce qui concerne les handicapés, je ne vois pas de réels progrès.

Saskatoon n'est qu'à quelque cent cinquante kilomètres de Wilkie, Saskatchewan, où en 1993 Robert Latimer asphyxia Tracy, son fils quadraplégique de douze ans, car il ne supportait plus de le voir souffrir. Il a été condamné à perpétuité pour assassinat.

— J'ai beaucoup d'empathie pour la famille Latimer, me dit Pat Woodsworth le jour où l'on refusa à Latimer la libération conditionnelle (elle lui fut accordée quelques mois plus tard.) La grande question, à mes yeux, est la suivante : pourquoi ne traîne-t-on pas notre gouvernement provincial devant la justice ? Son acte était dicté par le désespoir. Cette famille ne bénéficiait pas du soutien dont elle avait besoin. Il me semble que, en tant que membres de cette société, nous sommes tous complices de la mort de Tracy.

Maintenant que le gouvernement de l'Ontario, qui dirige le système de santé dont je dépends, s'évertue à ce qu'il n'y ait plus d'attente dans le domaine chirurgical, si je veux un genou tout neuf pour mieux skier, je peux régler le problème en six mois. Si je connais le médecin qu'il faut, je n'aurai sans doute à patienter qu'une petite quinzaine de jours. Alors pourquoi a-t-il fallu sept ans de recherches, de requêtes, de supplications pour trouver un endroit où l'on s'occuperait convenablement de mon fils, où il pourrait simplement être la personne qu'il est ?

Depuis quelque temps, j'imagine des choses. Je vois Walker et les gens comme lui vivre dans une communauté du genre de L'Arche, entourés d'assistants. Un lieu magnifique, dans une superbe région, avec vue sur la mer ou la montagne, parce que pour une fois, dans ce lieu, les plus beaux paysages ne sont pas réservés à ceux qui ont les moyens de se les payer, mais à ceux qui ont peut-être encore plus besoin de beauté parce qu'ils vivent avec si peu. Dans ma vision, ce village appartient aux handicapés qui l'habitent, selon leurs propres règles, à leur rythme, en fonction de ce qui représente pour eux la réussite : non pas l'argent ou des « résultats », mais l'amitié, l'empathie, la solidarité. Dans ma vision, c'est nous, les normaux, qui avons besoin d'être « intégrés » dans leur société, qui devons nous adapter à leur rythme et à leur environnement. Je peux partir, retourner à ma vie plus exigeante, plus ambitieuse et même plus intéressante, mais je peux aussi retourner vivre avec Walker, ainsi qu'il vit – lentement, et sans autre programme que d'être lui-même.

Car dans ma vision des tas de gens *veulent* découvrir la société de Walker et y demeurer durant de longues périodes. Des compositeurs, des écrivains, des artistes, des étudiants, des titulaires de diplômes en management, des chercheurs, des chefs d'entreprise en congé sabbatique – nous pouvons tous apprécier de passer dans le village de Walker quelques semaines ou quelques mois, dans d'agréables chambres individuelles, où l'on nous encouragera à poursuivre notre travail, nos études ou activités artistiques. Notre unique obligation est de nous intégrer dans le monde des handicapés en déjeunant et dînant avec eux et, une fois par semaine, en donnant son bain à l'un des résidents. Le reste du temps, nous sommes libres de méditer, écrire, peindre, composer, analyser et calculer. Alors les handicapés auront accompli leur travail, atteint leur but et modifié notre manière d'envisager le monde. Ils nous auront apporté bien plus que nous leur avons apporté, mais ils n'y verront pas d'inconvénient. Walker aura participé, simplement en étant là. Un rêve, je vous dis.

Après les tests génétiques de Walker, il s'écoula des mois avant que s'estompe ma rancune contre la science. Je n'en voulais pas à Kate Rauen – qu'elle ait isolé les gènes associés au CFC facilite le diagnostic et permet donc de mettre en œuvre des thérapies précoces. Je n'éprouvais pas d'amertume sous prétexte qu'il faudra des générations avant qu'un traitement des symptômes du CFC soit mis au point, ni que le Dr Rauen est le seul médecin que j'aie jamais rencontré convaincu que le gène CFC jouera un rôle dans la bataille contre le cancer.

Non, je ne supportais pas l'idée que l'existence de mon fils fût réduite à une coquille dans une chaîne de trois milliards de lettres, réduite à un ridicule nucléotide. L'absolutisme de la génétique me froissait. Il m'est arrivé de rencontrer d'éminents généticiens qui partageaient mon sentiment. Craig Venter, le scientifique qui a contribué à créer le Human Genome Project – l'un des rares êtres humains dont le génome a été décodé en totalité, le dit dans sa biographie, *A Life Decoded*. « Les gènes ne nous ont pas créés, corps et âme. »

À l'université d'Oxford, un généticien réputé, Denis Noble – l'auteur de *La Musique de la vie : la biologie au-delà du génome* – est allé encore plus loin. Trouver un gène associé à une mutation, ainsi que l'ont fait Rauen et ses confrères chercheurs, relevait de l'expérimentation. « Ensuite cependant, si on déduit de ce travail qu'on peut identifier la fonction de ce gène, on s'avance trop. » La structure du génome humain s'était révélée beaucoup plus simple que prévu. Mais la physiologie génétique chez les humains – la manière dont fonctionnent les gènes – est délicieusement plus complexe qu'on ne l'avait imaginé.

Surtout, selon Noble, la conception de l'être humain comme le produit des seuls gènes, du nucléotide jusqu'à l'organisme, est dégradante. « Les implications sociales et éthiques de cette conception sont très profondes », me dit-il au téléphone, un matin – depuis Oxford, avec un accent fantastique. « Il me semble que l'un des principaux effets de la causalité ascendante prônée par la génétique déshumanise le vivant dans la mesure où elle le morcelle. »

Quant à l'esprit – ce mystère que j'ai cherché chez mon garçon, sans grand succès –, Noble affirme que cela n'a aucun rapport avec les gènes. Une opinion controversée, mais Noble n'en démord pas : « L'esprit ne se situe pas au niveau des cellules et des molécules. » Il préfère la vision des bouddhistes, selon laquelle l'esprit n'est pas un objet, mais un processus.

« Le génome humain est une banque de données », m'a déclaré un jour Roderick McInnes. Il dirige le département génétique au Canadian Institutes of Health Research. Cet homme grand, chaleureux, a une épaisse tignasse brune et un bureau bourré du sol au plafond de documents, livres et photos de sa famille. Autour de cette pièce, au dernier étage d'un nouveau bâtiment du centre de Toronto, des dizaines de généticiens étaient penchés sur leurs ordinateurs. Tout en parlant, McInnes feuilletait des revues et la septième édition de *Genetics in Medicine*, texte majeur de sa discipline, dont il est coauteur. Il me parut bizarre qu'un scientifique ait besoin de consulter son propre ouvrage, mais McInnes reconnut franchement que les informations sur le génome s'accumulent à une telle vitesse, à un tel degré de complexité, qu'il est quasiment impossible d'appréhender ce domaine dans sa globalité – et cela fait que les progrès thérapeutiques sont rares. Par exemple, l'anémie à cellules falciformes fut la première maladie moléculaire (ou « génétique ») identifiée en 1949. Soixante ans plus tard, il n'y a toujours pas de traitement.

Mon problème, McInnes m'en persuada peu à peu, n'était pas tant avec la génétique qu'avec la nature même de la maladie génétique.

– À cause de son caractère permanent, des émotions qui vont de pair avec une mutation. Une fois qu'on l'a, on l'a. Il y a d'autres maladies qu'on n'a pas à supporter toute la vie. Une maladie génétique est inexorable, voilà ce qui la rend dramatique.

La maladie génétique est, en quelque sorte, une forme particulièrement cruelle du destin. La plupart des médecins de Walker disent : « On se revoit dans une semaine ou deux. » Son généticien, lui, dit : « Rendez-vous dans deux ans. »

Et l'esprit de Walker ? D'un point de vue génétique, on ne peut absolument pas le cerner.

– Le cerveau comporte des milliards de neurones, et chacun est connecté à dix mille neurones. Nous ne comprendrons sans doute jamais le cerveau au niveau neuronal. Il nous faudra peut-être l'envisager comme les astrophysiciens abordent les étoiles.

Je trouve ça étrangement réconfortant. Allongé sur le dos, regardant fuser au hasard les étincelles de l'esprit de Walker, méditant.

Je continue de m'adresser à cet espace noir parsemé d'étoiles, je continue à lui parler. Bien sûr, il n'y a pas que Walker qui a besoin de m'entendre parler ; c'est moi qui ai besoin de continuer à lui parler. J'ai peur de ce qui arrivera si j'arrête.


En fait, j'ai tenté une dernière fois de découvrir son esprit. J'ai réclamé une IRM, une image en profondeur de son cerveau. Six mois plus tard, on nous convoqua à huit heures du matin au service d'imagerie médicale de l'Hôpital des enfants malades de Toronto, mon lieu de villégiature habituel. Le service est situé dans l'immense sous-sol de l'hôpital, au bout d'un long, très long couloir.

Les murs sont beiges, ou jaunes, ou bleu clair, comme le sont les murs de tous les hôpitaux.

Walker et moi étions les premiers arrivés. À onze heures trente, trois heures et demie plus tard donc, nous n'avions toujours pas vu de médecin. C'est agaçant de poireauter trois heures et demie pour voir un docteur que vous deviez rencontrer à une heure précise, même quand on a un enfant normal et bien élevé. Trois heures et demie d'attente avec un enfant lourdement handicapé qui hurle et tape, c'est une expérience qui pousse des hommes adultes à enguirlander les réceptionnistes. Voilà pourtant une considération qui ne vient toujours pas à la cervelle des gens, même dans le meilleur hôpital pour enfants du pays.

Finalement, une jeune anesthésiste en tenue bleue apparut. Elle m'informa qu'il lui fallait un bilan récent du cardiologue de Walker avant de lui faire l'anesthésie générale nécessaire pour passer l'IRM.

— Personne ne m'a prévenu, dis-je du ton le plus neutre possible. De toute façon, son souffle au cœur s'est considérablement atténué au fil des années. Il est pratiquement inexistant.

— Il me faut quand même un bilan récent.

— Mais il y a un mois, ici même, on lui a détartré les dents. On l'a endormi – vous pouvez vérifier dans son dossier.

— Ça ne suffit pas.

— Vous pourriez contacter le dentiste, il exerce ici à l'hôpital, je suis certain qu'il confirmera.

— Je ne peux pas contacter le dentiste.

Nous sommes donc rentrés à la maison. Nous avons patienté encore cinq, six, sept semaines avant d'obtenir un autre rendez-vous, délai dont j'ai profité pour me procurer une copie d'un document figurant déjà dans le dossier de Walker, un compte rendu du cardiologue répétant tout ce que je savais déjà, et que tout autre médecin savait aussi – le murmure cardiaque de Walker était insignifiant. Conclusion : la jeune anesthésiste avait simplement été effrayée par l'allure de mon petit monstre ; il lui flanquait la trouille, elle ignorait jusqu'à quel point il déviait de la norme.

De nouveau, nous avons attendu trois heures. Cette fois, il y avait plus de monde dans la salle d'attente, le spectacle était plus intéressant : une fillette aveugle de cinq ans lisait à haute voix une bible en braille, le livre des Proverbes. Finalement, une infirmière nous introduisit, Walker et moi, dans une antichambre, puis une deuxième antichambre, puis une troisième, après quoi ils l'endormirent et pratiquèrent l'examen.

Trois semaines plus tard, je réussis à convaincre un neurologue de me dire ce qu'il avait trouvé. Il s'appelait Raybaud, un Français bronzé, élégant, précis. Il avait la manie de résumer une masse d'informations en une dizaine de termes généraux, manie si déroutante pour un béotien dans mon style que j'en vins à penser que, moi aussi, j'avais besoin d'une IRM.

Walker n'était pas atteint de neurofibromatose. Il n'avait pas d'affections de la myéline.

– Ses problèmes se situent au niveau fonctionnel, pas physiologique, me déclara le médecin– le hic étant que, si les neurologues comprennent de mieux en mieux la physiologie du cerveau (grâce, en grande partie, à l'IRM), ils en savent toujours très peu sur la neurochimie cérébrale.

– Avez-vous trouvé des anomalies ? demandai-je.

– Oui, beaucoup.

– Savez-vous ce qu'elles signifient ?

– Non. Soit le cerveau est normal, soit il est anormal. Anormal peut vouloir dire surdoué ou sous-doué.

– Walker est-il surdoué ? rétorquai-je, avec une pointe d'ironie, je l'avoue.

– Non, répondit le Dr Raybaud sans la moindre ironie.

La conversation se poursuivit sur ce mode. Raybaud était charmant, et même serviable, pourtant, à certains moments, je brûlais d'ouvrir son crâne d'homme prosaïque, de préférence à la hache. Ce n'était pas sa faute, bien entendu. Il voulait simplement s'en tenir à ce qu'il savait, ne pas se lancer dans des théories. Mais sans considérations théoriques, le cerveau de Walker était particulièrement difficile à sonder.

Puis il me montra un cliché de l'IRM de mon fils.

Une image en noir et blanc du corps calleux, la structure formée de substance blanche qui relie les hémisphères cérébraux. Les neurologues ont une compréhension – voilà une expression que l'on entend beaucoup dans la bouche des neurologues, ces vaillants scientifiques – relativement limitée du corps calleux. Les marsupiaux peuvent s'en passer, et on connaît des humains qui fonctionnent plutôt bien en dépit de sévères lésions de cette structure, malgré cela les mammifères en ont généralement besoin.

– Elle est constituée de milliards d'axones – des fibres nerveuses qui transmettent des signaux électriques – et relie entre elles toutes les parties du cerveau.

Ensuite, le médecin me montra une coupe sagittale d'un corps calleux normal : une sorte de lac, ou de long ballon à modeler, dans une plaine blanche.

Après, il me montra celui de Walker. Ça n'avait pas l'air d'un lac ni d'un teckel sculpté dans un ballon. Ça évoquait un mince ruisselet qui se terminait par un minuscule bassin, pareil à une vrille, une unique pousse de pois de senteur, un fragment de corps calleux normal.

Impossible de décrire le choc terrible que ce fut pour moi. Je me rendis compte que j'avais le souffle court.

– Cela signifie qu'il y a un manque de transmission dans le cerveau de votre fils. Et cela affecte particulièrement la coordination entre les hémisphères.

Le corps calleux est, dans le cerveau, l'autoroute de l'information ; le cerveau de Walker était abonné à un lamentable service Internet qui tombait constamment en panne et délivrait mal les messages. Son esprit était affreusement désorganisé.

Je voyais tout sur l'image : sa langue, ses amygdales, sa gorge, ses vertèbres, son petit crâne, les ombres de son fragile cerveau incomplet. Walker ne révélait son état d'esprit, pour ce qu'il était, qu'indirectement, par déduction, en me montrant ce qui n'était pas là, les ombres laissées par ce qui bloquait la lumière. Un garçon que je ne pouvais voir que dans son sommeil, et seulement ce qu'il restait alors de lui. Comme l'amour, parfois. Comme tout ce qui se révèle important, quand on ne s'y attend pas. C'était comme étudier une carte, une mystérieuse et ancienne carte, d'une autre époque, et même d'une autre phase du temps. Pas de trésor, malheureusement. Rien que des questions, sur une image obtenue par IRM.

Je devais m'être égaré dans ces clichés ; je pris conscience que Raybaud parlait, les noms à consonance médiévale des parties du cerveau roulaient dans sa bouche, tandis qu'il me faisait visiter d'autres images de la tête de Walker. Walker avait des ventricules cérébraux de grande taille, quoique dans la limite de la normale.

– La substance blanche forme cinquante pour cent du cerveau, or lui n'en a pas autant. Je dirais que le cerveau antérieur est un peu petit.

Son hippocampe et surtout son lobe temporal médian avaient trop peu de circonvolutions. La substance grise de l'écorce cérébrale est le siège de la formation des pensées et associations (mon souvenir de l'odeur du produit nutritif séché, mon image mentale du visage de Walker en pleurs.) Raybaud m'expliqua que Walker avait également moins de substance grise que la plupart des gens, de sorte que, même si son système de transmission de l'information avait été valable, le contenu des messages aurait vraisemblablement été rudimentaire.

– Le cerveau – Raybaud employait ce terme « cerveau », admit-il, pour prendre de la distance vis-à-vis de l'enfant qu'il décrivait – est trop petit.

À part ça, il était difficile de dire ce qui n'allait pas. Malgré tous les défauts physiologiques que révélait l'IRM, le dysfonctionnement du cerveau de Walker, son activité électrique erratique, était invisible.

J'avais gardé pour la fin mon exploration du cerveau de Walker, dans l'espoir d'une révélation. Mais son cerveau ne m'apprenait rien – qui était Walker et comment le monde lui apparaissait – que je ne sache déjà. Les jolies images m'en disaient moins que ce que je devinais en dix minutes passées en sa compagnie. De plus, elles étaient dénuées de subtilité. Un rapport technique sur le système informatique. « Un simple bug, et plus d'Internet », déclara Raybaud. Il compara les images sur l'écran de son ordinateur – je n'invente pas – au cerveau d'un chien.

– Le chien a la même mémoire que nous. Il a la même intelligence affective que nous. Mais il ne sait pas faire marcher un ordinateur. Le chien n'a pas ces lobes frontaux antérieurs.

– Mais Walker les a, lui, objectai-je.

– Oui, mais ils ne sont peut-être pas correctement connectés.

C'était peut-être l'œuvre de la voie RAS, qui transposait des fragments du cerveau là où elles n'étaient pas censées être, qui construisait trop là où il n'aurait pas fallu, et pas assez là où il aurait fallu. Walker avait tout le nécessaire : le cerveau reptilien, le cortex somato-sensoriel, les structures sous-corticales, les aires d'associativité.

— Mais pour savoir quoi faire de tout ça – pour situer les formes dans le temps et l'espace –, il faut des aires tertiaires. Il a tout, seulement ça ne marche pas correctement.

Les insuffisances intellectuelles de Walker, m'informa quelques semaines plus tard le Dr Robert Munn, son neurologue, provenaient plus vraisemblablement de ses neurones, au niveau neurochimique – celui que la science ne comprend pas encore. Des travaux récents montraient que certains enfants au visage anormal présentaient également une tige cérébrale anormale, si bien que le mécanisme de sécrétion de la sérotonine était défaillant – il leur était plus difficile d'éprouver du plaisir et, peut-être, d'apprendre.

— Mais nous ne savons pas grand-chose sur le cerveau, dit Munn. (Cette phrase, encore et toujours.) Il y a dans le cerveau de Walker toutes sortes de changements neurochimiques. C'est la nouvelle piste à suivre.

La nature même du cerveau avait entravé la recherche. À cause de la barrière hémato-encéphalique, les substances neurochimiques essentielles n'étaient pas présentes dans un échantillon de sang. Même le liquide céphalo-rachidien, autre voie potentielle pour étudier la neurochimie du cerveau, est altéré par les sédatifs nécessaires pour effectuer une ponction. Comme si le cerveau de Walker refusait qu'on l'étudie.

Munn est un quadragénaire à l'air juvénile, vêtu de façon décontractée, et son bureau se trouve à la périphérie de la ville, pas très loin du centre où vit Walker. Il s'y rend souvent : plusieurs résidents souffrent de crises d'épilepsie. En ce qui concerne Walker, sa propension à l'automutilation demeure mystérieuse.

— Je crois que c'est un besoin compulsif de provoquer une sensation, agréable ou non, déclare Munn. Et, à mon avis, il entre là-dedans de la frustration.

Mais ce n'est qu'une hypothèse.

– Ça paraît sans espoir, dis-je.

– Pour moi, il n'y a pas de cas désespéré, rétorque Munn. Si vous prenez un enfant en fauteuil roulant et que vous le faites sourire, vous avez réussi quelque chose. Inutile d'être un héros pour ça.

Sa femme est décédée d'un cancer au cours des premières années de leur mariage, et maintenant il se consacre au cerveau des enfants handicapés. D'un mystère insoluble à l'autre.


Sans cerveau connaissable, Walker est-il un garçon connaissable ? Et s'il ne l'est pas, quelle valeur a-t-il ? J'en parle sans cesse à la maison, cependant Johanna ne voit pas où est le problème. Il est le garçon qu'il est, et elle est sa mère. Walker n'habitant plus chez nous en permanence, il ne l'accapare plus à chaque instant ; elle écrit davantage, se concentre sur Hayley, s'est remise au sport. Je m'interroge : quelle forme notre garçon disparu prend-il dans sa tête, dans son corps ? Elle remplit compulsivement des grilles de mots croisés, de sudoku, s'est lancée dans un programme d'entraînement cérébral et un gigantesque puzzle de deux mille pièces – Le Cri de Munch – autant de loisirs qui exigent une attention obsessionnelle. Moi, j'essaie de lire Foucault, j'observe Johanna en douce, je me demande si elle s'ennuie.

Y a-t-il eu un moment, dans la toute petite enfance de Walker, où les médecins ont réalisé à quel point sa vie serait dure ? En tout cas, ils ne l'ont jamais dit. Au contraire : dans les premiers temps, lorsqu'il luttait pour prendre du poids et survivre, ses médecins me poussaient seulement à fournir plus d'efforts, constamment. Les mots de son pédiatre, Norman Saunders, résonnent encore à mon oreille : *Nous voulons que cet enfant survive, n'est-ce pas ?* Nous le voulions, en effet, mais à l'époque je n'en étais pas toujours certain.

Le Dr Bruce Blumberg, qui appartient à l'équipe de généticiens qui identifièrent les premiers le syndrome CFC, a reçu des parents confrontés aux mêmes dilemmes génétiques, durant trente ans, principalement au Kaiser Permanent Hospital d'Oakland, en Californie. Il reconnaît que l'optimisme est la position par défaut de sa profession. Imaginez la scène : le parent affolé d'un enfant sérieusement compromis, épuisé à force de surfer toute la nuit sur Internet, terrifié ; la vie d'un bébé est en jeu.

– Le plus souvent, me déclare Blumberg, pour rétablir l'équilibre, j'ai besoin de souligner le positif. Parallèlement, les parents sont plus que disposés à espérer. Et puis, c'est plus facile de se montrer positif. Plus facile de sourire. J'ai vécu des choses difficiles avec les patients. Difficiles. Alors je pense que, pour les médecins, c'est parfois une stratégie d'évitement.

S'il ne pouvait pas résoudre le problème, les parents pouvaient au moins être rassurés. Si Blumberg encourageait les parents à avoir un enfant pareil, il risquait de les condamner à l'enfer.

Mais ce dilemme aussi est artificiel. Le vrai problème, me dit le Dr Blumberg ce matin-là dans son bureau d'Oakland, est notre réticence à accepter qu'une vie handicapée ait en tant que telle une valeur réelle – surtout s'il faut se mettre à quatre pattes pour la chercher, cette valeur.

– Les familles découvrent souvent qu'élever un enfant handicapé est une bénédiction, malgré les difficultés. Cela crée de nouvelles relations, cela révèle des capacités que l'on ne se connaissait pas. Mais il faut renoncer à l'idée de l'enfant potentiel et accepter l'enfant réel.

Blumberg n'ignore pas la catastrophe médicale. Gamin, il a perdu un œil en aidant son père à épandre de l'engrais.

Il a suivi ses études médicales dans l'une des meilleures universités du monde.

– Supposer que ces états sont inférieurs à l'état normal témoigne de notre arrogance. Si vous avez un QI de 60, dans notre société, c'est un sérieux handicap. Mais si vous êtes un journalier agricole, c'est peut-être suffisant. Qui peut dire que cet état de joie non verbale que vous décrivez chez votre fils, qui peut dire que c'est inférieur ? Nous avons l'arrogance de penser que seule la conscience compte. Ce n'est pas vrai. Un séquoia n'est pas une créature consciente. Pourtant il compte, il n'y a rien de plus magnifique. Je ne veux pas minimiser la difficulté qu'il y a à élever un enfant handicapé. Mais c'est vraiment une erreur de penser au handicap en termes de *moins que*. Il s'agit simplement de différence. Il n'y a pas que les grands esprits qui comptent. Il y aussi les belles âmes.


Chaque fois que nous rencontrons une personne lourdement handicapée, selon Jean Vanier, on nous pose deux questions : me considères-tu comme un humain ? Est-ce que tu m'aimes ?

Plus nous rencontrons les handicapés sur leur propre terrain, dit Vanier, plus nos réponses évoluent. Nous commençons par avoir peur de leur aspect physique et de leur attitude ; puis nous les prenons en pitié ; ensuite vient la phase où nous les aidons et les respectons, tout en continuant à les voir comme des êtres inférieurs ; jusqu'à ce que, enfin, nous éprouvions « émerveillement et gratitude », et découvrions que « en entrant dans l'intimité des personnes handicapées, en nouant avec eux une relation authentique, elles nous transforment ».

Dans l'état de conscience de Jean Vanier, le plus élevé, « nous voyons en eux le visage de Dieu. Leur présence est un signe de Dieu, qui a choisi le fou pour confondre le puissant, l'orgueilleux et le prétendu sage. Et donc ceux que nous jugeons faibles ou marginaux sont, en fait, les plus dignes et puissants d'entre nous : ils nous rapprochent de Dieu ».

J'aimerais croire au Dieu de Jean Vanier. Mais, à la vérité, je ne distingue pas le visage du Tout-Puissant chez Walker. Non, je vois le visage de mon petit garçon ; je vois ce qui est humain, adorable et imparfait à la fois. Walker n'est pas un saint, et moi non plus. Je ne supporte pas de le regarder se donner des coups jour après jour, mais je peux tenter de comprendre pourquoi il le fait.

Plus je lutte pour faire face à mes limites en tant que père, moins je souhaite le troquer contre un autre. Pas seulement parce que nous sommes liés par le sang, ce qui est tout simple et gigantesque ; pas seulement parce qu'il m'a appris à distinguer un vrai problème d'une broutille ; ni parce qu'il me rend plus sérieux, me fait apprécier le temps qui passe, Hayley, ma femme, mes amis, et toute la douceur d'une journée qui s'achève.

J'ai simplement commencé à l'aimer tel qu'il est parce que j'ai découvert que je le peux ; parce que nous pouvons être ce que nous sommes, un père fatigué et un garçon fracassé, sans rien y changer, sans demander pardon, ici et maintenant. L'apaisement qui vient d'une telle relation me surprend toujours. Avec ce gamin, il n'y a rien à prévoir. Je vais où il va. Il est peut-être une mutation délétère au regard de la génétique, mais il n'a pas son pareil pour développer ce que Darwin lui-même dans *La Filiation de l'homme et la sélection liée au sexe* appelait les avantages évolutionnels des « instincts sociaux [...] l'amour et le sentiment de sympathie ». Les adversaires de Darwin soulignèrent que l'homme était plus faible que les grands singes et que, par conséquent, il n'était pas logique qu'il puisse être le résultat de la survie des plus forts. Mais l'évolution n'est pas si simpliste, riposta Darwin : « Nous devrions

[...] garder à l'esprit qu'un animal doté d'une grande taille, possédant de la force et de la férocité et qui, à l'instar du gorille, pouvait se défendre contre tous ses ennemis, ne serait peut-être pas devenu social : et cela aurait assurément fait obstacle à l'acquisition de facultés mentales plus élevées, comme la sympathie et l'altruisme. En conséquence, que l'homme soit issu d'une créature faible, comparativement, a peut-être été un immense avantage. »

Mes propres objectifs sont modestes : pénétrer de temps à autre dans l'univers de Walker ; connaître quelques personnes intellectuellement déficientes (plutôt que de me contenter de leur permettre de vivre dans mon environnement) ; affronter ma peur des êtres brisés qui sont l'Autre – ne pas les réparer ni même les sauver, mais simplement être avec eux jusqu'à ce que l'envie de fuir me quitte. Dans mes moments d'optimisme et de confiance, j'espère que cela pourrait représenter un petit pas vers ce qu'imaginait le biologiste de l'évolution Julian Huxley quand il publia son essai, *Evolutionnary Ethics,* en 1943. Une vision éthique plus claire, écrit-il, « ne nous épargnera jamais de pâtir de ce que nous ressentons comme une injustice cosmique – la difformité congénitale, la souffrance imméritée, la déchéance physique, la mort prématurée de ceux que nous aimons. Semblable injustice cosmique représente la persistance du hasard et son amoralité dans l'existence humaine : nous le limiterons peut-être, graduellement, cependant jamais nous ne l'abolirons, indubitalement. L'homme est l'héritier de l'évolution : mais il en est également le martyr. Toutefois l'homme n'est pas seulement l'héritier du passé et la victime du présent : il est aussi le vecteur par lequel l'évolution peut déployer d'autres possibilités [...]. Il peut injecter son éthique dans le cœur de l'évolution. »

Le visage de Dieu ? Non, désolé. Walker est plutôt un miroir reflétant bien plus que cela, y compris mes choix.

Pour moi – et c'est l'idée la plus noble et pourtant la plus cohérente que je peux avoir de lui, le démolisseur de crâne, le fou furieux hyperactif, le baveur glougloutant, et aussi le garçon parfois curieux, le garçon doux et triste –, Walker est ce contenant qu'évoquait Wallace Stevens :

*J'ai placé une jarre au Tennessee,*
*Et ronde elle était, sur une colline.*
*Ce fut comme si la friche débraillée*
*Entourait la colline.*

*La friche monta jusqu'à elle,*
*Et s'étala autour, sans plus de sauvage désordre.*
*La jarre était ronde sur le sol*
*Haute et de fière allure dans les airs.*

*Elle étendit partout son empire.*
*La jarre était nue et grise,*
*N'offrait ni oiseau ni buisson,*
*Fait unique au Tennessee\*.*

Ce n'est pas beaucoup pour continuer, j'en ai conscience, ni bien peu de lumière pour y voir. C'est hésitant. Mais je ne peux pas faire mieux.

Nous attendons encore longtemps lors de la deuxième IRM du cerveau de Walker. Une fois de plus, je balade mon garçon le long des couloirs, dans sa coquette poussette rouge, aller et retour, jusqu'au distributeur de boissons et retour. Trois heures s'écoulent.
Je finis par abandonner la poussette, je m'assieds et m'adosse au mur en pavés de verre dans le hall jouxtant

---

\* In *Harmonium*, de Wallace Stevens, traduit de l'anglais par Claire Malroux, José Corti, 2002.

la salle d'attente. Walker est debout, tout près, au coin du mur. Olga est derrière lui, quelque part.

Tout à coup la crise survient, et il tombe dans mes bras comme une pile d'assiettes. Je le vois me regarder et se tendre. Pas d'erreur possible sur ce qui est en train de se produire : il a une crise. On m'a parlé de ces crises chez d'autres enfants CFC et, d'après le personnel du centre, Walker a peut-être eu, à deux reprises, une très légère crise. Mais je n'ai jamais rien vu de pareil, pas chez Walker. Ses yeux clignotent ; ses bras se contractent. Son cœur, que je sens entre mes jambes, bat follement comme celui d'un rouge-gorge. Il cherche mon regard. Il a l'air effrayé.

— Vous avez besoin d'aide ? me demande quelqu'un, dans le hall.

Je fais signe que non. Je sais quoi faire. Serrer son corps frêle contre mon corps robuste, attendre avec lui que les spasmes s'apaisent, être là quand ses yeux papillotants me retrouveront. Deux minutes s'écoulent. Cela ne ressemble à rien. Un orage neuronal incontrôlé, frappant au hasard : telle est l'explication médicale d'une crise d'épilepsie.

Mais ce n'est pas ce que j'ai en tête. Je le tiens dans mes bras aussi tranquillement que possible, et je pense : voilà comment ce sera, s'il meurt. Ce sera comme ça. Il n'y a pas grand-chose à faire. Je n'ai pas peur. Je suis déjà aussi proche de lui que je le peux ; aucun espace entre mon fils et moi, pas de fossé, pas de vide, pas d'attente ni de déception, d'échec ni de réussite ; seulement ce qu'il est, un garçon évanoui, mon compagnon silencieux, parfois hilare, mon fils. Je sais que je l'aime, et je sais qu'il le sait. Je tiens cette douceur dans mes bras, j'attends ce qui va arriver, quoi que ce soit. Nous attendons ensemble.

# Remerciements

J'ai écrit ce livre avec l'aide de personnes trop nombreuses pour les citer ici. Je remercie ceux qui m'ont accordé des entretiens pour expliquer les difficultés et les conséquences de l'état de Walker, particulièrement le Dr Norman Saunders, aujourd'hui décédé et qui était le pédiatre de Walker, et Sally Chalmers, son assistante ; les successeurs du Dr Saunders, le Dr Nessa Bayer et le Dr Joseph Telch ; Diane Doucette et Tyna Kasapakis, et l'armée d'enfants et d'adultes qui ont offert leur amitié et leur aide à Walker ; Minda Latorwsky, Lisa Benrubi, Paul McCormack et les DeLisle Youth Services ; Alana Grossman et ses enseignants de la Beverley Junior Public School de Toronto ; le Dr Giovanni Neri, directeur de l'Institut de la médecine génétique à l'Université catholique du Sacré-Cœur à Rome ; le Dr Edmund Kelly du Mount Sinai Hospital, et Judith John de l'Hôpital des enfants malades de Toronto. Merci également au Dr Bruce Barnes, pour ses précieux conseils et ses encouragements. Merci à Jean-Louis Munn, de L'Arche Canada, je lui dois, de plus, un bon dîner français.

Il a fallu longtemps pour écrire ce livre, car il a fallu longtemps pour vivre ce qu'il décrit. La générosité de mes collègues du *Globe and Mail* a été un puissant soutien, pour ne pas dire une bénédiction. Le rédacteur en chef, Edward Greenspon, et la rédactrice en chef adjointe, Sylvia Stead, m'ont permis de me libérer momentanément des responsabilités qui m'incombent au journal. Carl Wilson a publié dans le *Globe and Mail* une première version de certaines parties de ce livre, sous forme de série. Cathrin Bradbury, ma fidèle éditrice et amie, m'a d'abord convaincu d'écrire sur Walker, et ensuite d'en faire un livre ; son œil infaillible, son jugement sûr ont été depuis les meilleurs avocats de Walker. Ce que Cathrin avait commencé, Anne Collins, mon éditrice chez Random House Canada, l'a achevé, avec l'aide incomparable de Allyson Latta. Le talent d'Anne, grâce à qui j'ai trouvé le fil directeur de cet ouvrage, n'a été surpassé que par sa patience, si immense qu'elle devrait faire l'objet d'une analyse génétique.

Je dois aussi remercier quelques très chers amis, qui non seulement nous ont tenu compagnie dans les moments sombres du combat de Walker, mais surtout sont devenus les amis de notre fils et l'ont accueilli dans leur vie. Leur gentillesse est devenue ma définition personnelle de la délicatesse. Devant Olga de Vera, nounou de Hayley puis de Walker, je suis, honnêtement, à court de mots.

C'est grâce à Colin MacKenzie et à sa femme Laurie Huggins que nous avons enfin trouvé une institution pour Walker. Mon frère, Timothy Brown, et Frank Rioux ont aimé Walker dès sa naissance, sans une ombre d'hésitation ou de malaise ; ils nous ont emmenés en vacances, nous ont fait la cuisine, m'ont offert un lieu où écrire, et ont aimé notre petit garçon. Deux couples – Allan Kling et Tecca Crosby, ainsi que John Barber et Cathrin Bradbury – ont été les meilleurs amis que Walker pouvaient avoir : ils nous ont ouvert les portes de leurs chalets l'été, ont emmené Walker en week-end, ont représenté son refuge préféré, et le nôtre, tout cela en refusant le moindre remerciement. Leurs enfants – Daisy Kling, Kelly et Mary Barber – ont été tout aussi formidables, en traitant Walker comme leur petit frère (ce qui est toujours le cas). Je l'ai bien remarqué, qu'ils n'en doutent pas.

Enfin, tâche impossible, il me faut exprimer ma gratitude à ma fille, Hayley, et à ma femme Johanna, sœur et mère de Walker – mes piliers, mes meilleures conseillères, ma plus douce consolation durant les nuits d'épouvante, et les compagnes favorites de Walker. Pour une bonne raison : leur amour est inconditionnel, il n'a ni commencement ni fin.

Composition : Nord Compo
Impression : Imprimerie Floch, septembre 2011
Éditions Albin Michel
22, rue Huyghens, 75014 Paris
www.albin-michel.fr
ISBN : 978-2-226-23071-3
N° d'édition : 19252/01 – N° d'impression : 80404
Dépôt légal : octobre 2011
Imprimé en France